JANTAR SECRETO

RAPHAEL MONTES

Jantar secreto

1ª reimpressão

COMPANHIA DAS LETRAS

Grafia atualizada segundo o Acordo Ortográfico da Língua Portuguesa de 1990, que entrou em vigor no Brasil em 2009.

Capa
Rafael Nobre

Imagens de capa
Motosserra: Natalia Lisovskaya/ Shutterstock
Facas: Perutskyi Petro/ Shutterstock

Preparação
Lígia Azevedo

Revisão
Angela das Neves
Márcia Moura

Créditos das imagens
pp. 88, 91, 94, 95, 98, 107, 194, 360: Shutterstock
p. 173: Acervo pessoal do autor

Dados Internacionais de Catalogação na Publicação (CIP)
(Câmara Brasileira do Livro, SP, Brasil)

Montes, Raphael
Jantar secreto / Raphael Montes. — 1ª ed. — São Paulo : Companhia das Letras, 2021.

ISBN 978-65-5921-281-1

1. Ficção brasileira I. Título.

21-85793 CDD-B869.3

Índice para catálogo sistemático:
1. Ficção : Literatura brasileira B869.3
Cibele Maria Dias — Bibliotecária — CRB-8/9427

Todos os direitos desta edição reservados à
EDITORA SCHWARCZ S.A.
Rua Bandeira Paulista, 702, cj. 32
04532-002 — São Paulo — SP
Telefone: (11) 3707-3500
www.companhiadasletras.com.br
www.blogdacompanhia.com.br
facebook.com/companhiadasletras
instagram.com/companhiadasletras
twitter.com/cialetras

Ao Terra, ao Thales e ao Cliff, amigos que me ajudaram no início da jornada

Sei que tem gente que não vai acreditar nesta história que estou contando. Foda-se.

Rubem Fonseca, *Amálgama*

Na madrugada do dia 18 de junho de 2016, um homem entra na 15ª DP do Rio de Janeiro, no bairro do Jardim Botânico, e pede para falar com o delegado de plantão. Suas mãos tremem, mas ele mantém o olhar firme. Veste um smoking ensopado de sangue.

"Você está bem?", perguntam os policiais. "Está ferido?"

O homem insiste em conversar com o delegado de plantão.

"Senhor, o que aconteceu? Vou chamar uma ambulância!"

O homem sorri. Depois, chora e diz:

"Vim confessar o que fizemos."

O enigma da carne de gaivota

Dante é meu nome. Preciso que não se esqueça disso. Mesmo quando chegar à metade desta história, quando souber o que aconteceu e concluir que sou um filho da puta, um monstro sem coração, preciso que não se esqueça: meu nome é Dante e eu era um cara legal. Você provavelmente quer saber como tudo começou. Se não for o tipo de pessoa que se impressiona à toa, posso te contar os detalhes.

Hoje, tentando resgatar a origem do caos, vejo que não é tão fácil. Com o tempo, a gente perde mesmo a noção das coisas: o que estamos fazendo, por que motivo, onde e quando a merda teve início. Em 2010, eu era só um moleque de uma cidadezinha do Paraná, famosa pelo turismo religioso, sem um tostão no bolso, cheio de sonhos, recém-aprovado numa faculdade do Rio de Janeiro. Depois de dois anos enfurnado num curso preparatório para o Enem, a oportunidade de mudar de ares e dividir um apartamento na cidade grande com meus três melhores amigos de infância, também aprovados, soava como o paraíso. Eu, Miguel, Victor Hugo e Leitão bebemos muito, rimos e comemoramos quase todos os dias antes da mudança. Era o melhor momento das nossas vidas.

Mas isso não interessa. Talvez o começo do caos não esteja em 2010, na nossa chegada ao Rio, e sim anos depois, quando já estávamos estabelecidos e tínhamos terminado a faculdade. Uma noite em especial cisma de voltar à minha mente. Era março de 2015, nós ainda morávamos juntos, o calor carioca havia diminuído e subia uma brisa gostosa do mar de Copacabana. Como eu estava de folga na livraria, propus sair para comer pizza e beber cerveja. Todos aceitaram, até o Miguel, que nem fez cara feia. Sentamos no bar Inhangá, um boteco a duas quadras de casa, com cerveja barata e pizza razoável. O Hugo era formado em gastronomia e, com aquele seu jeito esnobe, odiava que a maioria das pizzarias no Rio tivesse sabores como cachorro-quente, estrogonofe, batata frita e brownie. O Inhangá era diferente: só tinha pizza de marguerita.

A gente já estava lá pela décima garrafa de cerveja e eu divagava sem prestar atenção em nada quando algo me fez lembrar do enigma da carne de gaivota. Gosto de problemas matemáticos, desafios lógicos, revistinhas de sudoku e jogos de palavras. Escutei esse enigma pela primeira vez de um professor da faculdade no sexto semestre, mas ele ainda continuava na minha cabeça. Naquela noite, decidi contá-lo aos meus amigos: "Um sujeito estava andando pela rua quando deparou com um restaurante que vendia carne de gaivota. Pediu a carne, comeu, foi para casa e se matou. Por quê?".

Eles tinham que fazer perguntas para tentar entender o que havia acontecido, e eu só podia responder "sim", "não" ou "irrelevante". Acho que todo mundo já jogou algo parecido. Por exemplo: o sujeito já pretendia se matar antes de comer a carne? Não. Ele pediu esse prato porque achava gostoso? Sim. Ele já tinha ido àquele restaurante? Irrelevante. Ele conhecia a gaivota usada no prato? Não. A carne de gaivota fez o sujeito se lembrar de algo do passado dele? Sim. E foi por isso que ele se matou? Sim.

Gastamos horas naquilo; bebendo e perguntando. Sim, não e irrelevante. Depois de muito tempo, você descobre que o sujeito é viúvo; que a mulher dele morreu em um acidente de avião; que ele também estava na aeronave na hora do acidente; que os sobreviventes foram parar numa ilha deserta sem comida; que o corpo da mulher desapareceu na queda; que os sobreviventes ofereceram carne de gaivota ao sujeito; que ele comeu e gostou; que ele sobreviveu até o resgate comendo carne de gaivota, e por isso decidiu provar a do restaurante; e que, ao provar, ele percebeu que o que tinha comido na ilha anos antes não era carne de gaivota, mas a carne da própria mulher.

Até hoje, esse enigma exerce grande fascínio sobre mim. Nessa história, o que não sai da minha cabeça não é a morte da mulher do sujeito, nem o fato de ele ter jantado a coitada achando que era carne de gaivota, nem de ter se matado por isso. O que me fascina é que o marido comeu carne humana sem saber. E mais: gostou.

Classificados

Em fevereiro de 2010, a poucos dias do Carnaval, cheguei ao Rio de Janeiro acompanhado de Miguel e minha mãe, Hilda. Ela fazia questão de ajudar a escolher o lugar onde eu moraria com meus amigos. Queria continuar a exercer algum controle sobre mim a todo custo — era difícil aceitar que eu tinha crescido e viveria em outra cidade, a milhares de quilômetros de suas garras. Ao menos nesse início, eu tinha que engolir, porque precisava de ajuda financeira.

Nos hospedamos no quarto triplo de um hotel barato em Copacabana, compramos jornais e começamos a rabiscar. Naquele tempo, ainda se viam os classificados nos jornais impressos, que tinham um padrão: se o anúncio dizia "área ampla" significava que quarto de empregada e cozinha ocupavam o mesmo espaço; "benfeitorias" ou "reformadíssimo" significava que o imóvel cairia aos pedaços sem uma ajeitada básica antes; "vista para o verde" queria dizer "de frente para a favela". Adjetivos indicavam desespero: "sensacional", "maravilhoso" e "deslumbrante" eram os mais comuns. Mostravam que o apartamento estava vazio havia meses.

Era incrível a quantidade de imóveis velhos, decrépitos, fedidos e quase contaminados que as pessoas ofereciam para alugar. Em quatro dias na cidade, visitamos muquifos inimagináveis. E lugares decentes com *preços* inimagináveis. Enquanto os blocos de Carnaval lotavam as ruas de alegria e barulho, nós murchávamos de desgosto. Morar na Zona Sul do Rio de Janeiro era como morar num castelo europeu ou num resort nos lagos andinos: estava fora da nossa realidade.

Pouco antes da data marcada para a volta, visitamos o penúltimo apartamento da lista. O corretor chegou ao prédio quinze minutos depois do combinado — eu ainda não havia descoberto que, para os cariocas, quinze minutos não caracteriza atraso, mas uma demora razoável. Ele se chamava Heitor e era um gordinho careca com jeito de boneco de ventríloquo: ombros firmes sobre a coluna ereta, cabeça girando de modo robótico para a esquerda e para a direita. Abriu um sorriso falso, desculpando-se pela demora, e retirou um lenço encardido do bolso para enxugar a testa. Depois da conversa de praxe, tomamos o elevador até o sétimo piso.

O prédio era daqueles antigos, com um único apartamento por andar, de quatro quartos. Ao entrar na sala, tive que conter a surpresa. Logo me lembrei de uma reportagem que eu havia lido dias antes em uma revista sobre japoneses que moravam em gavetas de cinco metros quadrados em Tóquio. Pobres asiáticos. Aquela sala era o exato oposto: tinha espaço sobrando, com uma imponente mesa de tampo de vidro escuro e dez cadeiras; quadros de arte contemporânea tão bonitos quanto confusos nas paredes, um sofá seminovo bem confortável e uma televisão de tela plana na antessala. Mecanicamente, Heitor abriu portas e fez elogios aos armários embutidos e à boa localização do imóvel. Falava sem parar: taco de madeira, sistema elétrico novo, sol da manhã na sala e da tarde nos quartos.

"Tem uma favela na altura do posto um e outra na altura do seis, controladas por facções inimigas", disse. "Estamos no posto três, uma zona cinzenta. É bom porque nenhuma das duas facções assalta nessa área, pra não arranjar conflito com a outra."

Basicamente, ele estava dizendo que o apartamento ficava na faixa de Gaza carioca, e que isso era uma vantagem. Ignorando a lógica absurda, fui conhecer um dos quartos. Tinha até pilastras. Mesmo com a cama e as mesas de cabeceira, dava para dançar, pular loucamente e empilhar japoneses ali.

"O que achou?", perguntei a Miguel, enquanto minha mãe tagarelava com o corretor em outro cômodo.

"Deve custar uma fortuna", ele disse, maravilhado.

Rimos da nossa desgraça. Aos dezenove anos é normal querer salvar o mundo, se sentir perdido na vida e ter que contar o dinheiro para pagar uma garrafa de cerveja — tudo isso ao mesmo tempo. Aquele lugar não era para nós, com sua sala enorme e seus quartos magníficos. Por mais que fosse doloroso saber que meu castelinho de areia seria destruído pelo corretor, continuei a sonhar. Abri uma das janelas da sala, voltada para a copa das árvores, e respirei fundo. Lá embaixo, formiguinhas humanas zanzavam pelas ruas, micro-ônibus expeliam gás carbônico e ambulantes ocupavam as calçadas. Logo o boneco de ventríloquo se aproximou, com jeito de quem não quer nada, mas na verdade quer muita coisa.

"Vocês são de onde?"

"Pingo d'Água", respondi. "Uma cidadezinha no Paraná."

"Perto de Curitiba?"

"Não, fica mais pra Foz do Iguaçu. Mas é o fim do mundo."

"Os três vão morar aqui?"

"Eu só vim ajudar", minha mãe se intrometeu. "São quatro amigos de infância, vão fazer faculdade no Rio."

"Quatro jovens?", Heitor perguntou, esticando o pescoço.

Seus olhinhos opacos me encararam brevemente, antes que ele voltasse a passar o lenço pela testa encharcada de suor.

"É um grupo súper do bem, o senhor pode confiar. Sou a mãe deste aqui."

Ela apontou para mim como quem escolhe um sapato numa vitrine. Eu odiava fazer parte do clichê jovem-que-abandona-o-interior-pra-ganhar-a-vida-na-metrópole. O ventríloquo simulou simpatia:

"Vai estudar o quê?"

"Administração na UERJ."

"Ah, que bom", ele disse, com o rosto inexpressivo. "E você?"

"Medicina na UFRJ", Miguel respondeu, encarando os próprios pés.

"Ele passou em quinto lugar", fiz questão de acrescentar.

Os pais de Miguel sempre trabalharam para meus pais. Crescemos na mesma casa, criados como irmãos. Eu já estava acostumado à timidez dele. Miguel preferia passar despercebido a exibir seus méritos por aí. No jardim de infância, ele se juntava a mim e ao Leitão no grupo dos excluídos. Agora a psicologia tem nome para o que as crianças de oito anos fazem umas com as outras: bullying. Na época, em Pingo, ele era só o lesado, eu era a bichinha e o Leitão era o Free Willy. Até a gente se tratava assim.

Miguel sempre foi quieto, ensimesmado, estudioso. Gostava de ler, fazer experiências científicas no quintal e mexer em bichos mortos. Eu ficava ao lado, fascinado com sua intimidade com os mistérios do Universo. Seus pais mal sabiam ler e escrever, mas, contrariando todas as expectativas, ele era genial desde pequeno. Cursar medicina no Rio era o começo da realização do seu sonho de ajudar as pessoas. Enquanto isso, os garotões que nos sacaneavam e paqueravam as menininhas da escola agora ordenhavam vacas, mascavam fumo e eram pais de quatro filhos de mães diferentes em Pingo d'Água. Isso me dava certo orgulho.

Heitor parabenizou Miguel de modo automático e perguntou:

"Cadê os outros dois?"

"Ficaram em Pingo até a gente resolver tudo."

O corretor tossiu. Suando e cuspindo perdigotos, falou da taxa de condomínio, do porteiro vinte e quatro horas e da vaga de garagem.

"Vocês têm carro?"

"Um só."

Nossa carroça era um Verona 1998 vinho, carinhosamente apelidado de Bukowski. Nós quatro dividíamos a gasolina, o IPVA e as despesas de manutenção. Bukowski era nosso xodó. Apesar de velho e de beber bastante, ainda era capaz de longas aventuras: nosso plano era sair de Pingo com ele dali a um mês e chegar à Cidade Maravilhosa em sete dias, dessa vez para ficar. Sem dúvida, seria uma viagem divertida.

Após visitar todo o apartamento, voltamos à sala. Sentei no sofá, passando os olhos por cada canto daquele lugar perfeito. Com as mãos pressionando os joelhos de tão nervoso, olhei para os outros com um silêncio constrangedor. Havia chegado a hora.

Forjei um tom despreocupado para perguntar:

"Quanto custa o aluguel?"

O corretor criou certo suspense: foi buscar o valor exato em sua planilha no celular e... Tudo bem, sei que não devo me gabar do acaso, de conquistas que não são minhas, mas milagrosamente o valor estava dentro do nosso orçamento. Ele explicou que os proprietários tinham pressa em alugar porque haviam sido transferidos a trabalho, precisavam viajar e queriam deixar tudo já acertado e assinado. Mesmo nas nuvens, tentei não demonstrar minha euforia. Engoli o sorriso para dizer:

"Ótimo."

"Vocês precisam depositar três meses de aluguel ou apresentar fiador."

"Vou depositar a caução", minha mãe se apressou em dizer.

Sei que deveria tê-la contrariado. Nenhum de seus favores vinha de graça. Começar a vida no Rio de Janeiro com uma muleta daquelas não podia ser bom. Ainda assim, cedi. Queria muito ficar naquele apartamento incrível. Enviei um torpedo ao Leitão e ao Hugo avisando que tínhamos encontrado o lugar ideal.

Naquele momento, eu me sentia um sortudo. Havia um longo caminho pela frente, mas eu tinha dado o primeiro passo rumo a um futuro de sucesso. Conquistaria tudo o que havia para conquistar, seria rico, bem-sucedido e independente. Adeus, sociedade rural e preconceituosa! Adeus, mãe e suas indiretas! Ali, era como se nada pudesse dar errado na minha vida.

Eu não poderia estar mais enganado.

[Carta]

Rio de Janeiro, 22 de março de 2010

Oi mãe, tudo bem?

Finalmente estou no Rio de Janeiro, nem acredito! O apartamento que o Dante e o Miguel escolheram é incrível, é realmente tudo o que disseram por telefone. Meu quarto é o maior, com vista para um hotel chique que tem na outra esquina, todo espelhado. A rua é a Ministro Viveiros de Castro, tem um monte de árvores e pouco movimento, parece até Pingo, mesmo em Copacabana. A estação de metrô mais próxima é a Cardeal Arcoverde, a duas quadras. Enquanto a faculdade não começa, estou aproveitando para descer nas estações e conhecer a cidade. Fui ao Cristo Redentor, claro. E orei pela senhora, pela bispa Lygia e por toda a comunidade da Universal do Senhor Crucificado.

Descobri uma igreja aqui perto de casa também, com cultos às terças e quintas, e estou pensando em congregar com eles. Comentei com o pastor daqui (o nome dele é Sérgio) que a senhora é diaconisa junto com a bispa Lygia, e ele ficou muito animado, disse que adora ela também. Depois do culto, ele me chamou para conhecer sua casa e me mostrou sua coleção de DVDs. Tinha uns quatro da bispa, inclusive aquele show em Salvador, que é mais difícil de achar. Ouvimos os DVDs e cantamos "O ungido do Pai" e "Senhor, vem me abençoar" e outras menos conhecidas, como "Louvor ao Glorioso", "Quantas bênçãos conquistei" e "Cura-me, ó Senhor Deus". O pastor Sérgio é mesmo fã da bispa Lygia.

Fiz minha matrícula na faculdade esta semana também. A PUC é muito bonita, parece coisa de cinema, com uns bancos a céu aberto, área verde, uma galera conversando e discutindo projetos. Tive um pequeno estresse com a entrega dos documentos. É incrível a papelada que a gente precisa apresentar. De todo modo, agora sou oficialmente um estudante do curso de Ciência da Computação da PUC do Rio de Janeiro, com muito orgulho, sim, senhora.

Aqui tem tudo perto (até mais perto que em Pingo): mercado, lanchonete, floricultura, manicure, lan house, padaria, curso de dança e umas três academias. Sei que você deve estar preocupada com meu peso, por isso vai ficar feliz em saber que me matriculei na Intelligent Fit. Eles têm um programa legal para pessoas como eu, com acompanhamento de professores e tudo mais. O instrutor montou uma série de exercícios para mim, com muito aeróbico e alguma musculação para ajudar a perder gordura. Fui ontem, fui hoje, devo ir amanhã. E parece que às quintas-feiras rola uma feira de rua aqui perto, na Ronald de Carvalho. Pretendo comprar frutas e verduras por lá. Minha ideia é cortar de vez refrigerante, chocolate e fritura e ficar só no suco. Vai me ajudar a ter uma vida mais saudável. E a senhora vai ficar orgulhosa quando vier me visitar. Um filho graduando e magro. Pode ser melhor?

Junto com a carta, estou mandando um postal daqui da cidade, com Cristo de braços abertos.

Deus te abençoe.

Beijos do Leitão

Cora

1

Cinco anos passam rápido. Quando abri os olhos, já era final de 2014, o Brasil havia perdido para a Alemanha na Copa do Mundo, o papa era um argentino, o vírus ebola apavorava países inteiros e eu vestia beca para fazer o discurso de formatura a pais e mães chorosos na plateia, agradecendo "o carinho dos professores e os ensinamentos incomensuráveis que recebemos ao longo do curso". A verdade é que a faculdade não foi nenhuma maravilha. A UERJ era longe (quase uma hora de metrô), tinha estrutura precária, muitas greves e professores que faltavam com frequência. Com o tempo, comecei a faltar também.

Minha vida havia mudado bem menos do que eu gostaria. Eu continuava a ter relacionamentos breves e morava no mesmo apartamento, dividindo as despesas com meus três amigos, o Bukowski estava nas últimas e minha mãe insistia em se intrometer na nossa rotina. Mesmo à distância, ela enviava mensagens diárias no WhatsApp (bons-dias coloridos, Ursinhos Carinhosos e frases motivadoras), ligava duas vezes na semana e me visitava a cada trimestre. Se você nunca viveu isso, não sabe o verdadeiro significado da palavra *inconveniência*.

Sem dúvida, morar no Rio de Janeiro era melhor do que morar em Pingo d'Água. Mas eu não podia dizer que estava *feliz*. *Decepcionado* talvez fosse mais preciso. Eu tinha um diploma e havia perdido o sotaque. Uma vez formado, esperava trabalhar numa empresa sólida, juntar dinheiro suficiente para capitalizar meu próprio negócio e conseguir a realização profissional antes dos trinta. O sucesso só faz sentido quando se é jovem.

Certa vez, num banheiro público, havia um poema:

"*Algo que não está nos livros*
É que vaginas peidam."

Muita coisa não estava nos livros. Além das obras técnicas, sempre gostei de autoajuda, histórias reais de quem venceu na vida. Li *Homens sábios e poderosos*, *Aprenda a ser bem-sucedido diante de qualquer situação*, *Para um homem de sucesso* e *Os segredos dos homens mais ricos do mundo*. Não havia nada sobre ser jovem e formado em administração. Nada sobre buscar emprego na sua área e não conseguir. Nada sobre ser ignorado.

Se você não é rico, não tem nada. Isso os livros não dizem. Se seu pai não é dono de um negócio, você não tem nada. Outra coisa que os livros não dizem. Se você não tem quem te indique, você não tem nada. Nem isso os livros dizem.

Li *As cinco características do empresário de sucesso* e descobri que elas são: perseverança, visão estratégica, foco, persuasão e autoconhecimento. Eu era perseverante, estratégico, focado e persuasivo. Mantive um diário por anos, fiz alguns investimentos só para praticar, estudei teorias e casos de *startups*, conversei com especialistas na área digital. O que quero dizer é que eu não era um moleque, estava preparado para o mercado. Mas, quando me formei, havia pouca oferta de emprego e a maioria das vagas era ocupada por engenheiros de produção. "É a crise", meus amigos diziam, em tom de consolo. Estavam tão fodidos quanto eu.

Hugo havia terminado a faculdade de gastronomia em 2013 se achando um verdadeiro chef, mas também era um zé-ninguém. Vivia pulando de restaurante em restaurante, ganhando uma mixaria como assistente de cozinha. Ele tinha talento de sobra, era um artista nato: em 2011, havia passado seis meses em Paris com uma bolsa no Centre de Formation d'Alain Ducasse (o que fez as contas do apartamento pesarem significativamente mais na época), mas seu ego inflado o afastava das pessoas. A menos que fosse o novo Alex Atala, Hugo ainda limparia muito chão, engoliria sapo e suaria diante da boca do fogão por um bom tempo. Focado, persuasivo e perseverante, mas nada estratégico.

Miguel fazia residência em um hospital público nos cafundós do Rio de Janeiro. Vivia com o Bukowski pra lá e pra cá. Mal aparecia em casa, mal tomava banho, mal se alimentava, mal encontrava Rachel, a namorada insuportável que ele havia conhecido no início da faculdade. Nas poucas vezes em que eu o encontrava, Miguel parecia exausto e realizado ao mesmo tempo. Estratégico, focado e perseverante, mas nada persuasivo.

Por fim, o Leitão. Ele não se formou e passava o dia na cama reforçada, especial para obesos, mexendo na internet e comendo coxinha e biscoitos salgados. Nasceu gordo, feliz e acomodado. Não era persuasivo nem estratégico nem focado, muito menos perseverante.

Meus amigos estavam fadados ao fracasso, e eu seguia pelo mesmo caminho. Tinha um emprego em uma livraria do Leblon e deveria estar feliz com isso. Gostava de livros e do ambiente, mas a verdade era que os clientes em geral me irritavam, todos desinformados ou distraídos. Chegavam querendo "aquele livro com um anão na capa" ou "aquele outro cheio de sangue nas páginas", mas não sabiam o título, a editora ou o autor. Esperavam que eu fosse mágico, não livreiro. Vinham com intermináveis listas escolares, compravam livros de colorir e pediam indicações de presente para a tia velha chata que faria aniversário e cujo gosto desconheciam completamente.

Trabalhar em livraria era um desvio nos planos, e sempre odiei desvios. Além disso, não ganhava um salário digno. Não tinha mudado de cidade, estudado e me dedicado feito um desgraçado para não ganhar bem. Eu devia meter a cara nas apostilas até passar em um concurso público e conseguir estabilidade. Havia mandado currículos para empresas, estudava de madrugada para editais específicos e, na medida da minha paciência, esperava alguma coisa boa acontecer.

Vai melhorar, uma voz interna me dizia. *Insista, se dedique, estude e vai melhorar!*

Eu insisti, me dediquei e estudei.

Voz mentirosa do caralho!

2

Quando você vai morar com seus melhores amigos e passa a olhar para a cara deles todos os dias, descobre que a experiência não é tão agradável quanto havia imaginado. Não é fácil manter uma convivência pacífica com quem rouba sua comida da geladeira durante a madrugada, deixa louça acumulada na pia, encharca o banheiro, mija na tábua da privada e não limpa. O Leitão era o maior responsável pelas brigas no apartamento. Ao longo dos anos, tivemos muitas discussões e cheguei a ficar um tempo sem falar com ele. Depois, desisti. O gordo era incorrigível, um preguiçoso sem vergonha, mas fazer o quê? Era meu amigo.

Em 2010, quando viemos para o Rio, Leitão pesava cento e doze quilos. Em 2014, já estava com cento e setenta e um, e suas pernas pesavam mais que duas crianças. Para mantê-lo vivo, suas artérias trabalhavam como chineses em fábricas de tênis. Seu corpo era cheio de dobras; a pele tinha irritações, brotoejas, assaduras e acnes em lugares inalcançáveis. Seus peitos eram maiores do que os de uma ama de leite africana e seu pau parecia um amendoim torrado — sim, infelizmente eu já tinha visto o Leitão pelado algumas vezes; ele tinha o péssimo hábito de andar sem roupa pela casa e de cagar com a porta aberta.

Leitão havia desistido da faculdade de Ciência da Computação no segundo ano porque não suportava essa coisa de calendário, provas e cobranças. Ter obrigações não combinava com ele. Queria ser um homem livre, mesmo com cento e setenta e um quilos. Enquanto estudávamos e trabalhávamos, ele jogava video game, fazia maratonas de *Star Wars* e via seriados completos no Netflix. Tinha também um fetiche: passava o dia com fones de ouvido escutando filmes pornôs. Gostava das mulheres gemendo, dos gritos agudos enquanto faziam sexo. Gabava-se de saber diferenciar loiras, negras e morenas só pelo orgasmo. Segundo ele, as japas gemiam dois tons acima de qualquer ocidental.

Era também um rapaz religioso. Quando conhecia alguém, logo contava que vinha de família evangélica. Gostava de cantar gospel e até escutava de vez em quando, nos intervalos dos áudios pornôs. Sua religião não impedia que ele ganhasse a vida do seu jeito. Vivia de pequenos golpes na internet: vendia produtos inexistentes e remédios falsificados para velhinhas com câncer, enganava trouxas com serviços fantasmas, invadia computadores e realizava transferências on-line de contas desprotegidas. Ganhava bastante em *bitcoins*. Quando descobrimos essas atividades ilícitas, ficamos putos. Tudo o que não precisávamos naquele momento era ter problemas com a polícia. Mas o Leitão era divertido, sabia seduzir, e nos garantiu que não fazia nada demais e que seus trambiques eram seguros e discretos.

Naquele mundinho que era seu quarto, ele não economizava em nada. Isso era para os magros, os saudáveis, com anos pela frente. Leitão gastava. Incorporava o clichê dos gordos muito gordos e adorava McDonald's, Burguer King, Bob's e KFC. Com cheddar e bacon. E mais cheddar. E mais bacon. Curtia também culinária tailandesa, alemã, chinesa, japonesa, peruana, italiana e brasileira. Era o tipo de pessoa para quem comer não era necessidade, mas prazer, programação, razão de vida. Para ele, o delivery era a maior invenção do século XX. E pedir pela internet era a maior invenção do século XXI.

Leitão fazia questão de me pagar (vinte reais) só para deixar suas cartas no correio toda semana. Pagava também a um moleque que entregava maconha em casa. Saía muito pouco, só para bares, onde comia e bebia feito um búfalo. De resto, levava uma vida on-line, na engorda.

Para coroar, seu sobrenome era Leitão. Uma piada pronta.

Em mim, ele despertava um misto de sensações, algo entre piedade e indignação, passando por afeto e preocupação. Foi numa segunda-feira, 15 de setembro de 2014, que Hugo e Miguel entraram juntos no meu quarto, com um "assunto importante a tratar". Eu estava sentado na minha cadeira com rodinhas diante do computador, assistindo a TEDs no YouTube sobre como criar uma empresa financeiramente saudável, enquanto devorava uma fatia de pizza velha que ficara esquecida na geladeira.

"Que foi?", perguntei, pausando o vídeo.

"Segunda que vem é aniversário do Leitão. A gente precisa decidir o que vai dar de presente pra ele."

Todo setembro era a mesma coisa: Leitão comemorava cada ano de vida como uma vitória. A gente sempre se juntava para comprar algo legal para ele, normalmente, Blu-rays de filmes nerds. Dessa vez, sugeri um peixe, um hamster ou um papagaio. Ele ficava sozinho o dia todo.

"É que este ano a gente quer dar uma coisa especial pro gordo...", Hugo disse, trocando olhares com Miguel, enquanto mascava um chiclete irritante com a boca aberta. Logo entendi que eles já tinham outros planos. "É que... assim... Eu tava pensando... Qual é o maior prazer do homem no mundo?"

Fiquei em silêncio e, percebendo que ele esperava meu palpite, girei os olhos, impaciente:

"Qual?"

"Comer bem, cara! O maior prazer do homem é comer bem, seja comida, seja mulher", Hugo disse. "Vamos combinar que o Leitão não é exatamente virtuoso em nenhuma das duas coisas, né? Ele só gosta de comer comida ruim, fast-food. E quanto às mulheres... Bem, ele ainda não teve chance de provar nenhuma."

"O que você tá sugerindo?"

Hugo abriu seu melhor sorriso:

"Vamos contratar uma puta pra ele!"

Desde que tinha ficado solteiro, Hugo só pensava em sexo. Seu lado machista babaca crescia cada dia mais e não adiantava discutir com ele. Hugo era o rei do vale dos heterossexuais, um cara abençoado pela genética, com olhos verdes herdados da bisavó e cabelos compridos cor de mel (em geral, presos por elástico num coque ou cobertos por uma touca). As mulheres caíam facilmente em sua conversa, e não era difícil entender o motivo, já que ele era um chef de cozinha macho alfa, mal-humorado, musculoso, cheio de tatuagens, piercings e alargadores nas orelhas. Mas, assim como Hugo não durava muito em nenhum emprego, não segurava nenhuma namorada: suas ideias e seu desprezo pelo mundo incomodavam demais. Ele tratava as mulheres como um prato de comida. Enjoava delas depois de algum tempo.

Sempre tive a impressão de que Hugo era aquele tipo de pessoa que, se eu tivesse conhecido um pouco mais velho, acabaria odiando. Mas éramos amigos desde a escola, quando nossas diferenças ainda não pareciam tão gritantes. O tempo nos tornou diametralmente opostos, mas a amizade continuou ali, como um status estabelecido.

"Sou contra", eu disse. "Contratar uma garota de programa deve custar uma fortuna."

"E daí?", Hugo disse, com seu tom não-ligo-pro-resto-do-mundo.

"Não sei se você tem noção, mas a gente tá na merda!"

Aproveitei para refrescar a memória dos dois. A cada dia, tudo ficava mais caro. Depois de tantos reajustes, o aluguel do apartamento tinha praticamente dobrado desde 2010. Vivíamos nos equilibrando na corda bamba para continuar ali, e eu não gostava nem um pouco da ideia de mudar para um lugar pior. Era como admitir meu fracasso.

"Melhor economizar em vez de gastar dinheiro com uma trepada de aniversário."

"Qual é, cara?", Hugo disse, dando um soquinho no meu ombro. Ele sabia que eu odiava soquinhos e fazia isso para me provocar. "Nosso Leitãozinho vai fazer vinte e três anos e tá na cara que é virgem. Gordo daquele jeito, não vai comer ninguém tão cedo. É nossa responsabilidade conseguir uma mulher pra ele. Porra, aqui é Copacabana!"

Eu também tinha certeza de que Leitão era virgem. Mas ele era feliz assim, escutando seus filmes pornôs e jogando MMORPG e FPS. Para que colocar mais coisas em sua cabeça perturbada? Além disso, seria uma tarefa complicada convencer uma mulher a ir para a cama com um sujeito de quase duzentos quilos, ainda que fosse uma profissional.

"Sinto muito, galera, estou sem dinheiro", falei, dando o assunto por encerrado.

Coloquei os fones de ouvido e dei o play no vídeo. Ainda no mesmo lugar, Hugo falou qualquer coisa para Miguel que não escutei e então desplugou meus fones do computador.

"Já tenho a solução, pão-duro. A gente entende que você ganha mal apesar de se foder todo dia naquela livraria, mas não tem problema. A gente entra com a grana e você encontra a garota."

Às vezes, a naturalidade com que Hugo dizia coisas ofensivas era espantosa. Não era maldade, só falta de noção mesmo. Pior que, dessa vez, Miguel estava do lado dele. Logo Miguel, o sujeito mais pai de família que havia na face da Terra, que nunca havia traído ninguém, namorava a mesma mulher há anos e provavelmente casaria e teria filhos com ela.

"Isso não está certo", eu disse, quase implorando para que desistissem daquela ideia.

Hugo enfiou a mão no bolso do jeans surrado e pegou a carteira. Jogou cinco notas de cem sobre a mesa:

"A gente tem mais dinheiro, você tem mais tempo. O Leitão nunca cheirou uma boceta. Vai sair todo mundo feliz nessa história."

Talvez eu fosse menos persuasivo do que pensava.

3

No dia seguinte, eu me sentia patético. Tinha que entrar no trabalho no fim da tarde e havia planejado estudar pela manhã com foco no edital de um cargo público que abriria dali a alguns meses. No entanto, continuava na cama, de cueca, com o ar-condicionado ligado, revezando entre mexer no meu Tinder e procurar prostitutas para um obeso mórbido.

Acessei sites de garotas de programa no Rio de Janeiro. Rio Dream, Vip Gold RJ, Garota Safada, Pin Up Rio. *Você tem mais tempo*, Hugo disse. Aparentemente eu tinha mesmo. Anabelle Mulata, Gaúcha Abusada, Sulamita, Sheron, Tuliane, Micaella, Capitu, Ana Kelly, Paola, Shana e Mel. Achei que a Gaúcha Abusada dava jogo. Sexo oral inesquecível, vaginal, bom papo e massagens. Beijo: sim. Sexo anal: não. Homens, mulheres e casais. Aceita cartão. Liguei, expliquei a situação, ela desligou na minha cara. Gaúcha Abusada, mas nem tanto.

Tentei outra: Loira Sensacional. Altura: um metro e sessenta e oito. Peso: cinquenta e sete quilos. Na cama sou assim: assanhada. Realizo fantasias. Tenho brinquedos. Hobby: malhar. Comida: japonesa. Música: eletrônica. Filmes: *Marley e eu*. Livros: *Marley e eu*. Também desligou na minha cara. Tentei a Mulata Fogosa, a Chinesa Discreta, a dupla Milla e Camilla. Estilo namoradinha. Cachê a combinar, táxi à parte. Desligaram. Revirei o cardápio de mulheres e comecei a me dar conta de que elas eram como eu. Muitas deviam ser formadas em administração e marketing. Kotler e Keller para putas.

Segui a lista. Dominatrix: experiência em podolatria, inversão de papéis, chuva de prata, chuva dourada, *fisting*, *tit torture*, CBT, *spanking dogplay*. O Leitão ia pirar de vez. Preferi não ligar. Cora Poeta. Idade: vinte e três. Altura: um metro e setenta e sete. Peso: sessenta quilos. Comida: todas. Livros: poesia. Música: Alceu Valença. Na cama sou assim: custosa. Telefonei.

"Quem é?", ela atendeu, como se interrompida no meio de algo muito importante. Tinha uma voz grave, dominadora mas agradável, feito uma cantora de cabaré. Ao fundo, barulho de trânsito.

"Vi seu anúncio e gostaria de contratar você."

"Pra agora?"

"Semana que vem. Dia 22."

Era como marcar uma consulta médica. Aceita Golden Cross?

"Escuta, a situação é um pouco delicada", eu disse. Já estava tão cansado de ter mulheres desligando na minha cara que até pensei em omitir a obesidade do Leitão. Desisti. Seria uma puta sacanagem com a puta. "Onde você tá agora?"

"Copa."

"Eu também. Pode me encontrar?", insisti. "Prefiro falar pessoalmente."

"Você paga o almoço?"

Olhei o relógio. Já passava do meio-dia. Eu tinha que comer qualquer coisa rápida, mudar de roupa e entrar às três da tarde na livraria.

"Pago."

Marcamos para dali a trinta minutos no posto dois.

4

Cheguei e ela já estava lá, a mesma mulher da foto, só que vestida, os peitões guardados na blusa apertada, sem tarja nos olhos. Fumava um cigarro, sentada em um banco do calçadão, voltada para o mar, de pernas cruzadas e costas eretas. Ventava bastante e havia pouca gente na ciclovia.

Atravessei a faixa e encostei de leve em seu ombro. Ela ficou de pé (era dois palmos mais alta que eu). Quando apertamos as mãos, me arranhou sutilmente com as unhas compridas, talvez postiças, pintadas de vermelho-sangue. Estava maquiada e vestia uma roupa colorida de ginástica: blusa vermelha fluorescente e calça legging de lycra estampada brilhante. Era incrivelmente bonita, com a pele morena e os cabelos muito escuros caindo cacheados quase até a cintura. Tinha o rosto quadrado, com queixo proeminente, nariz curto e lábios carnudos que mantinham o cigarro preso à boca. Seu perfume era um misto de hortelã e Neutrox.

"Tá com fome? Eu tô morrendo", ela disse.

Amassou o cigarro com seu tênis de corrida cor-de-rosa e me pegou pelo braço, como se fôssemos íntimos. Havia algo no seu jeito de andar, na maneira como inclinava a cabeça e me devorava com os olhos. Sem trocar mais nenhuma palavra, caminhamos quatro quadras. Eu não sabia por onde começar, mas ela devia estar acostumada a clientes que falavam pouco. Escolhemos o Galeto Sat's, no início da Barata Ribeiro. Sem olhar o cardápio, ela pediu galeto, farofa de ovos, arroz com brócolis e coca zero. Então, sorriu para mim:

"Dante… Gosto do seu nome."

"Obrigado. Também gosto do seu."

"Amo meu nome. Vem da Cora Coralina, que é lá da minha terra. Conhece?"

"Conheço."

Ela inspirou fundo e fechou os olhos, como uma atriz que se prepara para entrar no palco.

"*Vive dentro de mim uma cabocla velha, de mau-olhado, acocorada ao pé do borralho, olhando para o fogo*", declamou com sotaque marcado, movendo os braços na minha direção, como uma pombajira. "*Benze quebranto. Bota feitiço… Ogum. Orixá. Macumba, terreiro. Ogã, pai de santo…* Essa poesia é dela. A Cora foi poeta, eu sou puta. É quase a mesma coisa. Seduzimos com poucas palavras."

Devolvi o sorriso e olhei para o garçom que trazia os refrigerantes. Cora ergueu seu copo.

"O serviço não é pra você, né?"

"Sou gay."

"Isso eu reparei quando você chegou. Mas sei lá… Já me

apareceu de tudo. Velho, velha, padre, ministro. Teve uma travesti que queria ir pra cama comigo."

"O serviço não é pra mim."

"Pena, te achei gatinho."

Não sabia se devia agradecer. Fiquei quieto.

"Você tem problema com isso?", ela perguntou.

"Com quê?"

"Com ser gay."

"Nenhum. Meus pais sabem, meus amigos sabem. Todos encaram na boa. Por que a pergunta?"

"É que você tá bem desconfortável", ela disse, então apertou minhas mãos e puxou meus dedos um a um, como se já nos conhecêssemos há anos. "Olha, eu não mordo. A menos que você pague muito bem por isso."

"Desculpa." Eu não queria que ela se sentisse indesejada e fiz o enorme esforço de parecer à vontade. "O serviço é pra um amigo que faz aniversário na segunda. Tenho quase certeza de que ele é virgem."

O garçom trouxe a comida e perdi a atenção de Cora para o galeto. Vi como ela baixou o rosto, projetando as narinas para sentir o cheiro do prato ao mesmo tempo em que abria um sorriso de satisfação. Sem demora, se serviu de fartas porções de arroz e farofa, e me perguntou se podia ficar com as coxas do frango.

"Pode, claro."

"Você é um anjinho", ela disse, soltando a colher para apertar minha bochecha. Ofereceu-se para me servir também.

"Já está bom, obrigado."

Cora comia bem mais do que eu. Deixou o prato diante de mim e desembrulhou os talheres.

"Quantos anos tem seu amigo?"

"Vinte e três."

"Virgem nessa idade? Ele não é gay também?"

Imaginar o Leitão na cama com outro homem — o.k., na cama comigo — revolveu meu estômago.

"Não", respondi, dando a primeira garfada.

Cora não pediu mais explicações. Não queria saber por que ele era virgem; não queria saber que ele pesava quase duzentos quilos; não queria saber que ninguém era louco de fazer sexo com aquela massa enorme de gordura e carne. Como uma predestinada ao apetite voraz, ela se inclinou sobre o prato e escancarou a boca, se atracando com o galeto sem medo de ser feliz. Quando as guarnições terminaram, deixou os talheres de lado, pegando as coxas de frango com as mãos.

"Tá delicioso, não tá?", disse, arrancando pedaços com os dentes e chupando os ossos para garantir que não restava nenhuma carne. "É engraçado... Eu trabalhava num matadouro em Goiás. Meu pai era caseiro numa fazenda. Cresci dando machadada, dessangrando, desossando, essas coisas... Já cortei mais boi do que trepei com gente, só pra você ter noção. Mas nunca matei galinha, acredita? Não sei por quê, nunca tive coragem. Galinha pra mim é diferente. Fico com pena."

"Mas não deixa de comer por isso..."

"Claro que não. É gostoso. Fui criada com galinhada. Aqui no Brasil a gente come vaca, mas não come cavalo. Na França, eles comem cavalo, mas não comem cachorro. E sabia que na Índia eles comem cachorro, mas não comem vaca? Cada um na sua. A verdade é que comer carne é bom demais."

Cora terminou de roer o último osso e o jogou no prato. Ainda restava um pouco de arroz e farofa, mas a fome havia acabado. Limpou as mãos num guardanapo. Seus lábios brilhavam com a gordura do galeto e os olhos castanhos me encaravam mais vivos, revigorados pela refeição.

"Sabe, eu entendo a treta", ela disse. "Essa coisa de virgindade é complicada. Marca a vida da pessoa. Perdi a minha aos doze, com meu pai. Ele me ensinou tudo. Foi importante, porque era alguém em quem eu confiava. Qual é o nome do seu amigo?"

Tentei disfarçar o incômodo com a despretensão dela ao falar absurdos. Mantive o foco:

"A gente chama de Leitão, que é sobrenome."

"Matei muitos leitões lá na fazenda com meu pai. Bicho ruim de morrer, grita demais. Aquilo não era vida pra mim, não. Ninguém consegue melhorar de vida no cerrado. Vim pro Rio fazer meu pé de meia. Te falei que quero ser poeta feito a Cora Coralina? Escrevo meus versinhos de vez em quando."

"Você aceita?"

"Tirar a virgindade dele?", ela perguntou, enfiando uma bala na boca. Era como se nunca parasse de mastigar. "Qual é a parada? Tô sentindo que tem mais coisa. Ele é anão, perneta, caolho?"

"É gordo."

"Gordo quanto?"

"Muito gordo."

"Tipo?"

"Uns cento e tanto."

Sabia que ela ia desistir naquele instante. Cora apoiou os cotovelos na mesa, aproximando o rosto do meu. Fazia movimentos com a língua, de modo que a bala martelava os dentes. Tinha hálito de Halls preto e de alho frito.

"Olha, Dante, vou te falar, prostituta é que nem pizza. Tem delivery, tem à la carte, tem rodízio. Se é meio a meio, você paga pelo sabor mais caro. Puta de rua é pizza de barraquinha, muita gente come e é mais massuda. Já fui dessas, agora sou chique, com borda de catupiry. Pizza pra gordo tem que ser maior, pra matar a vontade. Maior é mais caro."

"Quanto a mais?"

"Quinhentos. E não adianta insistir. É que nem pizza mesmo. Você não quer que eu descumpra o acordo e apareça fatiada à francesa, né? Então... Quinhentinhos. É assim que funciona. Pra gordo, quinhentos. Pra gringo, cobro mil. Você sabe quanto custa uma coca-cola na Europa? Vinte reais. Dá pra acreditar? Vinte contos por uma coca?! Por isso, a tabela diferente. Cobro caro dos gringos pra ver se aprendem a não abusar no preço do refrigerante."

"Tudo bem."

Ela sorriu de um jeito infantil. Olhou de relance para o prato vazio e alinhou os talheres:

"O tal Leitão sabe do presente que vai ganhar?"

"É surpresa."

"Avisem o coitado. Comprem camisinha, gel e tudo mais. Eu só levo o corpo, o talento e a confiança. Vocês pagam o táxi. Se der algum problema, recebo do mesmo jeito, tá?"

Pensei nos 4Ps do marketing: produto, preço, praça e promoção. Pensei em *Cinco passos rumo ao sucesso* e *O manual do homem moderno*. Cora era como nós, vinda do interior para ganhar a vida na metrópole. Mas, pelo visto, estava tendo êxito. Ela era perseverante, estratégica, focada, autoconfiante e persuasiva.

"Não vai ter problema", eu disse. "Ele é um cara legal. Tem umas manias religiosas aí, mas só às vezes."

"Não entendo nada dessas coisas. Pra mim, Bíblia é feito catálogo da Avon: só abro pra fazer pedido."

Combinamos que ela deveria chegar ao apartamento às cinco da tarde da segunda-feira, quando eu, Miguel e Hugo estaríamos no trabalho. Assim, eles ficariam livres para se divertir por duas horinhas. Cora anotou o endereço e meu número de celular. Paguei a conta com a única nota de cinquenta reais que havia na minha carteira esmirrada. Ela se levantou exuberante, atraindo o olhar de todos no salão, e voltou a me pegar pelo braço como se eu fosse seu cachorrinho. Caminhamos de braços dados até a esquina da Barata Ribeiro com a Prado Júnior, na altura da pastelaria chinesa.

"Seu amigo vai adorar o presentão. Quanto a você, pra compensar o almoço, considere que tem direito a um boquete quando quiser mudar de time."

Cora me deu um beijo no canto da boca e sumiu na direção da praia.

[Carta]

Rio de Janeiro, 23 de setembro de 2014

Oi mãe, tudo bem?

A senhora acredita em amor à primeira vista? Desculpa te perguntar isso assim, sem rodeios, mas é que preciso falar com alguém e quem melhor do que minha própria mãe, né? Sei que a senhora não teve uma boa experiência com meu pai, mas tenta lembrar o tempo em que vocês se conheceram, antes de ele sumir e tal. Como você se sentia? Era amor?

No culto de ontem, o pastor Sérgio fez uma oração pelo meu aniversário e cantaram parabéns. Sou muito querido na comunidade e perceber isso aumentou meu ânimo quanto ao caminho que Deus me reserva. Depois de tantos anos na cidade grande, sei que posso ser magro e bem-sucedido na computação. Sei que posso ser feliz, entende? Me sinto em casa.

No final do culto, ele me chamou num canto e me disse muitas palavras bonitas, que gostava de mim como um filho, e eu aproveitei para falar um pouco sobre a senhora, sobre a criação que me tornou quem eu sou. O pastor falou que queria me apresentar a uma moça que ele também considerava como filha, uma menina de família, muito direita, que frequentava o culto sempre que podia. Fiquei um pouco envergonhado, mas ele nem esperou, foi trazendo a moça e, nossa!, ela era muito linda, mãe, a senhora não tem ideia. Chama Cora e sorri de um jeito que nunca vi ninguém sorrir. Faz faculdade de letras e é muito ocupada, dá aula de inglês. É gentil, tímida e adora poesia. Declamou um poema da Cora Coralina para mim, sabe quem é? É uma poeta de Goiás que começou a publicar o que escrevia já bem velhinha, com setenta e tantos anos. Mulher simples, doceira de profissão. Pesquisei sobre ela na internet. E baixei uns livros dela para ler. Quero impressionar, sabe?

Estou apaixonado, essa é a verdade. Conversamos um pouco dentro da igreja enquanto o pastor Sérgio se despedia dos outros fiéis. Então ele convidou a gente para jantar num restaurante italiano ali perto. Acho que a Cora gostou da minha companhia também. Falei bastante sobre Pingo d'Água, sobre a senhora e sobre a bispa Lygia. Ela quis saber desses meus anos aqui no Rio de Janeiro e eu contei um pouco da faculdade e do regime que tive que fazer até chegar aos noventa e sete quilos. Ela disse que gosta que eu seja gordinho e acho que foi a primeira pessoa a não fazer piada com meu sobrenome, o que só mostra como é uma boa moça.

Depois do jantar, o pastor Sérgio foi para casa, mas eu não queria me despedir da Cora e perguntei se ela não aceitava dar uma volta no calçadão da praia. Fomos andando lado a lado, minha vontade era pegar a mão dela, mas não queria parecer desrespeitoso. Sentamos num quiosque, pedimos água de coco e ficamos conversando por nem sei quanto tempo. Fomos feitos um para o outro. Eu nem precisava beijar a Cora ou tocar nela para saber disso, ouvi-la falar daquele jeito contido e humilde já era o

Paraíso para mim. Quando nos despedimos, segurei suas mãos, que estavam quentes e me transmitiram paz e conforto. Dei um beijo na bochecha dela e senti seu perfume de hortelã. Acho que preciso tomar coragem e pedir a Cora em namoro. Quero viver com ela, ter filhos. Será que estou exagerando?

Ela foi um presente de aniversário do Senhor. Os meninos aqui de casa, como sempre, me deram Blu-rays.

Deus te abençoe.

Beijos do Leitão

JantarSecreto.com

1

Passamos a virada de 2014 para 2015 em Copacabana, entre os milhões de pessoas que assistem aos fogos de artifício na praia, pulam ondas e trocam abraços e mensagens de paz e amor. Hugo cozinhou a ceia — lombinho defumado com molho de laranja, arroz com lentilha, peru *au jus de raisin vert* e confit de bacalhau às natas. Todo ano era a mesma coisa: ele sugeria o cardápio, listava os ingredientes (sempre da melhor qualidade) e dividíamos a despesa por quatro, mesmo que eu levasse algum peguete ou Miguel estivesse com a namorada, que comia feito um passarinho e deixava Hugo bastante ofendido.

Seu orgulho falava mais alto. Ele amava cozinhar para nós, mas exigia que ficássemos de plateia. Assim, todo dia 31 bem cedo, nós nos reuníamos na cozinha sufocante do apartamento. Impecavelmente vestido com gambuza e toque pretos, Hugo descrevia cada detalhe enquanto preparava os pratos. Usava muitos termos em francês, como *ciselé*, *fond*, *fouet* e *compoté*. Era seu show, como Einstein apresentando a Teoria da Relatividade para um grupo de ignorantes. Bastante insuportável, você deve imaginar. Se por um lado não era nada fácil conviver com Hugo, por outro bastava provar sua comida para perdoar qualquer arrogância. A ceia daquele Ano-Novo foi impecável. Ao final da refeição, nosso corpo e nossa alma gozavam de um bem-estar transcendental.

Em termos afetivos, meu ano tinha sido como todos os anteriores: um desastre. Encontros furtivos com parceiros no Tinder e no Grindr, sexo ocasional. Não que eu estivesse preocupado em arranjar um namorado para a vida toda — me achava muito novo para algo sério, mas eventualmente sentia falta de ter alguém com quem ficar abraçado assistindo a filmes de terror debaixo das cobertas numa sexta-feira preguiçosa. Isso não era tão fácil de conseguir em aplicativos de celular, mas eu continuava tentando. Como todo início de ano, estava tomado por sentimentos de renovação, certo de que finalmente viveria um grande amor e conseguiria pedir demissão da livraria para trabalhar em algo relacionado à minha formação.

A crise econômica veio para esmagar qualquer esperança. Naqueles últimos anos, o Brasil tinha vivido um momento de êxtase, era o país do futuro, tudo parecia próspero e melhor, até que a realidade cobrou a conta. O mundo estava nadando em um mar de bosta e o país afundou junto. O hospital onde Miguel fazia residência sofreu cortes de gastos e sua bolsa do governo federal passou a atrasar. Hugo, que estava trabalhando no restaurante de uma das maiores chefs do Brasil, arrumou briga ao se recusar a varrer o salão e acabou ofendendo a patroa. "Lugar de mulher é no fogão de casa!", ele disse. Com isso, ficou mal falado no meio e passou a viver de bicos esporádicos em uma empresa de bufês, enquanto desperdiçava o resto do tempo na internet, fazendo críticas gastronômicas e postando fotos de seus pratos no

Facebook com hashtags como #sharinghapiness #delíciadivina #melhorchef. Leitão continuava na mesma, morgando na cama, encontrando Cora de vez em quando (eu a vi pelo menos três vezes lá em casa depois do presente de aniversário) e aumentando sua coleção de pornôs nerds: *Sex note*, *O Senhor dos Anais*, *Independe se dei*, *Operação Leva jato*. Na livraria, sobrevivi a um corte de pessoal, mas persistiu no ar aquela sensação de que mais demissões viriam a qualquer momento. Uma época péssima para ser jovem no Brasil.

Eu mal conseguia dormir sem a ajuda de Rivotril. Se fracassasse na cidade grande, minha única opção seria voltar para Pingo d'Água e trabalhar no cartório do meu pai. Pelo telefone, minha mãe já insinuava que eu deveria desistir. Era um pesadelo. Quando vim para o Rio, eu ainda sonhava em fazer a diferença no mundo. Agora, já me dava por satisfeito se conseguisse pagar as contas e fechar o mês sem dívidas.

Logo após o Carnaval, decidi reunir o pessoal para falar das finanças da casa. O esquema de pagamento dos aluguéis continuava o mesmo: cada um transferia o valor de sua parte para Leitão, que repassava o valor total para a imobiliária através do bankline. Fazíamos assim havia cinco anos e nunca tinha dado problema. Como o Miguel estava sem receber a bolsa dele fazia dois meses, acertamos que eu pagaria sua parte até a situação se normalizar. Concordamos em cancelar a TV por assinatura e em compartilhar a conta do Netflix. Além disso, Leitão se comprometeu a não ficar o dia inteiro com o ar-condicionado ligado, Hugo a não gastar mais fortunas nos mercados chiques da Zona Sul e eu tive que jurar que demoraria menos tempo no banho.

Por fim, tomamos a decisão mais difícil de todas. No dia seguinte, ao final do expediente, chamei dona Dores para uma conversa. Ela trabalhava no apartamento como diarista desde que tínhamos mudado. Foi horrível ver aquela senhora negra, de poucas palavras e muita vivência, se desmontar diante de mim antes mesmo que eu começasse a falar. Era como se ela já soubesse. Tentei me manter distante, inabalável, mas era impossível não ficar arrasado com seus olhos doídos, vermelhos, implorando misericórdia.

"A gente não tem alternativa", eu disse, angustiado. Ela tinha três filhos para criar e, na semana anterior, havia sido dispensada da família para quem trabalhava nos outros dias. Mas o que é que eu podia fazer? Economia de merda num país de merda. "Prometo que te chamo de novo assim que essa crise passar."

Nós dois sabíamos que não havia qualquer perspectiva de melhora. Dona Dores estava com cinquenta e tantos anos e já não tinha o mesmo vigor, não seria nada fácil conseguir um novo emprego. Abracei-a e senti seu coração bater contra meu peito, devagarzinho, quase parando. O cheiro de lavanda em seus cabelos invadiu minhas narinas enquanto suas lágrimas molhavam a manga da minha camisa. Para me sentir menos mal, dei vinte reais a mais antes que ela fosse embora.

Passei o resto da noite encarando o teto. Nem os remédios para dormir adiantaram. Ver aquela coitada tremendo, seus olhos assustados com o futuro, era como um mau presságio. Eu sabia que era necessário, mas aquilo acabou com meu humor. Fiz e refiz as contas de casa, na ilusão de que tinha o controle da situação. Bastava segurar as pontas, diminuir os gastos e esperar a maré ruim passar. Cochilei quando já amanhecia e acordei às nove com o toque do celular. Zonzo, olhei o visor (número desconhecido) e atendi.

"Dante, bom dia, aqui é o Heitor, da imobiliária. Desculpa pela hora."

Despertei depressa. Em cinco anos morando naquele apartamento, o corretor nunca havia me ligado. O que poderia querer?

"Prefiro conversar pessoalmente", ele disse, quando insisti

que adiantasse o assunto. "Pode passar no meu escritório daqui a uma hora? Infelizmente, não tenho boas notícias."

2

A imobiliária ficava em uma salinha abafada no terceiro andar de uma galeria do centro da cidade, com cheiro de mofo, burocracia e o DVD *Elas cantam Roberto Carlos* passando na televisão. Fui recebido por uma secretária com cara de besouro que ofereceu café e informou que Heitor estava saindo de uma reunião. Recusei, nervoso demais para ingerir bebidas estimulantes. Depois da ligação, minha cabeça havia criado mil teorias até chegar a uma conclusão: ele queria aumentar o valor do aluguel. Ia culpar as taxas, os reajustes, você sabe, a lógica do mercado que fode com a vida de qualquer jovem tentando se tornar adulto. Eu estava pronto para dizer que era um inquilino bacana, que já havia aceitado acertos em anos anteriores, mas que tudo tinha limite, especialmente naquela crise. Se ele insistisse no aumento, não haveria outro jeito: nós pularíamos fora.

Miguel tinha ficado de plantão na madrugada e enviava mensagens a cada dez minutos pelo grupo do WhatsApp criado pelo Leitão, "Putaria in Rio", pedindo atualizações sobre a reunião. Escrevi que Heitor estava atrasado e ele respondeu com uma sequência de emojis cabisbaixos e chorosos. Também estava preocupado.

Enquanto esperava numa salinha, acessei minhas redes sociais e até consegui me esquecer do tempo, da crise e dos problemas. Vi cachorrinhos e mensagens positivas no Facebook, comentei duas ou três fotos, curti outras tantas no Instagram de ex-namorados e caras que conheci no Tinder. Finalmente, o corretor chegou, estendendo o braço para me cumprimentar.

Ele estava mais gordo e careca do que da primeira vez. Mais mentiroso também.

"Dante, que bom te ver."

Contornou a mesa e sentou na cadeira diante de mim com a postura de um aluno aplicado. Revolveu a papelada em silêncio até encontrar a folha que procurava.

"Recebi este e-mail do jurídico ontem", ele disse, entregando-a para mim. "É um aviso sobre a notificação extrajudicial que a imobiliária pretende enviar para vocês. Por consideração, resolvi ligar antes e tentar resolver tudo amigavelmente."

"Tudo o quê?"

"Vocês não pagam o aluguel há seis meses."

Encarei-o, sem entender.

"Nunca atrasamos o aluguel."

"Eu sei. Por isso mesmo, estranhei quando recebi o e-mail. A caução não adianta mais nesse caso. Eles querem despejar vocês."

Inclinei-me o suficiente para encará-lo de perto.

"Você tá surdo ou o quê? Os aluguéis foram pagos."

"O dinheiro não caiu. Foi você que fez os depósitos?"

"É o Leitão que cuida disso."

"Tem certeza de que ele fez no último semestre?"

"Confio nos meus amigos."

"Dante, o locatário do imóvel é você. O responsável pelo pagamento é você."

Era um absurdo, uma ofensa! Passei os olhos pelo e-mail do jurídico. Total da dívida: 25.974,38 reais. O corretor me examinou com desprezo, passando a língua pelo bigode de lontra, com aquele ar de eu-já-sabia-que-você-ia-acabar-inadimplente.

"Me dá um minuto", pedi. "Vou resolver esse mal-entendido."

Liguei para o Leitão. Chamou, chamou, ninguém atendeu. Tentei mais três vezes, sem êxito. Ele quase nunca saía de perto do celular. Não havia razão para não atender. A *não ser que...* Num estalo, tudo fez sentido. A verdade me empurrou para a beira do precipício e, olhando lá para baixo, gargalhei bem alto.

"Do que está rindo?"

Encarei o corretor com seu bigode irritante, o que me fez rir ainda mais.

"*Se chorei ou se sorri, o importante é que emoções eu vivi*", cantei, rasgando a folha em vários pedacinhos e lançando-os no ar em uma chuva de papel.

"Dante, esse assunto é sério. Você tem duas semanas pra fazer o depósito integral da dívida ou vamos entrar com a ação."

Sem parar de rir, saí pela porta, enquanto a secretária com cara de besouro me olhava, assustada, e Hebe Camargo cantava no DVD com um sorriso de orelha a orelha.

"Duas semanas, Dante!", o corretor gritou novamente.

Bati a porta do escritório. Sem paciência de esperar o elevador, desci pela escada e, só quando cheguei à rua, diante da Confeitaria Colombo, enxuguei as lágrimas e respirei fundo para voltar à realidade. *Seis meses de aluguel atrasado...*

Minha vontade era matar o gordo filho da puta.

3

Em casa, as luzes da sala estavam apagadas e não havia qualquer barulho. Estranhei aquela calmaria. O quarto de Leitão era o primeiro do corredor, o mais próximo da sala e, normalmente, o gordo era capaz de fazer algazarra suficiente sozinho. Corri até seu quarto e girei a maçaneta. Estava trancado. Bati de leve, mas ele não respondeu.

"Sei que você tá aí, seu escroto!", gritei.

Hugo surgiu no final do corredor, com cara de sono. Desde

que perdera o emprego no restaurante, passava as madrugadas acordado testando receitas na cozinha, e só ia dormir quando já amanhecia. Estava ficando um tanto obsessivo com a ideia de ser um gênio incompreendido. Ele se aproximou, perguntando o que estava acontecendo, mas antes que eu respondesse Miguel chegou em casa, ainda com o jaleco do hospital.

"Você não me responde no WhatsApp!", ele reclamou. "Como foi a conversa com o corretor?"

Sem coragem de contar, voltei a esmurrar a porta:

"Abre! A gente precisa conversar!"

Segundos depois, a chave girou na fechadura. Empurrei a porta, entrando naquele universo paralelo que era o quarto do Leitão. Havia pacotes de batata frita espalhados pelo chão, copos e pratos sujos sobre os móveis, garrafas com restos de cerveja e vodca, cuecas XXL penduradas nos puxadores dos armários, fios e mais fios emaranhados em meio ao aparato tecnológico e fumaça de maconha preenchendo todo o espaço. Era como visitar um escritório da Nasa onde acabou de acontecer uma festa hippie.

Avancei na direção do gordo, que já estava deitado de novo com os olhos fixos na televisão, jogando *Super Mario* sem som. O fio se estendia sobre o lençol desde o aparelho de video game até o controle em suas mãos. Arranquei o fio com raiva. Ele ergueu os braços pelancudos na defensiva.

"Calma, flor, não precisa chegar agredindo."

"Você pagou os aluguéis dos últimos meses?", perguntei na lata. Por um instante, tive esperança de que tudo não passava de um pesadelo e a resposta fosse um "*Sim, é claro*" em tom de indignação, mas ele ajeitou os travesseiros sob a cabeça antes de dizer:

"Não... Não paguei."

"Você gastou tudo com a puta, não é?"

"Não chama a Cora de puta!", ele gritou, deixando escapar um grito agudo histérico.

“Alguém pode me explicar que merda tá rolando?”, Hugo perguntou, se aproximando da cama pelo outro lado.

“O corretor não recebeu nosso aluguel do último semestre. A gente pagou nossa parte, mas o dinheiro não chegou lá. A dívida é de quase vinte e seis mil. O Leitão gastou tudo com a puta! Eles têm se encontrado quase toda semana. Se a gente não pagar, vai ser despejado.”

Os olhos de Miguel murcharam. Ele retirou os óculos de grau e os limpou na camisa, embora não estivessem sujos. Hugo olhou para nós, ainda registrando a informação. De repente, avançou sobre Leitão, agarrando seu pescoço com as duas mãos. Cuspiu no rosto do gordo e gritou em seu ouvido:

“Você tá fora! Fora desta casa!”

Antes que Leitão sufocasse, eu e Miguel corremos para segurar Hugo. Ele era mais forte do que nós e tentou se desvencilhar, mas acabou desistindo de machucar o gordo e abriu os armários, jogando as roupas dele no chão.

“Você é um guloso de merda, que só se entope de comida de merda! Come muito, mas não come bem! E agora foi gastar nosso dinheiro com uma putinha rodada daquelas, com gosto de pau dos outros?!”

Sem se abalar, Leitão manteve um meio sorriso de superioridade. Tive que me conter para não partir para cima dele. Miguel se aproximou da cama, apaziguador.

“Por que você fez isso com a gente, cara?”

Leitão fixou o olhar na imagem congelada da TV, onde Mario saltava sobre um cogumelo gigante. Sua respiração lembrava o ronco de um motor. Quando me aproximei, senti o fedor brutal que emanava de suas axilas.

“Explica!”

“Não tem explicação”, ele disse, as mãos cruzadas sobre a barriga. “Cora é minha única alegria nessa vida. Não aguento mais vocês, nem esse apartamento, nem essa cidade. Desculpa se gastei todo o dinheiro, mas não me arrependo do que fiz. Quero voltar pra Pingo d'Água, quero voltar pra minha mãe. Estou com saudades. Ela me entende."

Meus sonhos escorriam pelo ralo e tudo o que aquele desgraçado fazia era nos encarar com uma expressão de "tô-nem-aí". O ódio tomou conta do meu corpo e agi sem pensar. Toquei no assunto proibido, na verdade dolorosa.

"Sua mãe está morta, Leitão!", gritei. "Morta!"

No mesmo instante, me arrependi. O gordo arregalou os olhos e começou a chorar. Levou as mãos aos ouvidos e sacudiu o corpo enorme para frente e para trás, como um autista, enquanto repetia "Não, não, não" sem parar. Hugo e Miguel até tentaram segurá-lo, mas era como tentar conter um touro raivoso. Leitão gritava e batia a cabeça com força na parede. Fiquei imóvel, assustado, vendo sua testa rasgar, enquanto a pintura bege do quarto se manchava de sangue.

4

Acho que chegou a hora de você saber um pouco mais sobre o lugar de onde a gente veio. Pingo d'Água é uma cidade ridiculamente pequena, incrustada no meio do Paraná, bem na beira da Grande Estrada, a BR-277, uma rodovia transversal que corta todo o estado desde o porto de Paranaguá até a Ponte da Amizade, em Foz do Iguaçu. Nos anos 1980, a cidade era conhecida por possuir o maior bordel da região, comandado pela cafetina Adélia. Ali, meninas de todas as cores e tipos faziam a alegria dos clientes, caminhoneiros em sua maioria. Muitos até cruzavam a fronteira do Paraguai ou da Argentina só para conhecer as moças de Adélia.

Em 1995, chegou de São Paulo uma jovem chamada Lygia, de pele branca e cabelos compridos, fiel da Assembleia do Senhor. Ela conseguiu um quartinho na cidade onde passou a realizar cultos de louvor para uma tímida plateia. Era uma mulher firme, com voz agradável, que causava forte impressão em quem escutava seus discursos sobre os "desígnios de Satanás" praticados no bordel. Segundo Lygia, Deus a havia enviado com a missão de purificar os habitantes, cegos pelas tentações da carne.

Pouco a pouco, ela foi conquistando fiéis, aumentando o alcance de seu discurso, principalmente entre ex-prostitutas e mulheres traídas. Em um ano, conseguiu dinheiro para comprar um imóvel onde antes funcionava um salão de beleza. Ali, a poucas quadras do bordel, ela se tornou a pastora Lygia e instituiu sua igreja, braço da Assembleia do Senhor.

A Igreja Universal do Senhor Crucificado contava com setenta cadeiras dobráveis, um púlpito improvisado e uma placa chamativa na porta. Quem passava perto, conseguia facilmente escutar a pregação da pastora — as caixas de som eram potentes e projetavam sua voz até a praça principal. Não tardou para que as setenta cadeiras dobráveis fossem insuficientes para atender à demanda. Muita gente ficava de pé, principalmente às quintas e aos domingos.

Até onde se sabe, Adélia não se importou com a expansão da igreja. Ela sabia que luxúria e fé conviviam em pacífica comunhão — muitos dos que pediam perdão a Deus nos cultos pecavam logo depois nos corredores do bordel e vice-versa. Além disso, tinha outras preocupações, como cuidar de seu filho, fruto de um descuido amoroso, e expandir os negócios do bordel, que continuava a render um bom dinheiro.

Tomada por ideias megalômanas, a cafetina contratou uma equipe de engenharia para projetar a construção de um parque aquático, com dark rooms e saunas de massagem, no terreno anexo ao casarão principal do bordel. Seu sonho era ser dona do maior complexo de lazer adulto de todo o oeste paranaense e, a julgar por sua determinação, ia realizá-lo em poucos anos.

Acontece que justamente neste período, em meados de 1998, Lygia iniciou uma forte campanha política e social para bloquear os anseios expansionistas de Adélia. Suas críticas eram expostas em pregações inflamadas na praça, em entrevistas polêmicas a jornais da região e em protestos diante do bordel, lançando pedras nas janelas e anunciando no megafone o nome dos clientes que entravam e saíam. Na época, ganharam notoriedade boatos sobre a prática de zoofilia, pedofilia e necrofilia no bordel.

A prefeitura e a polícia precisaram intervir. Como o turismo sexual era a principal fonte de renda da cidade e muita gente influente tinha o rabo preso, a cafetina conseguiu uma ordem de restrição contra a pastora e as obras seguiram em frente. A vitória foi comemorada com uma orgia antológica na noite de 30 de agosto de 1999, em que as moças cobraram apenas metade do preço e havia cerveja de graça até a meia-noite.

Perdendo a batalha contra a pouca vergonha, Lygia continuou a realizar cultos pela manhã, à tarde e à noite, convocando os seguidores a clamar que Nosso Senhor Jesus Cristo se lembrasse daquela cidade maculada e punisse os pecadores que conspurcavam a entidade familiar na região. Apenas o castigo dos céus deteria os caminhos insidiosos de Satanás, personificado na cafetina Adélia.

Uma semana antes da inauguração do complexo de lazer, Pingo d'Água foi vítima do maior temporal de sua história. Naquela madrugada de 9 de dezembro, o índice pluviométrico foi de 83,7 milímetros. Raios cortaram o céu, e um deles atingiu a fiação elétrica de um dos anexos do bordel. O curto-circuito criou um princípio de incêndio, que se espalhou rapidamente pelos cômodos sem que ninguém percebesse — por causa da chuva, o movimento estava fraco e a maioria das moças já dormia àquela hora.

As chamas devoraram as dependências do bordel em poucos minutos. Algumas moças ainda tentaram escapar, mas Adélia era obcecada por segurança e fazia questão de trancar tudo com chave antes de dormir. Moradores da cidade que viviam nos arredores ouviram os gritos delas lá dentro, sendo queimadas vivas enquanto socavam e chutavam as janelas e a porta principal.

Quando os bombeiros chegaram, era tarde demais. O fogo havia consumido boa parte do prédio e a estrutura do bordel acabou ruindo antes que conseguissem entrar. Mais tarde, foram encontrados entre os destroços os corpos carbonizados das sessenta e três mulheres. No quarto, em paz sobre a cama, estavam os restos de Adélia. Ela tomava remédios para dormir e não havia escutado os gritos.

O único sobrevivente da tragédia foi seu filho, que dormia na casa de um amigo de escola naquela noite. O menino era Leitão e o amigo de escola era eu. Tínhamos oito anos na época. Tempos mais tarde, minha mãe me contou tudo isso e pude entender melhor o que aconteceu naquela estranha madrugada. Só me lembrava das sirenes passando e dos meus pais preocupados, fazendo ligações. Dava para sentir que havia muita tensão no ar.

Foi minha mãe quem explicou ao Leitão que ele não poderia voltar para casa. Não sei exatamente que abordagem ela usou para dizer a um garoto que a casa dele tinha sido consumida pelo fogo e que sua mãe e as "amigas" dela estavam todas mortas, mas não deve ter sido fácil. Não existe uma maneira suave de dizer isso, existe?

A notícia saiu em todos os jornais. Pingo d'Água ficou movimentada, cheia de repórteres, fiéis e curiosos. Para os fanáticos, um castigo divino havia limpado a cidade. O grande poder da oração tinha vencido poucos dias antes que a cidade se firmasse como terra da luxúria. Tendo em vista as escrituras do Antigo

Testamento, Deus era mesmo um cara que resolvia as coisas de maneira drástica.

Convidada a participar de programas televisivos e contratada por uma gravadora gospel, a pastora Lygia se tornou rapidamente bispa Lygia e, meses depois, já era uma popstar religiosa, com meio milhão de CDs vendidos. Sua carreira meteórica encontrava explicação na vontade de Deus, que a havia escolhido como ilustre representante. Em poucos anos, Pingo d'Água se tornou o maior polo religioso do Sul do país e o segundo maior do Brasil, atrás apenas da basílica de Aparecida do Norte. A bispa gravou CDs e DVDs, e seus cultos, movidos a muita música e curas milagrosas, passaram a atrair centenas de milhares de fiéis.

Leitão cresceu solto no mundo, sem regras. Mesmo com o horror natural que minha mãe nutria pela cafetina Adélia, num ato de caridade, ela e meu pai entenderam que o menino não tinha culpa de nada e tentaram criá-lo em casa, mas Leitão era uma criança-problema. Antes dos doze anos, já apresentava traços antissociais, distúrbios alimentares e de personalidade. Viveu quatro anos conosco e, então, se mudou para a casa de Hugo. Todos se sentiam um pouco responsáveis por ele e adotaram uma espécie de rodízio para recebê-lo.

Na adolescência, Leitão se agarrou fortemente à religião como fuga. Para sustentar sua frágil memória afetiva, precisou recriar o passado, estabelecendo complexas conexões psicológicas. Em seu mundo imaginário, sua mãe estava viva, esperando por ele em Pingo d'Água. Nele, Adélia era uma mulher religiosa, grande amiga de bispa Lygia. Eu nunca soube se ele conhecia a verdadeira história e jamais tive coragem de perguntar.

De todo modo, é inegável que a religião o ajudou a entrar um pouco nos trilhos e impediu que acabasse internado em uma clínica psiquiátrica. Quando prestou vestibular, ninguém acreditava que seria aprovado, mas ele passou na PUC com bolsa integral e se mudou para o Rio de Janeiro com a gente. Felizmente os remédios haviam minimizado a maioria dos transtornos. Miguel ficava de olho nele e, às vezes, até dava para esquecer toda a história e tratá-lo como alguém normal. Ninguém sabia quanto o passado ainda pesava em sua alma. Isso eu só descobri mais tarde, da pior maneira possível.

5

Miguel correu até seu quarto para buscar uma dose de Thiolax. A força do sedativo era impressionante: tivemos de agarrar Leitão, que por ele arrebentaria a cabeça na parede, mas foi só tomar a injeção para cair no mais profundo sono. Enquanto fazia um curativo na cabeça dele, Miguel me deu um esporro. Aceitei em silêncio. Sei assumir quando faço merda.

Com um pano e um balde, limpei o sangue da parede. Consegui tirar boa parte da imundície, mas uma mancha circular translúcida, rósea, continuou lá para me lembrar do que tinha causado. Havia uma sensação de derrota no ar. Depois de tudo aquilo, o problema continuava: pagar a dívida ou deixar o apartamento e levar um processo judicial nas costas? Hugo sugeriu conversar na sala, na companhia de um bom vinho.

"O que a gente faz?", Miguel perguntou, minutos depois, sentado no chão com as longas pernas cruzadas em posição meditativa.

Eu estava deitado no sofá, com a cabeça apoiada numa almofada, o indicador passeando pela borda da taça de vinho, enquanto meu cérebro buscava soluções possíveis para a merda em que a gente estava metido.

"Dante, que tal pedir uma ajuda pros seus pais?", Hugo começou, enquanto roía as cutículas. Era sua maneira de alimentar os pensamentos. "Acho que eles dariam o dinheiro de boa."

"A gente tem que conseguir resolver nossos próprios problemas."

"Deixa de ser orgulhoso", Miguel insistiu.

"Não é isso. Só não quero correr pros braços da mamãe toda hora que o bicho pegar. Somos adultos."

"Bom, eu não tenho a menor condição de pedir para minha mãe, né?", Hugo disse. "Minha família não é tão bem de vida quanto a sua, Dante."

Havia certa inveja em sua voz. Ele tinha sido criado em uma casa humilde, com pai pedreiro e mãe dona de casa. Desprezava sua origem e raramente falava com os pais, mesmo por telefone. O pai batia na mãe, que nunca abandonava o marido. Ela ligava às vezes, mas Hugo pedia que eu inventasse alguma desculpa para não ter que atender a ligação. Mesmo achando sua atitude mesquinha, entendia seus motivos.

Os pais de Hugo não gostaram nada quando, ainda em Pingo d'Água, ele começou a se tatuar, deixou o cabelo crescer, colocou piercings nas orelhas e no septo nasal. Gostaram menos ainda quando ele decidiu se meter com cozinha — não era profissão de homem e não dava dinheiro. Hugo guardava certo ranço porque meu pai era dono de cartório e minha mãe, mesmo sendo do interior, me aceitava do jeito que eu era. Tudo o que ele queria era ser aceito. Para mim, sua arrogância sempre teve um caráter defensivo. Era a maneira que ele havia encontrado para se proteger do mundo, principalmente do pai. Preferia viver sozinho do alto de seu castelo artístico a correr o risco de se machucar por aí.

Ficamos em silêncio por alguns segundos.

"Por que a gente não tenta pegar o dinheiro de volta com a tal Cora?", Miguel arriscou.

"Ela nunca vai devolver", eu disse. "É o trabalho dela."

"Não tem jeito, então. Vamos juntar nossas economias. Eu tenho uns três mil guardados pra emergências."

"Você não pode usar essa grana. Quem criou o problema foi o Leitão. Ele que se vire!"

Miguel guardava dinheiro para ajudar sua mãe, dona Mirtes, que havia descoberto um câncer de estômago e tinha feito a cirurgia no ano anterior. Ela trabalhava como doméstica para minha família desde que eu me entendia por gente e praticamente havia me criado.

"O problema é nosso também, Dante", ele insistiu, com calma budista. "Posso entrar com essa grana, não tem problema. Você, Hugo e Leitão vão ajudar também. A gente vai conseguir. Fica tranquilo."

"São quase vinte e seis mil!"

"O que você quer, então?", Hugo perguntou. "Assaltar um banco?"

"A gente pode fazer uns trabalhos de fim de semana."

"Dante, o país está em crise!", Hugo disse, dando um soco no chão. "As empresas estão demitindo, e não contratando! Vamos fazer o quê? Colocar o Bukowski no Uber?"

"Não sei, só estava pensando em voz alta."

Hugo se levantou e ficou andando de um lado para o outro em silêncio. Quando já havia terminado de roer todas as cutículas, abriu um sorriso, sacudindo o indicador no ar.

"Tenho uma ideia." Ele cuspiu uma cutícula pela janela. "No ano passado, lançaram um site chamado DinnerWith. A proposta é fazer um intercâmbio de experiências gastronômicas na casa de gente comum. Tipo, você vai a algum país bizarro e janta na casa de um morador durante a viagem de férias, interage com pessoas locais e de quebra prova uma comidinha caseira..."

"Parece legal", Miguel interrompeu, mas foi logo fuzilado pelos olhos claros de Hugo.

"Vocês sabem que odeio essas modinhas do mundo gastronômico", ele continuou, servindo-se de mais vinho. "A gastronomia é uma ciência dos deuses, uma arte para poucos. Só que agora tem um bando de gente por aí metida a chef. Gente que assiste ao MasterChef ou ao programa do Rodrigo Hilbert e acha que sabe cozinhar. Abomino esses programas de culinária com todas as minhas forças. Brasileiro tem a capacidade incrível de foder tudo. A parada dá certo na Europa, dá certo nos Estados Unidos, chega ao Brasil e, pronto, fodeu. O Facebook, por exemplo, tá cheio de spam, correntes, memes e gente tosca. Culpa dos brasileiros."

"Qual é a ideia, Hugo?"

"Li outro dia no jornal sobre uma versão brasileira do DinnerWith. JantarSecreto.com. É pra qualquer pessoa com certo talento culinário que quer ganhar um dinheiro extra sem precisar abrir um restaurante. A ideia é fazer a ponte entre essas pessoas e outras dispostas a comer na casa de alguém desconhecido, numa espécie de aventura gastronômica. Por curiosidade, entrei uma vez e vi que o esquema é simples. Depois do cadastro, você pode propor um jantar."

"Propor um jantar?"

"Sim, você informa o cardápio, a data, o bairro, o número máximo de pessoas e o preço por cabeça. Daí, quem se interessar — *se* alguém se interessar — paga o valor e recebe o endereço do local do jantar por e-mail. Eles não informam antes pra evitar penetras."

"E funciona?"

"Muito! Esses sites estão bombando na Europa e nos Estados Unidos, principalmente em Nova York. Em geral, tem muitos comentários positivos, tanto de quem foi nos jantares como de quem ganhou dinheiro com isso."

"Você acha que a gente consegue fazer um jantar desses aqui em casa?"

Hugo caminhou até o minibar da sala e deixou sua taça sobre ele. Retirou um elástico do punho e prendeu os cabelos compridos num coque.

"Por que não?", perguntou, com um sorriso. "A maioria dos que oferecem jantares nesses sites aprenderam as receitas com a Palmirinha ou com a Ana Maria Braga. A gente tem um diferencial: eu cozinho bem pra caralho! Não foi à toa que passei seis meses na França trabalhando num restaurante três estrelas no Michelin. Além disso, temos um apartamento enorme e somos quatro, podemos dividir as tarefas. Vai cair como uma luva."

"Tô cheio de coisa pra fazer no hospital", Miguel disse. Por princípio, qualquer mudança para ele era ruim. "O que você acha, Dante?"

"Talvez dê certo. Quanto a gente ganha com isso?"

Hugo sacou do bolso uma caneta e o bloco de notas que usava para anotar as receitas que criava. Fez alguns cálculos depressa e arrancou a folhinha, erguendo-a no ar.

"Vamos lá. A mesa da sala tem dez lugares. Se a gente cobrar quinhentos reais por pessoa, ganhamos cinco mil em uma noite. Coloquei uns oitocentos reais como gastos para ingredientes e vinhos de qualidade. Não dá pra economizar nisso. É o princípio de uma boa cozinha", explicou. "O site também leva uma taxa, mas não é muito. Acho que dá pra embolsar uns quatro mil por jantar, mais ou menos. Em sete jantares, conseguimos essa grana com folga."

"Mas nosso prazo é de duas semanas!"

"A gente faz o primeiro jantar. Vou montar um menu atraente, só com coisas em que me garanto. Se conseguirmos quatro jantares, pagamos uma boa parte pra imobiliária e pedimos um prazo maior para o restante."

"Sou contra", Miguel disse, levantando e se aproximando de

Hugo. Era mais alto, porém mais magro do que ele. "É uma loucura! Receber dez desconhecidos aqui em casa pra jantar."

"É nossa única chance!"

"E a gente tá precisando", defendi. "Não custa nada tentar e ver qual é."

Miguel deixou sua taça de lado e caminhou até a janela, olhando para a copa das árvores e as pessoas na rua. Pude ver em seus olhos o momento em que acabou aceitando. Ele tinha respeito por nós e sabia que brigar não ajudaria em nada. Soltou um suspiro.

"O que vocês querem que eu faça? Não sei nem cozinhar um ovo!"

"Cada um ajuda numa coisa", Hugo disse, num tom de quem já havia pensado em tudo. "Miguel, como você vive usando o Bukowski pra ir pro hospital, fica responsável pelas compras. Vou te passar onde encontrar cada ingrediente da lista. Você vai ter que passar em hortas em Magé, no mercado de peixe em Niterói e na CADEG. Compre de quem eu mandar, isso é essencial. Vai dar trabalho, mas vai valer a pena."

"Tudo bem."

"Você, Dante, tem jogo de cintura. Pode receber os convidados, servir o vinho, essas coisas."

"E o Leitão?"

"O gordo fica no quarto, sem atrapalhar. Já está de bom tamanho", Hugo respondeu. "Alguém aceita mais vinho?"

Fiz que sim com a cabeça, e Hugo abriu uma nova garrafa. Encheu as três taças com os movimentos afetados de um sommelier.

"Só tem um problema", Miguel disse. "Se a gente deixar o Leitão de lado, ele pode piorar. O cara precisa fazer parte disso, não pode se sentir excluído."

Hugo logo encontrou uma solução:

"Ele faz nosso cadastro no site. Tem que preencher uma penca de informações chatas, colocar uma espécie de currículo, a conta para depósito e tudo mais. Como o gordo entende de computador, pode criar um banner com design diferente também, pra chamar a atenção. Marketing é a alma do negócio."

Chegamos a um acordo sobre a data do primeiro jantar: 24 de abril, a sexta-feira seguinte. À noite, quando o Leitão acordou meio zonzo, com a cabeça enfaixada, contamos a ideia para ele. O gordo gostava de qualquer coisa que envolvesse oba-oba e comida. Prometeu pensar num projeto gráfico legal até o dia seguinte, quando faria o cadastro no JantarSecreto.com e sugeriu fazer uns comentários falsos, com data retroativa, simulando pessoas que já frequentaram nossos jantares e adoraram. Era errado, mas era uma ótima ideia. Aproveitei para pedir desculpas pelo que havia dito, e ele também se desculpou. Parecia sinceramente arrependido de ter gastado todo o dinheiro com a prostituta.

Hugo se trancou em seu quarto e só saiu no fim da tarde, com o menu e a lista de compras. Li seus garranchos e comecei a salivar.

Amuse-bouche

verrine de queijo manchego curado com
espuma de pimenta rosa e crispy de pancetta

Entrada

mil-folhas de pupunha e camarão ao molho cítrico

Prato principal

entrecôte de cordeiro grelhado com redução de
vodca, cítricos e maçã verde assada

Sobremesa

lichia recheada com geleia de tokaji
com granité de hortelã
Petit-four e café

O cordeiro era a especialidade de Hugo. Eu já tivera a sorte de provar aquele prato algumas vezes, sempre com orgasmos múltiplos. Tudo parecia de volta aos eixos. Se eu não estava aliviado, posso dizer pelo menos que me sentia mais calmo. O pior já havia passado: o jantar era a solução perfeita. Eu não podia imaginar que daria naquela merda toda, podia?

6

Na manhã seguinte, entrei cedo na livraria. O shopping estava vazio. Era uma terça-feira de final de mês. Eu estava nervoso e excitado. Algo me dizia que aquele jantar seria um sucesso. Já conseguia imaginar as pessoas comentando, as listas de espera, os encontros divulgados em programas de culinária. Talvez aquele fosse o negócio que finalmente me permitiria largar o emprego na livraria e virar um administrador. Dono de uma rede de restaurantes... Não parecia nada mal.

A euforia fez com que eu investisse algumas horas na seção de gastronomia. Fiquei folheando os livros, olhando fotos dos pratos, fazendo anotações. Dei um Google nos termos do menu que eu desconhecia e pesquisei um pouco sobre etiqueta à mesa. A tarde passou sem que eu percebesse. Quando já chegava a hora da saída, meu celular vibrou no bolso. Era minha mãe.

"Oi, Hilda", falei, sem paciência.

"Tá tudo bem, meu filho? O Miguel ligou hoje cedo pra Mirtes e deu a entender que vocês estão passando por dificuldades. Ela ficou preocupada e veio falar comigo... Tá acontecendo alguma coisa? Vocês estão precisando de ajuda?"

"Não, mãe, tá tudo bem."

"É dinheiro? Se o problema for esse..."

"Não tem problema nenhum!", interrompi. Não era uma questão de orgulho, mas de autopreservação.

"Sei reconhecer quando você tá mentindo pra mim, Dante. Você tá estranho."

"É que eu tô no trabalho. Não dá pra ficar batendo papo no celular."

"Você ainda trabalha naquela livraria?", ela disse, em um tom desdenhoso.

"Sim. Agora, preciso mesmo ir, tá? Beijo."

Desliguei, indignado com a atitude do Miguel. Sem dúvida, ele havia conversado de propósito com a mãe sobre a questão do aluguel, para fazer o assunto chegar até a minha. No ônibus, me acalmei e concluí que ele não tinha feito aquilo por maldade. Miguel não era esse tipo de pessoa. Ao chegar em casa, conversaria com ele e pediria que ligasse para dona Mirtes explicando que tinha sido um exagero, que o problema não era tão grande assim. Repassei o discurso algumas vezes na cabeça, mas esqueci tudo quando o elevador chegou ao nosso andar.

Escutei a gritaria da porta. Girei a chave e avancei correndo pela casa. Não foi difícil perceber que a discussão vinha do quarto de Leitão. Entrei sem bater. O gordo estava em sua cadeira massageadora diante do computador. Mais próximo da janela, de pé, com a cabeça vermelha como um pimentão e as veias saltando na testa, Miguel berrava, o dedo em riste:

"Inconsequente, absurdo, porra-louca, sem noção!"

Eu nunca o tinha visto tão fora de si. Leitão mantinha a expressão serena, os olhos grudados no monitor.

"Que tá acontecendo?"

"Cagada federal, Dante!", Miguel disse, e deu um tapa em um porta-retratos sobre a cabeceira. "Cagada federal!"

Em meio à mesa caótica, Leitão encontrou um isqueiro e acendeu um baseado.

"Dá pra explicar?", pedi.

"Você não tem ideia do que aconteceu", o gordo disse, abrindo um sorriso largo, mas tenso. "Vem ver!"

Miguel virou as costas, como se fosse insuportável olhar mais uma vez para o computador. Hesitante, cheguei mais perto. Havia diversas páginas abertas na tela. Uma delas era do site JantarSecreto.com.

"Doideira, cara, doideira", Leitão disse, assoprando a fumaça na minha cara.

Abriu uma nova página e entrou no site do Itaú. Preencheu os dados e acessou a conta de um tal José Pereira Valim.

"Quem é esse?"

"É uma conta em que entro há anos. O cara morreu, mas o banco nunca soube."

Sem dizer mais nada, Leitão clicou no ícone "saldo". Depois de alguns segundos carregando a página, apareceu na tela: trinta mil reais.

"Espera, você mentiu? Não gastou nosso dinheiro?"

"Nada disso, flor. Descobri uma mina de ouro!", ele disse, puxando o cigarrinho entre os lábios crispados. "Lembra aquela história da carne de gaivota que você contou pra gente?"

Concordei, sem entender.

"Não sei por que, cara, aquilo ficou na minha cabeça", Leitão disse. "Daí, de sacanagem, decidi zoar o cadastro que o Hugo pediu pra fazer no JantarSecreto.com. Em vez de cobrar quinhentos contos por pessoa, cobrei três mil. Em vez de colocar que ia ter cordeiro com redução de vodca e maçã verde, coloquei que ia ter carne humana. Carne humana com redução de vodca e maçã verde, saca?"

Senti meu corpo perder sustentação e tive que me apoiar no encosto da cadeira para não cair no chão. Miguel tinha cruzado os braços e, de cabeça baixa, massageava as têmporas com a mão esquerda.

"Eu sabia que essa merda ia ser tirada do ar em poucos minutos... Fiz só de zoeira", o gordo explicou, eufórico. "Mas, você não vai acreditar, entrei no site meia hora depois e já tinha um pessoal aderindo. Mais de dez pessoas interessadas, Dante. Pessoas dispostas a pagar uma fortuna. Trinta mil reais em meia hora. E aí, flor, que me diz disso?"

7

Eu só queria tomar meu Rivotril e esquecer o mundo, queria que tudo fosse mentira ou fantasia, uma piada de mau gosto. Carne humana com redução de vodca e maçã verde; três mil reais por pessoa. Era para rir, não era?

"Não sei por que você fez isso!", Miguel gritou.

"Foi só uma brincadeira. Por causa do enigma da carne de gaivota."

"Brincadeira? E se a polícia tiver visto?"

Já naquela época Miguel estava preocupado com a polícia.

"Eles têm mais o que fazer. Foi só zoeira. Imagina se a polícia vai atrás de tudo que o povo coloca na internet."

Ainda tonto, sentei na cama, numa parte que parecia menos imunda, sem manchas de cerveja ou guimbas de maconha. Como Miguel estava muito abalado, eu precisava agir racionalmente, sem entrar na pilha dos dois.

"Fica calmo."

"Um jantar com carne humana, Dante! É claro que alguém denunciou!"

Leitão saiu da cadeira, movendo-se na velocidade de um jabuti, e apagou seu cigarrinho no cinzeiro.

"Sai do meu quarto, Miguel. Cansei de te escutar gritando no meu ouvido."

"*Você* colocou a gente nessa situação!", ele disse, segurando Leitão pelos ombros e sacudindo-o como gelatina. "*Você* inventou de propor um jantar com carne humana na internet! Será que não consegue fazer nada direito?"

"Criei um e-mail falso pro cadastro", ele respondeu, com orgulho. "Você não achou que eu ia fazer uma coisa dessas com meu e-mail verdadeiro, né? Ninguém vai encontrar a gente."

Forcei um tom despreocupado:

"A essa hora, com certeza a equipe do site já tirou a proposta do ar."

"Tiraram mesmo."

"Viu? Não tem o que temer" Cheguei perto de Miguel e passei o braço pela cintura dele, já que não alcançava suas costas. "Bebe um copo d'água, respira fundo. Mais tarde, a gente recomeça, coloca a proposta do jantar de cordeiro e tudo vai dar certo."

Miguel pensou alguns segundos antes de concordar lentamente com a cabeça. Saiu do quarto, nos deixando para trás. Passei os olhos pelo recinto caótico, especialmente fedido naquela noite, com roupas suadas, meias imundas e comida apodrecendo para todo lado.

"A gente não vai fazer o jantar?", ele me perguntou.

Tudo me parecia tão absurdo que nem cogitei que Leitão falava a sério. Fechei os olhos e sorri, meio que entrando na brincadeira:

"Você não tem jeito, né?"

Então, ele me perguntou de novo e, dessa vez, havia uma óbvia frustração em sua voz.

"São trinta mil reais, Dante. Dá pra pagar a dívida e ainda sobra! A gente não vai *mesmo* fazer esse jantar?"

“Claro que não”, eu disse, dando tapinhas em suas costas massudas. “Esquece isso.”

Andei na direção da porta, mas dei meia-volta:

“Peraí, Leitão, se o site cancelou, como tem essa grana toda depositada na conta?”

Naquele instante, o gordo olhou para mim de um jeito que nunca vou esquecer. Entendi que não tinha mais volta. Meio envergonhado, meio orgulhoso, ele contou que a proposta tinha saído do ar, sim, mas que ele havia conseguido os e-mails das pessoas dispostas a pagar três mil reais pelo jantar. Animado com a ideia de ganhar tanto dinheiro em poucos minutos, mandou uma mensagem aos interessados. Uma mensagem que mudou nossas vidas.

[E-mail]

De: Carne de Gaivota LTDA <carnedegaivota@gmail.com>
Data: 21 de abril de 2015 13:44
Assunto: JANTAR SECRETO — Confirmado!
Para: Carne de Gaivota LTDA <carnedegaivota@gmail.com>
CCo: Umberto Marcondes de Machado <umbertomm@ummproducoes.com>, Ataíde Augustín <at.augustin@camara.legis.br>, Albertina Terranova <albertina@uninet.com.br>, Soninha Klein <soninha.klein@bmail.com.br>, Kássio Gheler <kolks@pppadvogados.com>, Gustavo Relvas <bagdadi@pppadvogados.com>, Nilo Carlos Arruda <arruda.nilo@gfnaengenharia.com.br>, Marco Felipe Sá <marco_sa@bmail.com.br>, Cecília Azevedo Couto <cecilia.azevedo.couto@bgmpadvogados.com.br>, Gabriel Franco Herméz Neto <franco.gabriel@gfnaengenharia.com.br>, Pedro de Paula <pedrosan@me.com.br>, Kiki Dourado <kikidourado@me.com.br>

Prezado cliente,

Apesar de falha sistêmica no site JantarSecreto.com, informamos que está <u>CONFIRMADO</u> o jantar do dia 24 de abril de 2015, conforme menu inicialmente proposto (anexo), pelo qual os senhores demonstraram interesse. O jantar será servido no bairro de Copacabana, em endereço a

ser fornecido posteriormente aos que comprovarem pagamento. O depósito (R$ 3000,00 por pessoa) deve ser feito no Banco Itaú, ag. 19878, c/c: 07567-9 até hoje à noite. Favor enviar o comprovante de depósito para carnedegaivota@gmail.com.
Para garantir seu conforto e a qualidade de nossos serviços, temos o limite máximo de dez comensais. Assim, serão contemplados apenas os primeiros a comprovarem pagamento.
Venha viver a experiência gastronômica mais exótica, única e saborosa da noite carioca!

Att.
Equipe Carne de Gaivota

O caso dos exploradores de cavernas

1

Existe um livro chamado *O caso dos exploradores de cavernas*, escrito por Lon L. Fuller em 1949, que conta a história de cinco sujeitos que entram numa caverna de pedras calcárias e, devido a um deslizamento, ficam bloqueados lá dentro, sem comida. Um grupo de resgate é enviado, mas a situação é crítica. A remoção dos escombros se revela difícil — dez trabalhadores chegam a morrer em um novo desmoronamento enquanto limpam a entrada da caverna. Trinta e dois dias após o desastre, conseguem liberar o caminho. Quatro exploradores são encontrados desnutridos e em estado de choque. Nem sinal do quinto.

"Vocês não estão pensando em fazer esse jantar, não é?", Miguel perguntou pela milésima vez.

Estávamos esparramados no sofá da sala de TV, sem dormir e cansados de brigar.

"Sim", Leitão disse.

"Talvez", Hugo disse.

"Talvez", eu disse, querendo dizer "sim".

Aquele dinheiro era nossa salvação. Num primeiro momento, é bem verdade que reagi mal à ideia, mas, conforme o tempo passou, ao repetir a história para Hugo quando chegou, a possibilidade foi se assentando na minha cabeça, ganhando contornos menos perigosos, como uma mentira contada muitas vezes que vai tomando o lugar da verdade. Agora, enquanto escrevo, posso até parecer mesquinho ou inconsequente, mas você precisa entender que estávamos no limite. O Bukowski vivia dando defeito e nós seríamos despejados. Um único jantarzinho para conseguir o dinheiro não soava tão mal assim.

Miguel bateu na mesa de centro para chamar a nossa atenção:

"Canibalismo? É muito pesado, louco, nojento. Vocês não veem?"

"Não é canibalismo", Leitão disse. Ele pressionou o isqueiro até conseguir acender seu cigarrinho de maconha. "Se a gente só *prepara* o jantar, não somos nós os canibais."

"Eu... Eu não posso aceitar isso!" Miguel levou a mão à testa, prestes a chorar. "Se a polícia pega a gente..."

Leitão gargalhou, engasgando com a fumaça que saía da boca. Tossia como um monstro constipado.

"Já expliquei que a proposta saiu do ar em poucos minutos. Fiquei com a lista de e-mails dos interessados e reenviei o convite através de um e-mail falso, com mecanismos de segurança e IP protegido, impossível de rastrear. Nem o Snowden me encontraria. Usei uma conta segura, só eu tenho acesso ao cartão. Estamos limpos. Tenta outro argumento, bonitão."

"Isso vai se espalhar. A polícia vai acabar descobrindo..."

"Não tem por que essa história se espalhar", Leitão defendeu. "Os convidados não têm nenhum interesse em parar na cadeia."

"Olha, Miguel, também tô com medo da polícia, o.k.?", eu

disse, sincero. "Mas acho que o Leitão tem razão: vai ficar tudo entre a gente."

"O Leitão tem razão? Logo o sujeito que gastou toda nossa grana com puta!"

"Já mandei não falar assim da Cora!"

"Puta, sim! Não vou cometer um crime só porque você é irresponsável. Sou médico, eu salvo vidas!"

"Miguel, calma, cara, você vai enfartar!", eu disse.

Peguei no ombro dele antes que recuasse. A conversa tinha saído dos trilhos de vez. Olhei para Hugo, que se debruçava na janela, observando os prédios vizinhos.

"Não tem discussão", ele disse, sem olhar para nós. "Por trás de cada prato existe a morte. As pessoas preferem fechar os olhos pra isso, mas ela está lá. A *morte*."

"Então vamos matar alguém? É essa a brilhante ideia de vocês? Matar um ser humano e colocar na panela?"

"Nada disso", Leitão disse. "A gente pode conseguir uma carne qualquer e fingir que é humana. Carne de javali, de mamute, de cobra. Tem tanto bicho por aí..."

"Nem pensar! Minha cozinha não é parque de diversões", Hugo se aproximou da mesa de centro, andando daquele jeito sedutor que atraía os olhares por onde passava. "E quem pagou por esse jantar já deve ter comido todo tipo de carne exótica, talvez até mesmo humana. Não posso preparar uma carne qualquer."

"Por que a gente não desiste, então?", Miguel arriscou, dando de ombros. "Já que o Hugo se recusa a mentir, vamos cancelar. Mandamos um pedido de desculpas por e-mail."

Leitão soltou um muxoxo:

"O dinheiro já tá na nossa conta. E não quero cancelar. É a primeira ideia genial que tenho na vida."

"Não somos criminosos nem canibais... Mas esse dinheiro

quita a dívida, Miguel", argumentei. "É só encarar essa e, pronto, estabilidade financeira outra vez. Nada mais, nada menos. Não custa tanto, vai!"

Miguel deixou os óculos na mesa de centro, recostando a cabeça na almofada e massageando os olhos fechados com os punhos. Quase dava para ver a fumacinha saindo de seus cabelos castanhos. Depois de algum tempo, ele propôs:

"E se a gente não fizer o jantar e ficar com o dinheiro?"

"Isso também é crime..."

"Um crime menos grave!"

"Somos uma empresa séria", Leitão protestou, com o baseado pendendo da boca. Seus olhinhos espremidos entre as bochechas já começavam a ficar vermelhos e baixos. "Peguei até um modelo de e-mail empresarial na internet pra enviar. 'Para garantir seu conforto e a qualidade de nossos serviços', adorei isso. Se a gente não faz o jantar, a Equipe Carne de Gaivota vai ficar mal falada no mercado."

"Que equipe? Porra nenhuma de equipe!"

Hugo se sentou na poltrona, os cotovelos apoiados nos joelhos dobrados.

"Sabe o que essa situação lembra?", ele começou, com um sorriso. "Uma vez, na faculdade de gastronomia, o professor pediu que a gente cozinhasse um prato pra que os outros alunos tentassem descobrir o que era. Um dos alunos levou uma carne grelhada, marmorizada, muito saborosa, de textura inédita. Só depois que todos provaram ele revelou que era carne de cachorro. Foi bem engraçado. Algumas meninas desmaiaram, uns caras quiseram bater nele e até o professor ficou indignado e quis expulsar o sujeito da faculdade."

"Era mesmo cachorro?"

"Era", Hugo disse. "O pastor-alemão dele tinha morrido

dois dias antes e, em vez de enterrar o bicho, ele pensou: *Por que não?*"

"O cara foi expulso?"

"Tentaram, mas não conseguiram. Era uma ideia estranha? Sim. Mas também era inédita, inovadora. Se a proposta era escapar do óbvio, pensar fora da casinha, ele tinha feito a coisa certa. Além do mais, qual é mesmo a diferença entre matar um cachorro e um porco? Ou um boi?"

"Aonde você quer chegar?"

"Estou dizendo que a gente precisa fazer isso, Miguel. É estranho? Sim. É um pouco perigoso? Sim. Mas também é um desafio. Vai ser um jantar chique como qualquer outro, coisa fina, com ingredientes de qualidade, cortes selecionados. Nada vulgar ou violento."

"A única diferença é que a carne vai ser humana", Leitão disse, com naturalidade.

Miguel sacudiu a cabeça, encarando o chão. Seu coração o mandava dizer "não", mas sua cabeça começava a convencê-lo do contrário.

"E onde a gente vai arranjar carne humana?"

Nós nos entreolhamos. Já sabíamos a resposta, mas não dava para dizer assim, na lata.

"A gente precisa de um defunto", Leitão começou.

"É... Um corpo de indigente, sem família", Hugo disse. "Alguém que não vá fazer falta."

Chegou minha vez de dar o golpe final. Sentei ao lado de Miguel e, olho no olho, tentando soar o mais doce e paternal possível, perguntei:

"Você ainda está fazendo residência naquele hospital público, não está?"

2

Em *O caso dos exploradores de cavernas*, os quatro membros são interrogados após o período de convalescência no hospital. Eles confessam que mataram e devoraram o quinto sujeito, Roger Whetmore. Segundo a perícia médica, nenhum deles teria sobrevivido por muito tempo não fosse a atitude drástica de devorar o companheiro. Era comer ou morrer.

Os depoimentos indicaram ainda que a ideia de usar a carne de um deles como nutriente foi de Whetmore, que logo se arrependeu, antes mesmo que tirassem na sorte quem seria. Sobrou para o próprio, que foi morto e consumido. Ao final do livro, levados a julgamento por homicídio seguido de canibalismo, os quatro réus são condenados pela Suprema Corte à morte por enforcamento.

Propus uma nova votação aos meus amigos. Miguel queria falar mais, disse que tínhamos a obrigação de ouvi-lo, mas nossa paciência havia chegado ao fim. Já eram quatro da manhã.

"Vamos mesmo fazer um jantar de carne humana?"

"Não", Miguel disse.

"Sim."

"Sim."

"Sim."

Para comemorar a vitória, Leitão deu dois giros pela sala de TV, com os braços enormes abertos, quase acertando o aparelho de Blu-ray. Miguel esperneou, arremessou almofadas na parede e nos ofendeu.

"Só não quebro sua cara porque você usa óculos", Hugo disse.

"É nosso futuro que está em jogo aqui. Você não pode ser tão egoísta, Miguel."

"Não é egoísmo! É opinião, é ética!"

"A gente fez uma votação", eu disse. "É a maneira mais democrática de resolver as coisas."

Com os olhos molhados, Miguel se agarrou à última condição que lhe restava:

"Vai ser só *uma vez*, né?"

"Só uma vez." Eu o abracei e sussurrei em seu ouvido: "Vai ficar tudo bem, pode confiar em mim".

Leitão e Hugo se entreolharam. Tinham muito mais a dizer, mas preferiram o silêncio. Havia muitas coisas que eu também deveria ter dito. Que *O caso dos exploradores de caverna* é vendido como livro de ficção, mas é baseado em fatos reais. Que os quatro réus na verdade foram inocentados e, anos depois, foram levados a julgamento outra vez porque tinham matado e devorado outras pessoas. Que tinham ficado vidrados em comer gente. Não conseguiam parar.

Carne humana vicia.

Isso eu deveria ter dito, mas não disse. Pelos trinta mil reais, preferi o silêncio.

Certa vez, num banheiro público, havia um poema:

"Tudo na vida tem
Um começo
Um meio
E um foda-se."

3

A pergunta de trinta mil reais: como furtar um corpo fresco de um hospital público?

Hugo forrou a mesa de jantar com uma toalha esburacada e espalhou folhas de papel, canetas, lápis, post-its, tesoura, cola bastão e régua. Era raro que a gente usasse aquela mesa pesada e intimidadora. Preferíamos comer no sofá da sala, diante da TV, mas, depois de tanta discussão, mudar de ambiente pareceu uma boa ideia.

"A gente precisa usar a cabeça pra tirar um corpo de lá sem ninguém perceber", Hugo disse.

Éramos como crianças diante do material escolar, sentados em quatro das dez cadeiras estofadas de couro preto, olhando um para o outro, concentrados, silenciosos, esperando que alguma ideia genial nos iluminasse. O rascunho de um furto perfeito.

De má vontade, Miguel explicou o procedimento de retirada de um corpo do hospital público por um familiar.

1) O hospital emite um atestado de óbito em três vias.
2) O parente apresenta uma das vias do atestado ao cartório, que emite a declaração de óbito e a permissão para remoção do corpo.
3) O parente contrata o serviço funerário.
4) A funerária apresenta a permissão para remoção do corpo.
5) Um funcionário do hospital assina o livro de entrada/saída.

Anotei os cinco itens. Meus olhos se fixavam no tampo da mesa, que os atraía como um buraco negro. Li e reli a lista buscando uma brecha que nos permitisse chegar ao cadáver. Absorto em ideias, quase pulei da cadeira quando a campainha tocou, embora não estivéssemos esperando ninguém.

"É a polícia!" Miguel se afastou da mesa, assustado. Tremia sem parar.

Hugo começou a recolher os papéis depressa, como quem omite as provas de um crime. Por instinto, ajudei, sem considerar quão patético eram dois marmanjos desesperados escondendo tesouras sem ponta, colas bastão e papéis de rascunho dentro das calças.

Com passos arrastados, Leitão se aproximou do olho mágico.

"É o entregador. Pedi uma comidinha pelo iFood pra gente relaxar", disse, com um sorriso. "Nosso papo me deixou faminto!"

"Puta que pariu!"

Hugo tirou todo material que havia escondido na camisa e jogou de volta na mesa. Leitão foi buscar o dinheiro.

"Por que você não avisou, gordo?", gritei.

O entregador insistiu na campainha. Abri a porta e cumprimentei um moreno baixo, feio, com macacão preto e cara de cansado, que avisou que tentara interfonar, mas não tinha conseguido.

"Não tem problema", eu disse. O interfone estava com defeito havia meses.

O entregador, bem distante daqueles dos filmes eróticos, retirou o pedido da mochila. Aproveitei que tinha algum dinheiro no bolso e paguei logo. Deixei a comida na mesa.

"Cuidado pra não cagar a papelada toda", Hugo disse, organizando as coisas.

Miguel continuava a olhar para a entrada, paranoico, como se acreditasse que o entregador era um policial disfarçado que voltaria a qualquer momento. Leitão me entregou o dinheiro ao voltar do quarto.

"Pedi cem peças. Cinquenta são minhas, o resto vocês dividem."

Distribuí os hashis, o shoyu, o wasabi, o gengibre e o gergelim. Abri os pacotes.

Atum cru. Salmão cru. Camarão cru. Gente crua.

Como furtar um cadáver de um hospital público?

Busquei na estante do quarto meu exemplar de *Planejando*

sob pressão, de John Friend e Allen Hickling, um método não convencional de tomada de decisões — perfeito para aquela situação. Em uma folha, elenquei as principais perguntas que deveríamos responder para chegar ao melhor plano:

1) Qual vai ser o meio de transporte do furto (*TRANSP*)?
2) Qual vai ser a porta de saída/entrada (*ENT*)?
3) De que equipamentos vamos precisar (*EQUIP*)?
4) Como passar pela equipe do hospital (*HOSP*)?
5) Vamos precisar usar violência (*VIOL*)?
6) Qual cadáver vamos escolher para o jantar (*CORTE*)?
7) Como obter a informação de que há um corpo disponível (*INFO*)?

"A última questão está resolvida", Hugo disse. "O Miguel vai estar de plantão amanhã à noite."

Meu amigo sacudiu a cabeça, fazendo uma careta involuntária:

"Não vou sujar minhas mãos nem acabar com minha carreira por uma loucura dessas! Consigam essa informação de outra maneira."

Antes que a briga nos dispersasse, comecei a traçar o plano de ação pelas medidas menos polêmicas.

"O meio de transporte é bem óbvio. A gente usa o Bukowski."

"Um Verona vinho? Por que não andar com uma placa dizendo LADRÃO DE CORPOS?", Hugo perguntou, sumindo na cozinha e voltando pouco depois com uma garrafa de saquê já aberta. "Que tal a gente alugar um carro?"

"Posso pintar o Bukowski de preto", o gordo sugeriu. "E dar um jeito de adulterar a placa."

Hugo nos serviu em copos plásticos amarelos. Ao terminar, ergueu o dele.

"Vamos de Bukowski, então... Ao sucesso do nosso jantar."

Miguel se recusou a brindar. Ameaçou desistir de tudo caso não retirássemos a pergunta sobre violência.

"Deixa de neurose, cara", Hugo disse. "Ninguém está falando em entrar com metralhadoras na porra do hospital!"

"Então, o que significa 'usar violência'?"

"Significa que talvez a gente precise deixar uma ou duas pessoas desacordadas pra conseguir sair com um corpo de lá", expliquei.

"Desacordadas? Quando foi que vocês se tornaram especialistas em artes marciais?"

"Quem fica no necrotério?", perguntei, mudando de assunto.

"Os mortos", Leitão respondeu.

"Normalmente tem um segurança", Miguel explicou, constrangido.

"Um só?"

"Sim."

"Armado?"

"Não. Costuma ter um médico de complementação diagnóstica também."

Agora Miguel estava constrangido pra caralho.

"Temos que abater dois sujeitos, então", Hugo disse, só para provocar.

Depois de outras discordâncias, várias doses de saquê, muitas rasuras e poucas certezas, descartamos alguns caminhos e desenhamos possibilidades mais concretas. Leitão já estava de saco cheio e ficava avacalhando a conversa enquanto devorava seu sushi.

"Pra que essa merda toda?", ele disse. "É só arrumar um defunto. Tem tanto indigente, tanto cadáver abandonado, sem família. Precisa mesmo dessa operação cheia de frescura? Porra, nós vamos invadir um hospital público no Brasil, não uma área restrita da SWAT. Os caras vão agradecer se a gente levar um defunto e liberar uma maca."

"Você tá sendo ridículo", Miguel disse, soltando os hashis na mesa.

"Só pra ficar claro: o que é *CORTE* nesta lista?", Hugo quis saber.

"Corte é escolher qual corpo vamos levar", expliquei. "Precisamos de carne fresca. Algumas pessoas a gente não pode pegar. Quem morreu de doença contagiosa, por exemplo. Leucemia também não dá."

"Meu Deus, vocês não percebem como isso tudo é mórbido?"

Concordei com Miguel, dando de ombros. Era mórbido, mas necessário. Hugo ajudou a recolher as embalagens, os hashis, a garrafa de saquê e os copos.

"A informação da causa da morte aparece nos prontuários. O Miguel pode ver isso pra gente."

"Já disse que não vou fazer nada pra vocês. Vão ter que se virar sozinhos."

"Tem prontuário eletrônico?", Leitão perguntou.

Miguel fez que sim, exasperado.

"Então deixa que eu resolvo. Posso hackear o sistema do hospital."

Nos encaramos, sem mais nada a dizer. O silêncio na mesa era de pavor e postergação. Leitão foi para o quarto e voltou com seu laptop, para conversar aleatoriamente com amigos no Facebook. O barulhinho das janelas pipocando na tela me irritava. Pedi para ele parar com aquilo. Só para causar, o gordo pegou seu iPhone e alterou o nome do nosso grupo de WhatsApp de "Putaria in Rio" para "Equipe Carne de Gaivota".

Tentei continuar a discussão com os outros dois, mas era inútil. O celular de Miguel apitava toda hora e ele corria para ver as mensagens. Parecia estar em uma conversa muito importante com a chata da Rachel. Minha vontade era enfiar a tesoura sem ponta na jugular dele, fechar os lábios do Hugo com a cola bastão e arrebentar o Mac do Leitão. Saí da mesa para pegar uma cerveja na geladeira. Tomei meu Rivotril com duas goladas de Heineken.

Quando voltei à sala, Hugo estava de pé, movendo os braços enquanto dizia:

"Ah, porra, vocês só podem estar de sacanagem. Olha o frango que a gente come. Cheio de toxina, inseticida, entupido de remédio, alimento transgênico. A carne de boi é um cadáver em princípio de decomposição. Vocês estão mesmo preocupados com defuntos doentes?! O importante é a carne estar fresca. De resto, eu me garanto."

Miguel voltou ao seu maldito celular. Tentei manter o foco, repensar os caminhos. Eram muitas variantes, todas complexas. As chances de dar errado eram muitas.

Duas horas depois, chegamos ao plano final: na madrugada seguinte, durante o plantão de Miguel, eu entraria no hospital vestido de médico enquanto Hugo me esperaria do lado de fora, no Bukowski. Em casa, Leitão conseguiria acesso aos prontuários on-line, descobriria um defunto recém-falecido e me passaria as coordenadas de acesso pelo grupo de WhatsApp. A ideia era que eu roubasse o cadáver e saísse com ele na cadeira de rodas, fingindo ser um doente. Como diz o ditado: a melhor maneira de esconder uma árvore é colocá-la em uma floresta.

Tudo o que Miguel conseguia dizer era: "Vai dar merda, vai dar merda". Entreguei uma lista de pendências para Hugo e fiz uma cópia para Leitão. O gordo leu em voz alta, como aqueles anunciantes de supermercado:

"Pra furtar um cadáver de um hospital público, você precisa de: um jaleco de hospital, uma permissão para remoção do corpo falsificada, uma placa de carro falsificada, um galão de tinta de automóvel de cor preta, uma cadeira de rodas, um MP3 com caixinhas de som e uma faca de açougueiro."

"Pra que serve o MP3 com caixinhas de som?", Miguel perguntou.

"Vou colocar uma gravação de tiroteio de um filme dos anos 1950 pra tocar na UTI", respondi. "Isso vai distrair os seguranças por um tempo, enquanto eu pego o corpo."

"E a faca de açougueiro é pra quê?"

"Pra fazer bifes."

[Grupo de WhatsApp]

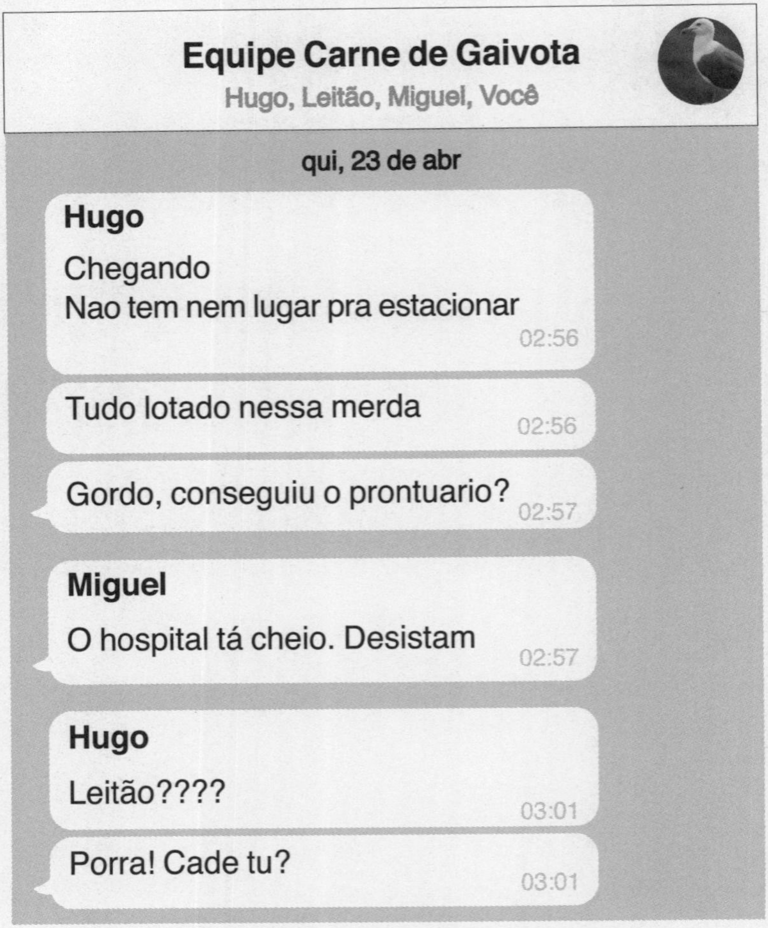

Miguel

Desistam

03:03

Leitão, conseguiu atualizar o prontuário on-line?

03:04 ✓✓

Miguel

Onde vcs estão?

03:04

Hugo

Na esquina do hospital
Achei uma vaga
O Dante tah vestindo o jaleco

03:05

Miguel

Tá mto cheio aqui

03:09

Hugo

O hospital tah cheio as três da matina?

03:09

Miguel

Hospital público tá sempre cheio

03:09

Hugo

Cade esse gordo fdp?
03:17

Conseguiu o prontuario?
03:17

Posso entrar?
03:19 ✓✓

Leitão

Hugo

Porra!!!!
03:23

Gordo escroto! A gnte tava t
esperando!
03:23

Leitão

HAHAHAHA
Malz a demora

03:23

Eu tava no banheiro. Voltei só agora pro quarto

03:24

Hugo

Conseguiu o prontuário on-line?

03:24

Miguel

Não venham pra cá

03:25

O hospital tá mto cheio

03:25

Leitão

Tô atualizando o sistema ainda

03:25

Eh lento

03:25

Dá um dez

03:26

Hugo

O Dante tah pronto

03:26

Tô pronto

03:30 ✓✓

Vou entrando

03:30 ✓✓

Leitão

Não tô conseguindo 😔

03:37

Saiu do ar

03:37

Isso eh Brasil!

03:37

Hugo

Fudeu!

03:38

Como a gnte vai saber do corpo morto sem prontuario on-line?

03:38

Leitão

Miguel, para de frescura e ajuda o Dante

03:39

😬

03:39

Miguel

Tô de plantão

03:39

Sou contra

03:39

Leitão

Ajuda ele a pegar um defunto

03:39

Miguel

Não vou ajudar nessa loucura

03:43

Leitão

Miguel

Desistam disso

03:44

Vai dar problema

03:44

Hugo

Não dah pra desistir

03:45

Ele entrou
03:45

Dante, tudo certo aih?
03:45

Miguel
Vocês não vão conseguir
03:45

Passei pela recepção
03:48

Ngm estranhou o crachá
03:48

Leitão
AEEEEE!
03:48

Miguel
O Dante acabou de passar por mim
03:51

Leitão
Dá um beijinho nele
03:51

Miguel
O chefe da equipe vai sacar que ele não é daqui
03:51

Tô procurando a UTI
03:59

Onde fica a UTI? 03:59

Leitão
SEGUE AS SETAS HAHAHAHA 03:59

Miguel
Tenho que trabalhar 03:59

Boa sorte pra vcs 03:59

Hugo
Dante, conseguiu achar a uti? 04:04

Leitão
Miguel 04:05

Ajuda 04:05

O Dante a achar a UTI! 04:05

Miguel
Pq vc não levanta seu rabo gordo da cama 04:05

E vem ajudar o Dante 04:05

Leitão

Hugo

Dante, conseguiu achar a uti? 04:10

Miguel

Eu tô trabalhando 04:10

E esse gordo fica mandando memes babacas
04:10

Leitão

Hugo

Parem de brigar, porra!!!
04:10

O Dante nao fala nada faz 10 min
04:10

E tah um calor fodido no Bukowski
04:10

Ngm merece!
04:11

Leitão

Tô no ar-condicionado! 04:11

Comendo piroca 04:11

*pipoca 04:12

autocorretor fdp 04:12

HAHAHA 04:12

Hugo

Dante? 04:13

Dante, taí? 04:13

Responde, caralho!!!! 04:13

Leitão

Tah vivo? 04:13

Hugo

Dante?????? 04:17

Leitão

Acho que deu merda 04:17

Miguel

Vou desligar o celular 04:17

Nao para de apitar 04:17

Hugo

Encontra o Dante aew 04:17

Ele nao tah respondendo 04:17

Miguel

Nao 04:17

Tô perdido nessa merda 04:20

Se vc não me ajudar 04:20

Eu vou ser preso 04:20

Hugo

PQP!!! 04:20

Leitão

PQP!!!!zzzzzzzzzzzzzzzz

04:20

Miguel

Nao quero saber

04:20

Hugo

Eh soh dizer onde eh a uti!!!!

04:20

Tô rodando há 20 minutos

04:21

Não tem placa!

04:21

Leitão

O cara se recusa a ajudar o amigo!

Eu vou ser preso
04:21 ✓✓

Me ajuda, porra!!!!
04:21 ✓✓

Miguel
Eu avisei
04:21

Se eu for preso
04:22 ✓✓

Vão descobrir que a gente mora junto
04:22 ✓✓

E eu vou dizer q vc tava ajudando
04:22 ✓✓

Vai todo mundo se foder
04:22 ✓✓

Hugo
Se ele se fode, a gnte se fode!!!!
04:22

Miguel?
04:23

Miguel????
04:24

Miguel
Dante, onde vc tah?
04:24

Berçário
04:24 ✓✓

Hugo

Miguel? 04:25

Miguel

Vc foi pro lado errado 04:25

A UTI fica na ala nordeste 04:25

Desce até o corredor central e vira à esquerda 04:25

depois esquerda de novo 04:25

Vou tentar 04:26

Miguel

Melhor ir embora 04:26

Pega a saída 04:26

Leitão

Perder 30 mil????? 04:26

NEM FODENDO! 04:26

Hugo

A gente precisa desse dinheiro! 04:27

Dante, conseguiu achar? 04:27

Dante???? 04:28

Miguel

Vcs são uns escrotos q me obrigam a fazer o q eu nao quero 04:28

Hugo

Dante? 04:31

Achei a UTI 04:33 ✓✓

Miguel

Vai embora!!!!! 04:33

Hugo

Blz! 04:33

Vou ligar o mp3 em 5 min 04:34 ✓✓

Daqui como faz pra chegar no necrotério? 04:34 ✓✓

Miguel
Vai embora!!!
04:34

Nao vou ensinar a chegar no necrotério
04:34

Hugo
Miguel, a gnte precisa desse corpo!
04:34

Leitão
Pensa nos dinheirinhos! 🤑
04:34

Como chega no necrotério?
04:35 ✓✓

Leitão
O Dante é nosso amigo
04:35

Nao deixa ele na mão
04:35

Hugo
Miguel???
04:35

Miguel, me ajuda!
04:35 ✓✓

Tô perdido!
04:35 ✓✓

Hugo

Miguel????????????

04:37

Miguel

Tem uma paciente que morreu tem pouco tempo

04:39

De hipovolemia

04:39

Tá no corredor

04:39

Esperando pra ir pro necrotério

04:40

Nao vai nem precisar da permissão

04:40

Como chego nesse corredor?

04:40

Miguel

Qd sair da UTI direita até o final

04:40

Esquerda depois

04:40

Vou ligar o som! Ok?

04:40

Hugo

ok

04:40

Miguel

Isso é surreal!!!! 04:40

Vcs são loucos 04:40

Leitão

OK 04:40

Miguel

Q odio!!!! 04:40

Seus merdas 04:40

Eu devia chamar a polícia 04:40

Hugo

Calma, cara 04:40

Ele ligou o mp3? 04:40

Miguel

Sim 04:41

Tá uma barulheira danada
na UTI 04:41

Tem gente se abaixando 04:41

Achando q é tiro 04:41

Leitão

Gosei 04:41

*gostei 04:41

HAHAHA 04:41

Hugo

E aih? 04:41

Leitão

Esse autocorretor hj tah foda 04:41

Hugo

Dante 04:42

E aih? 04:43

Conseguiu? 04:43

Leitão

Dante? 04:43

Hugo

O mp3 ainda tah ligado?

04:45

Miguel

Acabaram de encontrar
e desligar

04:45

Leitão

Deu certo?

04:45

Hugo

Dante

04:47

Conseguiu pegar o corpo?

04:47

Dante????

04:48

Miguel

A gente vai ser preso por culpa
de vcs

04:48

Bandidos! Antieticos!

04:48

Hugo

Ele tah saindo do hospital

04:51

Com o corpo na cadeira de rodas 04:51

Acho q deu td certo 04:51

Jah aviso 04:51

Leitão

BOOOOA, EQUIPE! 04:51

Tudo certo! 04:53

FOI TEEEENSO!!!! 4:53

Hugo

Corpo no carro
04:55

Tamo indo pra casa
04:55

Leitão

Vem logo
04:55

Vou fazer um suruba pra gente
04:55

*SANDUBA
04:55

Cortes exóticos

1

Assim que chegamos em casa, retiramos as gavetas do freezer vertical e guardamos o corpo em pé. Cheio de adrenalina, engoli três comprimidos de Rivotril, mas não adiantou. Fiquei na poltrona da sala, diante da TV desligada, folheando livros de autoajuda. *Como escapar de situações difíceis. Os segredos da autoconfiança. Dez passos para a renovação.* Por via das dúvidas, consultei também o Código Penal. Título V, capítulo II. Dos crimes contra o respeito aos mortos. Artigo duzentos e doze. Vilipendiar cadáver ou suas cinzas. Pena: detenção, de um a três anos, e multa. Para minha surpresa, antropofagia não estava previsto no Código Penal. O problema era vilipendiar o cadáver, mas comer a carne tudo bem.

Dava pra ver pela janela que já amanhecia. Sem ter pregado os olhos, acessei os principais portais de notícia do país para ver as manchetes. Poderia ser JOVEM REVELAÇÃO CRIA STARTUP MILIONÁRIA, mas não era. Poderia ser VINDO DO INTERIOR DO PARANÁ,

NOVO TALENTO AGITA O MERCADO DE NEGÓCIOS, mas não era. Poderia ser O PARAÍSO DE DANTE: JOVEM PROMISSOR VIRA REFERÊNCIA EM MERCADO DE CAPITAIS, mas não era.

Nos diferentes veículos, a chamada principal era CORPO É LEVADO DE HOSPITAL DA BAIXADA FLUMINENSE, ou SUSPEITO INVADE HOSPITAL PÚBLICO PARA FURTAR CADÁVER, ou APERTEM OS CINTOS: A DEFUNTA SUMIU!, meu preferido. Cliquei nos links e havia uma foto em péssima resolução, extraída de uma câmera de segurança externa. Não dava para enxergar meu rosto, mas eu conseguia me reconhecer naquele borrão vestindo jaleco. A barriguinha de chope, as pernas finas destoantes do corpo, a forma como me inclinava sobre o cadáver na cadeira de rodas.

Um corpo tinha sido levado de um hospital público e as pessoas estavam curiosas, queriam entender, interagir, comentar. Muita baboseira. Culpavam os extraterrestres, o governo, o feminismo. Diziam que o corpo nunca havia existido. A tecnologia deu ao homem a liberdade de difundir qualquer merda no ciberespaço. Opiniões imbecis, ideologia de botequim. Fiquei ainda mais desesperado: tanto sucesso de mídia obrigaria a polícia a investigar o caso a fundo. Na cozinha, preparei um suco de maracujá para me acalmar. Peguei queijo e presunto na geladeira e montei um sanduíche. Quase abri o freezer, mas lembrei a tempo que havia um cadáver lá dentro.

Com os cabelos despenteados e a cara amassada, Leitão entrou na cozinha soltando um bocejo que lembrava aquele leão da MGM. Havia dormido feito um anjo. Vestia uma samba-canção do Bob Esponja e trazia nas mãos um facão afiado. Era uma visão grotesca, um pesadelo de olhos abertos.

Mostrei a notícia de um dos sites.

"Tá famoso", ele disse.

"Tô ferrado, isso sim! Vou pra cadeia!"

O gordo sorriu, deixando a faca de açougueiro na mesa da

cozinha. Pegou quatro fatias de pão e, com uma colher, se serviu de um pote de Nutella.

"Você tem ensino superior completo e tá no Brasil. Não vai ser preso."

"Não é hora pra piada, Leitão."

"Não é piada. Só acho que encaramos isso de maneira diferente..."

"Como assim?"

"Você tá aí assustado, suando frio, choramingando, enchendo meu saco. Eu tô aqui, comendo feliz, pensando que tenho dinheiro na conta pra pagar a dívida do apartamento, carne suficiente pra fazer uns quatro jantares e que é a polícia brasileira que tá atrás de mim. Não é o FBI, não é o MI6, é a Polícia Civil do estado do Rio de Janeiro. A situação é a mesma, mas cada um encara de um jeito."

"Você tá tranquilo porque não é a porra da sua foto na imprensa!"

"Ninguém vai reconhecer você", ele disse, com as bochechas cheias de comida.

"Eles vão encontrar a gente. Sempre fica alguma coisa pra trás."

"Alterei a placa. Relaxa."

Não adiantava discutir com o gordo. Mesmo fazendo merda com frequência, ele se considerava um gênio. Começou a cantarolar "Beautiful", como se fosse a Christina Aguilera com uns quilinhos a mais. Cortei outro maracujá para fazer mais suco. Liguei o liquidificador, ignorando a cantoria.

Hugo apareceu de roupão. Sem falar nada, ignorou a faca de açougueiro e encheu um copo de leite. Parecia um panda de olhos verdes, com duas olheiras bem marcadas. Pelo visto, eu não era o único que havia passado a noite em claro. Mostrei a notícia para ele, que desdenhou.

"Não vai dar em nada. Temos que ser profissionais, Dante."

"Amanhã é o grande dia", Leitão disse, animado.

Meia hora depois, nós éramos três patetas assombrados abrindo a porta do freezer para retirar o cadáver. Pequena, mas rechonchuda, a mulher tinha o rosto redondo, os cabelos grisalhos e o corpo escamoso. Seus olhos já ganhavam uma tonalidade cristalina, um tanto amarelada. Os sites de notícias informavam que ela tinha sessenta anos, mas já aparentava uns setenta.

"Isso é o que eu chamo de carne velha", Leitão gargalhou. "Ou melhor: maturada!"

Carregamos o cadáver até a sala, entre as duas pilastras próximas à janela, onde Hugo havia estendido um lençol branco. Fechei as cortinas depressa. Imaginei um turista norte-americano com esposa e filhos na janela do hotel do outro lado da rua vendo três jovens e uma defunta.

"Cadê o Miguel pra ajudar?", perguntei.

"Ainda não voltou do plantão."

Hugo se agachou e pressionou as coxas da morta. Fez o mesmo com a barriga, então virou o corpo e testou as nádegas. Leitão trouxe o facão de açougueiro erguido no ar, com os olhos arregalados e a boca escancarada enquanto cantava a musiquinha do chuveiro em *Psicose*:

"*Tchã, tchã, tchã, tchã*!"

"Para com essa merda", mandei.

Ele soltou um suspiro decepcionado e girou o facão no ar como um samurai antes de colocá-lo próximo a Hugo:

"Você é o cozinheiro. As outras coisas que pediu estão na despensa."

Hugo fez que sim, compenetrado. Seus olhos passeavam pelo corpo frio, flácido e velho, nada convidativo ao paladar. Com uma tesoura, ele rasgou as roupas restantes e as deixou de lado. Nunca vou esquecer a imagem daquela senhora nua e morta no chão da sala. Fora do freezer, sua pele ganhava uma aparência de mármore nos ombros e no tórax. Hugo massageou o peito e as panturrilhas da mulher.

"O que você tá fazendo?", perguntei.

"Encontrando a melhor região de corte. Sou chef, não açougueiro. Existe toda uma arte nisso. O bom corte deve ser feito próximo ao osso. A carne precisa ser macia, com alguma gordura. Sei como é no boi, mas não como é no ser humano."

Sentado na poltrona, com os dedos entrelaçados na altura do umbigo, o gordo se divertia.

"Deve ser igual. Corta qualquer coisa."

Hugo limpou as mãos pálidas na barra do lençol:

"Vamos virar o corpo de cabeça pra baixo."

Na despensa, busquei os ganchos que ele encomendara. Dentro da sacola, havia também facas menores, uma corda comprida e muitos sacos de lixo. Levei tudo até a sala, torcendo para que Hugo não pedisse minha ajuda.

"Me ajuda", ele disse, enquanto desenroscava a corda grossa ao lado do lençol.

Fiz dois laços nos pés da morta e finalizei com um nó de marinheiro que aprendi no YouTube. Leitão havia parafusado dois ganchos de rede nas pilastras da sala e passou a corda pelas argolas, como se fosse levantar um saco de terra. Hugo tentou segurar o corpo no ar, enquanto puxávamos a ponta da corda. Firmando os pés, tentamos duas, três, quatro vezes. Você não imagina o trabalho que dá erguer um cadáver do chão. É como se o corpo duplicasse ou até triplicasse de peso.

"Gaivota pesada do caralho!", Leitão disse.

Ele ria, roncava, suava e puxava a corda, tudo ao mesmo tempo, sem qualquer respeito pela mulher morta. Com as pernas doloridas e as palmas das mãos ardendo, ouvi a chave girar no trinco e fiquei feliz que Miguel tivesse chegado a tempo de ajudar. Acontece que, quando olhei para a porta, vi que não era ele. Pensando que delirava, pisquei e tive certeza: a poucos metros de nós, linda, perfumada, de cabelos soltos, num vestido preto e de salto agulha, estava Cora. Surpresa, ela nos encarava — três destrambelhados diante de uma velha defunta balançando a poucos centímetros do chão.

2

"Ela tá morta?"

Não havia qualquer tremor em sua voz. Sua entonação era de quem faz uma pesquisa científica. Cora se aproximou, girando no indicador as chaves que usara para entrar no apartamento, e dobrou os joelhos para cheirar a pele do cadáver.

"O que você tá fazendo aqui?", perguntei. "E essa chave?"

Ela não se abalou. Ao terminar de fazer o que quer que estivesse fazendo, tascou um beijo na bochecha de Leitão e o abraçou (embora seus braços não conseguissem dar a volta completa, claro).

"Eu e o fofoluxo estamos em um relacionamento sério", disse.

"Hã?"

Leitão sustentava a mesma expressão de quando contou que gastara todo nosso dinheiro em sexo, de quando se gabou por ter proposto um jantar de carne humana na internet, de quando contou que havia enviado um e-mail aos interessados confirmando esse jantar. Era sua expressão de "fiz-merda-mas-e-daí?". Para meu azar, eu andava vendo aquela cara com frequência.

"Estamos apaixonados. Dei uma cópia da chave pra ela."

Hugo soltou a corda, que correu rapidamente pelos ganchos fazendo um barulho irritante. O corpo despencou no chão.

"Peraí, você é a puta maldita que colocou a gente nessa merda?"

Leitão se posicionou ao lado da namorada, pronto para entrar na briga, mas ela não precisava de ninguém para defendê-la.

"Puta maldita? Não sei. Meu nome é Cora", disse, mandando um beijo no ar. "Agora alguém me conta, por favor, por que tem um cadáver na sala."

"Explica você", eu disse para Leitão, e ele começou a falar.

Cora se sentou na poltrona, cruzando as pernas compridas e acompanhando com atenção. Enquanto o gordo contava tudo com a naturalidade de quem narra uma história infantil, ela não piscou, não fez nenhum movimento de cabeça, não teve nenhum sobressalto, não mostrou nenhum espanto. Ao final da sequência de absurdos, Cora apenas passou as mãos pelos cabelos num gesto sensual e sorriu:

"Vocês estão fazendo tudo errado."

"Como assim?"

"Pra ter a melhor carne, tem que fazer o bicho sangrar antes que coagule tudo." Cora deitou sobre o lençol e apalpou as coxas nuas do cadáver. "Se o abdômen estiver verde é porque a decomposição já começou. Aí, não tem mais jeito. Faz quanto tempo que ela tá morta?"

"Cinco, seis horas, mais ou menos."

"Ela morreu de quê?"

"Hemorragia interna."

"O sangue saiu do músculo, pelo menos. Sangria natural. Acho que posso ajudar vocês", ela disse. "Quero dez por cento da grana."

Hugo se indignou:

"Essa puta quer arrancar mais três mil reais da gente!"

"Você é bom em matemática, eu sou boa na carneação."

"A gente só se meteu nessa história por sua causa! O certo

era você devolver nosso dinheiro! Esse gordo aí gastou tudo contigo!"

"Para de reclamar! Puta é a comida a quilo mais barata que existe. Sessenta quilos por seiscentos reais. Sai dez reais o quilo. Onde mais você consegue esse preço?"

"Minha vontade é te pendurar junto com a velha!"

"Ei, ninguém encosta na minha bebezinha!", Leitão interrompeu.

"Posso fazer a carneação sozinho, o.k.?", Hugo disse, mas seu tom revelava total insegurança. "Não preciso de você!"

Ela girou os olhos, passando-os pelo cadáver, por mim, por Leitão e finalmente por Hugo.

"Tem certeza? Vocês pareciam bem perdidos quando eu cheguei aqui…"

"Era o que faltava! Uma *mulher* querendo me ensinar alguma coisa!"

"Ela ajudava o pai num matadouro quando era criança", eu disse.

Cora se afastou do cadáver e pegou a bolsa sobre a poltrona.

"Bem, vocês que mandam… Se não quiserem minha ajuda, vou embora."

"Já disse que não precisamos de você!"

"Calma, cara, você mesmo falou que é chef, e não açougueiro. A Cora pode ser útil!"

"A Corinha é foda!"

Hugo engoliu em seco, se recusando a aceitar a derrota.

"Tudo bem", disse, por fim. "Mas não quero que ela use minhas facas."

Todo chef tem ciúmes de suas facas e panelas. Hugo vivia reclamando que deixávamos as facas sem fio ou queimávamos o fundo da Le Creuset. Mas, naquele momento, ele só fazia essa exigência por birra mesmo.

"Com o que você pretende que eu faça os cortes? Com as unhas?"

"Não me interessa, dá um jeito."

"Posso comprar uma faca pra você, bebezinha", Leitão disse, envolvendo o corpo pequeno da namorada em sua banha volumosa.

"Faca, não. Compra uma motosserra. Gosto de trabalhar com elas. Facilita na hora de abrir a carcaça."

"Fechado."

"Amarela, tá?"

"Amarela?"

"É... Amarelo-ovo. É a minha cor favorita", ela disse, com a empolgação de uma criança que acaba de entrar em um parque de diversões. "Quero uma motosserra amarelo-ovo."

"Pode deixar."

Leitão foi ao quarto buscar a carteira e saiu, prometendo que já voltava. Cora pediu uma roupa velha para vestir no trabalho e ofereci um short largo que eu não usava mais. Enquanto ela se trocava no banheiro, mandei que Hugo baixasse a bola e parasse com a implicância. Cora era a solução perfeita: ela não nos condenava, não via nada de errado no que estávamos fazendo e não queria chamar a polícia.

"Prefiro trabalhar sozinha", ela disse, ao voltar. Usava o short como vestido: uma das pernas passava por seu tronco e a outra por seu braço direito, como se fosse uma manga larga. "Posso usar a faca de açougueiro enquanto o fofoluxo não chega com a minha motosserra?"

A contragosto, Hugo a entregou.

"Você é maluca!"

"Também não fui com a sua cara", ela disse. "Você acha que só porque tem essas tatuagens, esse piercing no nariz, esse jeito de bad boy e um pau entre as pernas tem direito de falar assim comigo? Vá se foder, bombadinho!"

Cora virou as costas e caminhou na direção do cadáver. Irritado, Hugo avançou para cima dela, pronto para brigar, mas Cora desviou a tempo, de modo que ele errou o golpe, se desequilibrou e caiu no chão, próximo à pilastra da sala. Rapidamente, Cora girou a faca no ar e encostou a lâmina no pescoço dele.

"Cuida do seu que eu cuido do meu, o.k.?", ela disse, pressionando a pele de leve com a ponta da faca. "Só vou esperar meu fofoluxo chegar pra terminar de levantar isso. O resto eu faço sozinha. Dante e o antipático aqui estão liberados."

3

Leitão voltou minutos depois com uma caixa enorme, comprada numa loja de construção na rua Siqueira Campos. Era uma motosserra Ecobosst MAC 740-14 amarela, da marca McCulloch. Cora encheu o namorado de beijos e até chorou de emoção, enquanto desembrulhava o presente. Preferi fazer companhia a Hugo na cozinha. Indignado, ele xingava Cora, enquanto organizava temperos e separava panelas. Quando começou a afiar uma faca, temi que fosse voltar à sala e duelar com ela.

"Não vai fazer besteira, cara!"

"Só vou fatiar os legumes e as verduras."

O som era irritante. Pensei em ligar o rádio ou cantarolar alguma música para abafá-lo, mas sabia que era inútil. Na verdade, o que eu realmente temia escutar não demorou a chegar da sala: o ronco da motosserra ligada, fazendo seu serviço. Levei as mãos aos ouvidos, tentando vencer o som. Hugo parou o movimento com a faca e retirou um pedaço de papel do bolso de sua gambuza, que entregou para mim.

"Compra essas coisas."

Passei os olhos pelos itens, num misto paradoxal de alívio e desespero. Tinha a chance de sair de casa, de poder confirmar que o mundo continuava a girar mesmo que houvesse um cadáver sendo fatiado na sala de casa. Ao mesmo tempo, podia ser abordado por alguém na rua dizendo: "Ei, você não é o cara que está nos jornais?".

"Ninguém vai te reconhecer", Hugo disse, como se lesse meus pensamentos.

"Quer mesmo que eu compre isso tudo?"

"As pessoas não comem só pela boca, Dante. Uma refeição começa pelo cheiro, depois pelo olhar e só então vem o sabor. O espírito de um bom jantar é a aparência! A apresentação e a educação de quem vai receber os convidados têm que refletir a qualidade da minha comida, a mesa posta tem que ser digna dela..."

"Isso tudo não vai custar uma fortuna?"

"Tenta gastar o mínimo possível. Mas temos que ser impecáveis."

Acatei, em silêncio. Quando passei pela sala na direção dos quartos, Cora fumava na janela, com as cortinas fechadas. Ela acenou com as mãos cheias de sangue para que eu me aproximasse. A motosserra e o facão de cozinha descansavam a poucos centímetros do corpo dependurado, preso por ganchos fincados entre os tendões. Era estranho pensar que até poucos dias aquela senhora respirava, assistia a novelas, lia livros, comia pão e fazia cocô. Talvez alguém a chamasse de "vovó". De repente, ela estava ali, já sem os pés e as mãos.

Mais de perto, pude ver os detalhes talhados à faca. Havia círculos ao redor dos punhos, dos tornozelos e da ponta do queixo. Da mandíbula, descia uma linha vertical pelo tórax e pelo abdômen, como um zíper. Um cheiro forte subia dos membros seccionados e o calor asfixiante do Rio de Janeiro só fazia aumentar a sensação de desconforto.

"A faca tá perdendo o fio", Cora disse. "Preciso amolar antes de tirar o restante do couro."

Concordei, louco para sair dali. Ela me segurou, deixando uma mancha de dedos vermelhos no meu braço.

"Estou terminando esse cigarro. Me faz companhia."

"Desculpa, Cora, mas... Não fico tão à vontade."

"Quero te fazer uma pergunta", ela disse. "Qual é o seu sonho?"

"Não sei."

"Claro que sabe. Pode não querer dizer, mas sabe."

"Qual é o seu sonho, Cora?"

Ela tragou o cigarro com força, expelindo a fumaça pelas narinas. Apertou os olhos, que encaravam algum ponto fixo através da janela:

"Em vida de puta, cabem tão poucos sonhos... Eu queria ser escritora."

"É?"

"Tenho muita intuição, sabe?", ela continuou. "Sempre soube que seria puta."

"Como assim?"

"Ser puta faz parte do caminho. Sempre quis trabalhar no meu próprio negócio, virar puta-chefe, cafetina, mandar nas outras, atender só cliente especial e escrever minhas poesias em paz, sem ter que chupar pau murcho, mal lavado e perebento."

"Você é perseverante, estratégica, focada, autoconfiante e persuasiva. Vai conseguir o que quer."

Ela sorriu, aceitando a massagem no ego. Baixou todas as suas defesas.

"Você é mesmo um cara legal, Dante. Se quiser, o cupom de boquete gratuito continua valendo."

"Obrigado."

Ficamos nos encarando até que ela terminou o cigarro.

"Preciso voltar ao trabalho. Foi bom conversar com você."

Ela me deu um beijinho na testa antes de pegar a motosserra.

4

Fugi depressa para o quarto e escolhi uma roupa. O piso do banheiro estava molhado, uma toalha amarrotada caía como uma língua sobre a privada e o vidro do boxe começava a desembaçar: sinais de que o Leitão acabara de sair dali. Entrei no chuveiro com a imagem da velha na cabeça. Não adiantava negar, não adiantava tentar limpar. A sujeira vinha de dentro. Ensaboei, enxaguei e me vesti sem que a imagem desaparecesse.

Quando voltei à sala, a coisa disforme presa aos ganchos era vermelha e lembrava uma perna de boi. Não havia ali qualquer traço humano, apenas uma massa de carne e osso erguida, sem pele nem cabeça. Enquanto desmontava a estrutura, Cora disse:

"Acho que vai dar pra aproveitar bastante coisa."

Concordei sem dizer nada, virei as costas e já caminhava para a porta quando deparei com a cabeça da mulher sobre a mesa de centro, bem ao lado da imagem de Nossa Senhora da Aparecida que minha mãe havia dado de presente anos antes. Mesmo com as pálpebras cerradas, ela me encarava.

"Que porra é essa?"

"Deixei aí pra perguntar depois", Cora disse, baixando uma das cordas. "Sabe se o Hugo vai querer fazer alguma coisa com a cabeça?"

"*Alguma coisa*?"

"Tem gente que assa a cabeça do boi pra comer o cérebro. Ou frita os miolos. É bem gostoso."

"Não vamos fazer nada com a cabeça."

Ela deu de ombros:

"Tá, traz aqui pra mim, então. É só pegar pelos cabelos."

Fiz que não ouvi e bati a porta, gritando um "Tô atrasado" e apertando desesperadamente o botão do elevador. Com esforço, segurei a vontade de vomitar.

5

Certa vez, num banheiro público, havia um poema:

"*Menos amor*

Mais Gang Bang."

O vendedor da loja de cama-mesa-e-banho era sorridente, bonito e gay. Tinha aquele jeito entre o afetado e o blasé, padrão Zara, que me atraía de modo inconfessável: corpo esbelto, rosto de príncipe e cabeça vazia.

"Vocês têm toalhas de mesa?"

"Linho ou seda?", ele perguntou, enquanto me guiava pelo corredor.

Seus olhos azuis, curiosos, trafegavam pela minha roupa, pelo meu sapato, pela minha pele. A todo custo, ele tentava me enquadrar na classe A, B, C ou D, tentava entender quem era aquele jovem que havia entrado na loja em uma quinta-feira à tarde para comprar artigos de mesa de jantar. Precisava saber quem eu era para decidir se me paquerava ou se apenas me atendia. Nosso tour pela loja era como um flerte a prestações. A cada produto adquirido, eu avançava uma casa. Pedi taças de cristal e ele sorriu, dizendo que ia separar. Pedi pratos de porcelana e ele sorriu, dizendo que buscaria no estoque. Pedi que os pratos viessem com cloche em inox e ele sorriu, dizendo que cloche era muito chique e que chique combinava comigo. Quando fui ao caixa pagar, pedi seu telefone e ele sorriu, retirando do bolso um papelzinho com o número já anotado e me entregando.

Economizei o máximo que pude, mas sem descuidar da apresentação. Deixei a toalha de mesa e as colheres estilizadas para trás, mas fiz questão de levar os pratos e as cloches. Silenciosamente, rezei para que o cartão de crédito passasse e parcelei o valor em dez vezes sem juros. Saí com as bolsas, me sentindo poderoso.

Em casa, o mundo havia virado de cabeça para baixo. Miguel chegara do plantão e, ainda de roupa branca com cheiro de hospital, discutia com Hugo e Leitão na cozinha. Ao me ver entrar, tirou os óculos, mordendo uma das hastes de tanto nervosismo. Sacudiu um papelzinho diante dos meus olhos. Peguei das mãos dele para conseguir ler. Era uma convocação extraordinária para depor na polícia, endereçada a todos os funcionários do hospital.

"Você é só mais um residente que estava de plantão", eu disse. "Não tem motivo pra ninguém suspeitar de você."

"Eu ajudei! Fui obrigado a fazer isso!"

Ele sentou na banqueta e escondeu a cabeça entre os braços. Antes que eu dissesse qualquer coisa, Cora apareceu toda ensanguentada na cozinha. Havia manchas em seus braços, pernas e rosto, como uma *Carrie, a estranha* toda gostosona. Ela deixou um corte de carne com osso sobressalente sobre a bancada e estendeu o indicador para Miguel, como quem briga com uma criança manhosa.

"Para com isso. Tá atrapalhando meu trabalho!"

"O que é isso?", Hugo perguntou, de má vontade. Ele separava as carnes sobre a bancada da cozinha.

"É o corte da coluna vertebral. T-Bone. Acha que serve?"

"Espero que sim."

"O que tá acontecendo?", perguntei, tentando entender.

"Não vamos ter dez entrecôtes pra servir", Hugo disse, enxugando o suor com as costas da mão. "Tô me arranjando aqui com outros cortes."

Cora voltou para a sala, deixando Miguel inconsolável:

"A gente tá abrigando uma prostituta psicopata!"

"Respeita minha namorada!"

"Olha a tranquilidade dela! Destripa uma pessoa como quem mexe com um animal!"

"Você é uma mocinha, sabia?", Leitão disse, enquanto abria um pacote de biscoitos.

"Eu deveria contar pra polícia!", Miguel gritou.

Ele foi embora, revoltado, na mesma hora que Cora me chamou na sala. O corpo — ou o que restava dele — estava separado em peças deitadas em um lençol forrado sobre a mesa de jantar, ao lado de um martelo de carne. O cheiro ruim havia diminuído, mas um ranço ferruginoso de sangue parecia impregnado nos móveis. Com a faca de açougueiro, Cora fazia cortes, selecionava bifes. Havia separado gordura, ossos e cabeça, os órgãos úteis e inúteis, em sacos de lixo.

"Tem órgãos que são de primeira linha. Coração, fígado, pâncreas e rins", disse, apontando com a faca. "Aqui tem pulmão e estômago também, se quiserem servir no jantar."

Ela era uma mulher trabalhadora. Estava suada, ofegante e um tanto fedida, mas se mantinha firme para terminar o serviço. Estendeu-me algo irreconhecível:

"Joguei fora a cabeça, mas guardei a língua. Sabia que em Laos é a parte mais cara do boi? Uma delícia. Dá para fatiar bonitinho e servir feito sashimi."

"Como você vai fazer pra se livrar dos ossos e dos outros restos?"

"Perguntei pro fofoluxo se tinha algum poço ou algum lugar pra enterrar aqui por perto."

"E aí?"

"Ele sugeriu uma floresta lá na Urca. Eu pensei na areia da praia de Copacabana. A orla é enorme e de noite não tem vigilância nenhuma. Cavando bem fundo, ninguém encontra."

"Acho arriscado."

"Ainda tô pensando. Se tiver alguma sugestão, aceito. Mas pode deixar que das tripas cuido eu."

Preferi ignorar o comentário e, arriscando o tom mais amistoso possível, disse:

"Desculpa, Cora, mas... Você não se incomoda nem um pouco de fazer isso com um ser humano?"

Ela me encarou com uma expressão de "*What the fuck?*", enquanto carregava alguns sacos para o canto.

"Deixa de ser besta... A mulher já tava morta. Depois de morto, todo bicho é igual. Você é engraçado, sabia? Se a carne vem naquele pacote, coberto no plástico transparente, você não se importa. Pega, frita e come sem nem pensar de onde veio. Agora fica aí, cheio de mi-mi-mi. Quer saber? A única diferença é que não sou hipócrita como você."

Ela me entregou um saco plástico.

"Aí estão os órgãos bons. Deixa com o bombadinho. Tá na hora de dar uma boa limpada nessa sala!"

Logo que entrei na cozinha, um cheiro delicioso dominava o ambiente, uma mistura de vodca e especiarias, como casca de limão e alecrim. Próximo ao fogão, Hugo marinava os cortes numa vasilha de onde saía um cheiro tão potente que cheguei a salivar. Mecanicamente, ele massageava com os dedos os pedaços de bife suculentos, altos, tão convidativos que nem parecia mais de gente.

Sem dúvida, se vendesse no mercado, todo mundo compraria.

6

Deitado na cama, entupido de Rivotril, o sono não vinha. Era desesperador pensar que, no dia seguinte, dez desconhecidos chegariam ao apartamento para um jantar absurdo.

Que tipo de pessoa paga três mil reais para comer carne humana?

Pessoas ricas, sem dúvida. Na minha cabeça, seriam excêntricas, instigantes, talvez perigosas. Na escuridão do quarto, eu criava as imagens dos convidados com sapatos de couro de jacaré, piteiras de ouro, casacos de pele, óculos de sol enormes, chapéus de aba larga e risadas estridentes.

Imagina que você tem dinheiro. Não o dinheiro que paga as contas do mês, que garante jantares no fim de semana ou que banca uma viagem anual à Europa. Estou falando de dinheiro de verdade. O que você faria? Se tivesse uma fortuna, eu ficaria perdido, sem saber onde gastar. É exatamente o que acontece com alguns ricaços: ficam perdidos, piram e gastam com bizarrices. Compram mansões esdrúxulas, carros de babaca, jatinhos, mimam seus cachorros com roupinhas temáticas, babás, rações especiais e brinquedos supermodernos, fazem procedimentos estéticos aos montes, preenchimento labial, injeções de botox, tatuagem de sobrancelha, remoção de pelos, cortes de cabelo, roupas de grife, jantares suntuosos.

Outro dia, li em uma revista que um marido gastou uma grana preta para que a mulher ficasse parecida com uma boneca inflável. Ele não fez isso porque tinha tesão em bonecas infláveis ou porque ela era feia. Fez porque tinha dinheiro de sobra. Nos Estados Unidos, uma mulher pagou uma fortuna para ficar parecida com a Jennifer Lawrence. E teve um cara que gastou milhões para ter a cara do Justin Bieber. Puta que pariu, a cara do Justin Bieber! Ter dinheiro é bom, mas ter muito dinheiro é uma merda.

Comecei a encarar o dia seguinte como um sonho psicodélico. Aquelas pessoas só queriam comer carne humana porque precisavam viver alguma experiência que injetasse adrenalina em sua vida monótona. Cora estava certa: não dava para ser hipócrita. Eu comia carne desde criança, não comia? Nunca me importei com o sofrimento do boi, com a tortura do ganso, nunca perdi um segundo de sono em homenagem aos porcos e aos frangos que devorei ao longo de toda a minha existência. No fundo, aquelas pessoas não eram tão diferentes de mim.

Finalmente, consegui dormir.

[Carta]

Rio de Janeiro, 24 de abril de 2015

Oi mãe, tudo bem?

Esta noite, sonhei que minha cama pegava fogo. A senhora já teve esse sonho? Sei que existem alguns que todo mundo tem. Cair no vazio, por exemplo. Ou sonhar que morreu, que está se afogando… O sonho do fogo na minha cama é recorrente. Como a Zulmara, que vivia tendo pesadelos com um coelho gigante… A senhora lembra que ela sempre falava disso?

Como vai a Zulmara? Tem notícias dela? Sinto falta da senhora e de todas as suas amigas que viviam lá em casa. Era muito animado. Gostava de como a gente almoçava e jantava ao redor da mesa gigante que ficava na área externa, cheia de travessas enormes repletas de comida cheirosa, com gosto de roça e carinho de mãe. A Zulmara, a Emanuelle, a Nylda, a Norma e a Sonia me paparicavam todas, apertavam minhas bochechas e contavam histórias engraçadas pra todo mundo ouvir. Eu adorava. Sinto mesmo falta desse tempo.

Outro dia, me lembrei de uma frase que a senhora vivia me dizendo: "Histórias sobre comida são histórias sobre nós mesmos". Sempre achei isso tão bonito, mas nunca entendi direito. Agora entendo. Penso na senhora quando provo uma carne de porco bem temperada, quando sinto cheiro de chimichurri ou quando tenho vontade de comer tapioca. E penso também nas histórias que me contava, em como me fazia cafuné e me mandava enterrar aquelas sacolas no quintal dos fundos. A comida alimenta e ajuda a lembrar.

Aqui no Rio, os meninos passam a maior parte do tempo na rua e, como estou trabalhando de casa, acabo ficando sozinho e me alimentando mal. É raro que a gente se reúna ao redor de uma mesa para conversar. Hoje, vai ser diferente. Hugo vai preparar um jantar especial. Convidamos uns amigos para provar carne de gaivota, conhece? Queria que estivesse aqui para comer com a gente. Tenho certeza de que ia gostar. E eu ficaria bem feliz de rever a senhora. Estou com saudades.

Deus te abençoe.

Beijos do Leitão

P.S.: Cora manda beijos e diz que não vê a hora de conhecer a senhora.

O jantar está servido

1

Aquele 24 de abril começou diferente das outras sextas-feiras. A sala estava impecável, nem parecia ter sido palco do show de horrores no dia anterior. Entrei na cozinha às nove. Com as mãos suadas, Hugo recheava lichias e descascava camarões. O cheiro cítrico havia ganhado nuances inéditas, impossíveis de descrever com precisão. Era algo muito além do doce, do salgado ou do amargo.

"Conseguiu dormir?", ele perguntou, sem interromper o trabalho.

"Não muito. Fiquei pensando... Não era melhor ter contratado motoristas pra buscar os convidados? Foi meio arriscado ter passado nosso endereço, não?"

"Quem pagou por esse jantar tá tão envolvido quanto a gente, Dante. Relaxa..."

Aceitei o argumento e entreabri a porta do forno, onde os palmitos assavam.

"Parece maravilhoso."

"*Está* maravilhoso", ele corrigiu.

Concordei, com um sorriso. A mistura de odores inebriava. Fui pegar o suco na geladeira quando percebi algo destoante no ar. Um cheiro horroroso vinha daquela área da cozinha.

"Tá sentindo?"

Hugo se afastou da bancada e respirou fundo. Na mesma hora, contorceu o rosto, enojado. Mesmo com as mãos sujas, correu até o freezer e abriu a porta. O odor pútrido chegou com toda a força.

"Puta merda", ele disse.

Aproximei-me, sem acreditar. Na madrugada, ao devolver as gavetas e guardar as carnes, o fio de energia havia se rompido e o freezer desligara sozinho. Nas gavetas, um líquido vermelho e branco, de textura gosmenta, se acumulava sob os bifes embalados. Não era preciso ser nenhum *expert* para ter certeza: a carne estava completamente podre.

2

"Vamos conseguir outro corpo", Cora disse, serena.

Usava uma camisola semitransparente e tinha o típico hálito tenebroso de quem acaba de acordar. Ao seu lado, Leitão devorava duas fatias de pão com Nutella e bebia um copo de leite. No chão da cozinha, Miguel limpava as lentes dos óculos de grau e tentava conter as lágrimas que escorriam de seus olhos. Por um instante, minha vontade foi fazer o mesmo, mas eu não podia me render tão fácil:

"Vamos ficar calmos... Tem que haver uma solução."

"Já dei a solução", ela disse. "Roubar um novo corpo."

Miguel ergueu a cabeça, irritado:

"Tem ideia do que a gente precisou fazer para conseguir esse cadáver? Falei pra desistir dessa história! Ainda dá tempo de cancelar e devolver o dinheiro."

"Isso tá fora de cogitação", insisti. "A gente precisa da grana."

Miguel se levantou e alcançou o relógio da cozinha. Segurou-o entre as mãos trêmulas, mostrando para nós.

"O jantar é daqui a nove horas!"

"O drama de vocês me irrita", Cora desdenhou. "Consigam o corpo que eu preparo a carne. Faço até mais rápido dessa vez."

"Você é louca!"

Miguel espatifou o relógio de parede no chão e quebrou dois copos que estavam na secadora antes que eu o agarrasse por trás.

"Para com isso."

Nossas cabeças fervilhavam. Ninguém se moveu para recolher os cacos. Tanto trabalho para nada. A carne podre jazia sobre a bancada, o sangue escorria pela embalagem e gotejava sobre a pia. *Toc, toc, toc.*

"Alguém joga isso fora, por favor!", Miguel implorou, levando as mãos aos ouvidos.

Hugo, que até então estava quieto, encostado na parede de braços cruzados, se movimentou. Pensei que fosse atender ao apelo, mas em vez disso foi até a entrada da casa, pegou a chave do Bukowski pendurada ali e depois buscou dois sacos de lixo pretos no quarto de empregada. Chamou o elevador dos fundos, enquanto Cora e Leitão recolhiam a carne podre em outra sacola.

"O que você vai fazer?", perguntei.

Antes de bater a porta, Hugo me encarou com olhos frios irreconhecíveis:

"Vou resolver nosso problema."

3

Passei as horas seguintes tentando dormir. O corpo cobrava a conta, mas o pensamento não parava de pulsar em busca de algum culpado pela carne estragada. Era muito azar que o fio houvesse se rompido justamente naquela noite. Leitão sempre dizia: *A melhor maneira de escapar de uma responsabilidade é colocar a culpa em alguém maior do que você*. Por isso, as religiões fazem tanto sucesso. Dá certo alívio às pessoas imaginar que existe uma entidade superior no controle dos momentos de felicidade e tragédia. Naquele caso, nem Deus dava para culpar pela merda em que a gente havia se metido. A responsabilidade era toda nossa.

Distraído, escutei meu celular tremelicar sobre a mesa de cabeceira. Olhei o visor: minha mãe. Era só o que faltava. Deixei chamar até cair na caixa postal. O telefone tocou outras sete vezes — Hilda não era do tipo que desistia tão fácil. Eu ia desligar o aparelho quando Hugo telefonou.

"Tô chegando no prédio em cinco minutos", ele disse, com a voz tensa. "Sai pelos fundos e me encontra na garagem."

Mudei de roupa depressa e tomei o corredor. Dava para escutar os risinhos de Cora e a respiração arfante do gordo dentro do quarto. Preferi não acreditar que eles conseguiam fazer sexo naquela situação. Desci pelas escadas e aproveitei para conferir se o sistema de câmeras do prédio continuava desativado (para nossa sorte, sim). Na garagem subterrânea, Hugo havia estacionado o Bukowski com a traseira voltada para a porta do elevador de serviço. Ele se movia de um lado para o outro, com os olhos arregalados. Tive a impressão de que tomaria um choque caso encostasse nele.

Hugo abriu o bagageiro e enfiou metade do próprio corpo no interior do carro, fazendo um esforço enorme para mover o que estava lá dentro. Um braço inerte pendeu para fora do bagageiro e recuei imediatamente.

"O quê…?"

"Vem, me ajuda!", ele gritou.

No porta-malas do Bukowski, havia um corpo ensanguentado, coberto por sacos de lixo — um enfiado pela cabeça, outro pelas pernas. Logo que toquei o cadáver, minhas mãos se empaparam de sangue fresco, ainda quente. Sem dúvida, aquela pessoa tinha morrido fazia poucas horas. Um arrepio atingiu minha nuca. *Onde Hugo havia conseguido aquele morto?* Ao encontrar meu olhar, ele baixou a cabeça.

"Vamos logo!"

No desespero, obedeci. Transportamos o corpo em silêncio para o elevador dos fundos. Enquanto subíamos, fechei os olhos, pedindo a Deus que não parasse em nenhum outro piso. Uma vez no nosso andar, Hugo mandou que eu segurasse a porta enquanto ele buscava um pano de chão para limpar o piso do elevador, todo manchado de sangue. Passamos com o cadáver pela área de serviço.

"No quarto de empregada", eu disse.

Não havia mais condições de fazer os cortes na sala. O jantar aconteceria dali a poucas horas e eu ainda precisava colocar a mesa e arrumar tudo. Com minha ajuda, Hugo removeu os sacos plásticos. O cadáver era de um homem negro, com cerca de quarenta anos, roupas maltrapilhas, barba por fazer. Sua pele escura estava imunda, e mesmo com todo o sangue ele ainda exalava um forte cheiro de esgoto. A face esquerda estava completamente desfigurada, com a pele morta pendendo da bochecha. Ao descer os olhos, pude ver que toda aquela lateral, desde a coxa até a axila, estava arranhada.

"Como você encontrou esse corpo, Hugo?"

Ele fez que não ouviu e gritou por Cora e Leitão. Fiquei diante dele e segurei seus ombros com força.

"Me diz... O que você fez?"

De novo, ele baixou a cabeça, suspirando. Levou a mão aos olhos, mas eu sabia que não estava chorando. Era só fingimento.

"Hugo, você... Você atropelou este homem?"

Ele agitou os braços, se desvencilhando, e ficou de costas para mim.

"Claro que não, Dante, tá maluco? Eu... Eu só segui uma ambulância. O atropelamento tinha acabado de acontecer e foram socorrer o motorista. A polícia ainda não tinha chegado pra fazer o boletim de ocorrência. Ninguém estava vendo... Peguei o corpo e fugi."

Era impossível acreditar naquela história. Quando acontece qualquer acidente, uns vinte curiosos logo se juntam para devorar a desgraça alheia. Antes que eu insistisse no assunto, Cora e Leitão apareceram comemorando a *carne nova*.

"Vou descer pra colocar o Bukowski na vaga", Hugo disse, e sumiu pela porta.

Fiquei alguns segundos ali com Leitão, enquanto Cora buscava a motosserra na sala. Ela voltou toda animada. Deixou a máquina amarela no canto e fez posição de sentido, juntando as pernas e levando a mão direita à testa.

"Tô pronta pra começar o trabalho, senhor!"

"Muito bem, capitã!", Leitão disse, agarrando-a pelo pescoço e tascando-lhe um beijo de língua nojento.

"Me ajuda a erguer o corpo de ponta-cabeça?"

"Claro, bebezinha."

O quarto de empregada era muito pequeno e parecia ainda menor agora. Saí, com a desculpa de que precisava começar os preparativos da noite.

"Só me traz um balde antes", Cora pediu.

"Um balde?"

"Ou um vaso, qualquer coisa assim."

Preferi não fazer mais perguntas. Escolhi o maior balde da área de serviço, que dona Dores usava na faxina na época em que ainda trabalhava para nós. Me lembrar dela e do peso que senti ao demiti-la me deixou ainda pior. Quando voltei ao quarto de empregada, o homem já estava pendurado de ponta-cabeça, preso por ganchos. Entreguei o balde a Cora e ela o colocou sob o corpo. Num sutil movimento, ligou a motosserra, que emitiu um longo ronco. *Vrummmm, vrummmm, vrummmm.* Ela sorriu para mim, passando a lâmina pela jugular do morto.

"Obrigada, querido", disse, enquanto o sangue vertia do pescoço do homem como uma cachoeira e enchia o recipiente.

4

No fim da tarde, Miguel surgiu na sala de jeans, camisa polo e perfume em excesso.

"Aonde você vai?"

"Encontrar a Rachel. Só volto amanhã."

Sem dizer nada, deixei que ele fosse embora. Mais cedo, ao ver o corpo que Cora fatiava, ele também havia confrontado Hugo, que repetira com a mesma cara de pau a história sobre ter seguido uma ambulância. Miguel estava coberto de razão em pular fora. O imbecil era eu, que não tinha essa coragem.

Na cozinha, Hugo marinava as carnes conforme Cora lhe entregava os cortes. Ele vestia sua gambuza preta impecavelmente limpa e seus cabelos estavam presos e escondidos pelo toque, com um patético CHEF HUGO escrito na frente. Assobiando "Poker Face" e movendo os ombros no ritmo da música, Leitão fazia vezes de assistente de cozinha, cuidando da *mise-en-place* próximo ao fogão.

Faltando meia hora para o horário marcado, liguei o ar-condicionado da sala em vinte e quatro graus — a temperatura perfeita — e dispus a toalha de mesa, as taças de água e vinho, os *sousplats*, a sequência de garfos e facas apropriados a cada prato e os guardanapos conforme pesquisei em um site de etiqueta. Perfumei os móveis da sala e acendi incensos para mascarar o leve cheiro que ainda vinha do quarto de empregada.

De banho tomado, vestindo um smoking que eu usara apenas na formatura, tentei me acalmar. Em alguns minutos, eu receberia pessoas estranhas no apartamento, e teria pouco tempo para fazê-las se sentir confortáveis, interagir e degustar do jantar como se fosse algo muito rotineiro. Ao mesmo tempo, não conseguia tirar da cabeça o corpo imundo e ensanguentado trazido por Hugo — seu cheiro encardido havia se entranhado nas minhas narinas.

A primeira convidada a chegar foi uma mulher magra, alta, de olhos esbugalhados. Tinha os cabelos curtos e feições subversivas. Com a voz hesitante, ela se apresentou:

"Cecília Couto."

"Fique à vontade", eu disse, mais para mim mesmo. "Os outros já devem estar chegando."

Estava tocando Tom Jobim. *Vou te contar: os olhos já não podem ver coisas que só o coração pode entender*... Um clima de lounge para aliviar a tensão. Cecília sentou no sofá e cruzou as pernas, passeando com os olhos pela mesa posta.

"Está linda", disse.

"Obrigado."

Forcei um sorriso e servi um espumante de boas-vindas em uma flute de cristal.

"É a primeira vez... que fazem *isso*?", ela perguntou, entre um gole e outro. A pergunta foi expelida numa velocidade tal que era como se estivesse guardada naquele corpinho por toda uma vida.

"Sim... Foi por acaso. Você não faz ideia."

"Eu imagino." Ela soltou um risinho agudo, estressado. "Quando entrei no site, não acreditei... Precisava pagar pra ver."

Naquele instante, me ocorreu que ela poderia ser uma infiltrada, mas logo abandonei a ideia. Através dos e-mails fornecidos, Leitão havia investigado a vida de cada um dos confirmados. Descobrira profissão, religião, relações familiares, gostos pessoais e endereço. É impressionante a quantidade de informações pessoais que disponibilizamos no universo on-line. Compras pela internet, check-ins no Facebook, fotos no Instagram, opiniões no Twitter. Nossa impressão digital.

Eu sabia mais sobre Cecília do que ela poderia imaginar: era advogada em um escritório butique, com mestrado em direito criminal e doutorado em direito societário nos Estados Unidos, era apaixonada por bolsas e sapatos, viajava semestralmente para Paris e mantinha um caso extraconjugal com Umberto Marcondes de Machado, que também garantira seu lugar à mesa de jantar.

Umberto MM apareceu pouco depois. Era um sujeito baixinho, troncudo, calvo e talentosamente irritante. Devia ter sessenta e tantos anos, quase setenta, mas se comportava feito uma criança mimada. Os dentes tortos, o rosto redondo e a gravata-borboleta mostarda lhe davam um ar cômico, como um vilão de história em quadrinhos. Playboy carioca nos anos 1970, famoso pela gandaia, levava uma vida on-line mais discreta. Leitão apenas encontrara fotos dele com a esposa em colunas sociais antigas (ela falecera anos antes), escândalos em consequência do abuso de drogas e do atropelamento de um jovem trabalhador décadas antes, além de notícias sobre os negócios da família, que iam de mal a pior. Ao que tudo indicava, o único bem valioso que o velho ainda possuía era o sobrenome Marcondes de Machado.

Com sua voz anasalada, ele cumprimentou Cecília docemente. Saí de perto para não parecer indiscreto. Tocaram a campainha novamente. Albertina Terranova, socialite conhecida pelos gastos extravagantes e pelas noites de Réveillon disputadíssimas; Soninha Klein, ativista e agitadora cultural, viúva de Luiz Klein; e Kiki Dourado, uma loura magricela, de cabelos laqueados e olhos de sagui, conversavam animadamente quando abri a porta. Perfumadas e bem maquiadas, as três pareciam *As Panteras* aos setenta e tantos anos. Levei-as até o sofá e ofereci Veuve Clicquot.

"Obrigada." Kiki ergueu sutilmente a cabeça para beber um gole. "Não vai querer, querida?"

"Não bebo esses espumantes", Soninha disse, com desprezo.

Fiz que não ouvi e me afastei. Soninha era uma judia muito agradável quando queria, aparecia com frequência nos jornais defendendo causas como a luta contra a mortalidade infantil e o protagonismo feminino, mas também sabia ser um pesadelo. Bastava jogar seu nome na internet para encontrar algumas denúncias do que ela costumava fazer com suas empregadas domésticas.

Às nove horas, todos já haviam chegado. Nas poltronas, bebericando em suas flutes, Nilo Carlos Arruda, engenheiro envolvido em esquemas com sua empreiteira; Gabriel Franco Herméz, seu sócio; e Ataíde Augustín, deputado federal cujo nível de corrupção só não era maior do que seu peso, conversavam sobre o concerto a que haviam assistido juntos meses antes, em Lisboa: a *Nona Sinfonia* de Gustav Mahler.

Kássio Gheler e Gustavo Relvas, os últimos a chegar, eram jovens advogados discretos e feios que se desculparam timidamente pelo atraso e pediram um copo d'água. Em suas pesquisas, Leitão encontrara uma reserva de quarto de casal em um hotel de

San Francisco e nenhuma foto postada nas redes sociais. Então, deduzira que Kássio e Gustavo mantinham uma relação homossexual às escondidas. No jantar, eles pareciam deslocados e trocavam olhares de conluio. Logo senti que havia algo de suspeito ali.

Convidei os dez a se sentarem à mesa. Umberto Marcondes de Machado e Soninha Klein tomaram as cabeceiras e os demais se posicionaram conforme suas afinidades. Servi o vinho branco nas taças, repetindo o texto que Hugo me forçara a decorar sobre a uva, a região e as sensações que cada um deveria ter ao provar da bebida. Então, perguntei se preferiam água com ou sem gás. Com sua voz invasiva, Umberto propôs um brinde.

"Que nossas esposas nunca fiquem viúvas!", disse, arrancando risadas dos demais.

De início, a conversa na mesa foi tímida e fragmentada. Protegidos em pequenos clãs, os convidados falavam de viagens, festas e temas culturais. Conforme a noite avançava, os fios de assunto se conectavam, um intervinha na conversa do outro e a mesa ganhava unidade. Alguém começou a falar de política, mas Ataíde logo se manifestou:

"Qualquer coisa, menos isso!", disse, tentando prender o guardanapo na gola da camisa social. Como seu pescoço era da grossura de um baobá, a operação era difícil, e Kiki se ofereceu para ajudá-lo.

Aproveitei para escapar rapidamente para a cozinha esfumaçada e cheirando a bacon. Os bifes frescos descansavam em uma marinada coberta por filme plástico, prontos para ir à frigideira. Ajudei Hugo empratando os verrines enquanto ele terminava de fritar a pancetta.

"E aí, como eles são?", Hugo perguntou.

"Normais. Metidos, mas normais."

Na área de serviço, Cora havia terminado com o corpo. Guardava os ossos e as partes inúteis em sacos pretos enquanto trocava beijinhos e carícias com o namorado. Ela sujou o nariz dele com a mão ensanguentada, e os dois caíram na gargalhada.

Voltei para a sala com o amuse-bouche. Tinha comprado uma bandeja grande, suficiente para cinco pratos, de modo que precisava fazer apenas duas viagens para servir todo mundo. Retirei as cloches uma a uma, enquanto Ataíde Augustín falava sobre cachaças. Ele era presidente de uma confraria com reuniões quinzenais. Orgulhava-se de sua coleção com mais de quinhentos rótulos, organizados por nome, região e qualidade.

Kiki Dourado interrompeu Ataíde para elogiar o verrine e dizer que colecionava selos. Tinha exemplares raríssimos, ingleses, de meados do século XIX. Enquanto explicava a origem de sua paixão, Cecília e Umberto trocavam olhares sutis, carinhosos, como se colecionassem um ao outro.

Quando retirei os pratos e servi os mil-folhas de pupunha e camarão ao molho cítrico, a conversa havia se transformado em uma guerra fria de egos: todos contavam as experiências únicas que tinham vivido, interrompendo-se uns aos outros, ansiosos por mostrar como sua história era muito melhor do que a anterior. Conforme eu ia e voltava da cozinha, pescava pedaços de aventuras, edulcoradas com fatias de autoelogio. Nilo estava expandindo seu escritório de engenharia e viajara recentemente a Dubrovnik; Ataíde era entusiasta da boa gastronomia e chegava a se emocionar quando eu retirava a cloche para que provasse o próximo prato.

"Comi coisas que não contaria a vocês!", disse, misterioso.

Soninha Klein dramatizou a experiência transcendental que viveu em um país da África. Ela tinha viajado por quinze dias alimentando crianças que mais pareciam extraterrestres de tão magras e disformes, e sentia que fizera sua parte por um mundo melhor. Naquele momento, me dei conta de que não era preciso ser inteligente ou talentoso para ser rico. Na maioria dos casos, sucesso tinha mais a ver com sorte ou com berço do que com conhecimento. Eu podia jogar fora meu diploma e passar o resto dos dias servindo ricaços excêntricos. Mesmo meio brigado com Hugo, preferia ficar na cozinha a maior parte do tempo. Sentei na banqueta, esgotado:

"Cadê o Leitão e a Cora?"

"Foram pro quarto. Melhor ficarem lá que atrapalhando."

Hugo girou o toque na cabeça (ele tinha essa mania), vestiu o avental e a luva e retirou do forno a travessa fumegante usada para finalizar a carne já frita. Com uma concha, regou os cortes com uma redução de cor branca, pontuada de pedacinhos esverdeados de casca de limão e laranja. Enfeitou os pratos com cubos de maçã verde assada e zestes de limão-siciliano. Então espetou uma fatia pequena com um garfo e me estendeu.

"Quer provar?"

Olhei para aquele pedaço de carne humana a poucos centímetros de mim, com um cheiro maravilhoso de gordura derretida, notas de vodca e frutas cítricas que me fazia ter vontade de devorá-lo. Cheguei a abrir a boca para dizer "sim", mas me lembrei dos doentes na fila do hospital público, do corpo sujo e ensanguentado do homem, da cabeça sobre a mesa, das vísceras, do sangue jorrando no balde e da língua.

"Não, obrigado", respondi, enquanto pensava na sorte que era não saber de onde vinham a carne de boi, a de porco, o hambúrguer, a salsicha e o frango assado que eu comia todos os dias.

5

Certa vez, num banheiro público, havia um poema:

"Você é o que você come
Você come o que você é."

Quando entrei na sala com os pratos principais, cobertos por cloches de inox que mantinham o calor e concentravam o aroma, as conversas cessaram e as atenções se fixaram na bandeja. Todos sentiam que estavam prestes a viver um grande momento, de modo que se ouvia apenas o tilintar dos talheres, o farfalhar dos guardanapos de pano e a expectativa na respiração. Circundei a mesa, servindo um convidado após o outro. Terminada a distribuição dos pratos, comecei pelas mulheres: ergui a cloche de Albertina Terranova e, na mesma hora, vi seus olhos brilharem diante do impacto olfativo. Discretamente, os outros comensais também esticaram o pescoço para olhar a carne malpassada.

Albertina fechou os olhos delineados e levou o garfo com um pedaço considerável de carne até a boca. Erguendo as demais cloches, observei cada sutil movimento em seu rosto maquiado. Ela assoprou brevemente e, então, os dentes se apoderaram da carne e a trituraram, embebida em saliva, enquanto as bochechas com blush rosa inflavam e desinflavam acompanhando o movimento. A língua, que tinha amassado e revirado o alimento, passou pelos lábios finos com batom vermelho para garantir que nenhum suco lhe escapava. Finalmente, ao engolir, Albertina levou as mãos ao rosto, inebriada, emitindo um esgar de prazer. Naquele instante, quando notei os anéis em seus dedos, não deixei de encontrar certa semelhança entre o embelezamento feminino e os temperos do jantar. Tudo era preparação da carne.

Como um colegial faminto, Ataíde Augustín mastigou uma fatia inteira e fez seu elogio antes mesmo que a carne chegasse ao estômago:

"Uau", ele disse, já engarfando outro pedaço.

A simples interjeição continha um acento de entusiasmo que antecipava o sucesso do jantar. Albertina curvou para se aproximar do prato, o pescoço de girafa levemente inclinado e a boca escancarada para receber as garfadas. As paixões agem sobre os músculos. Ao mastigar, sua fisionomia era de êxtase, e o olhar tinha certa profundidade mais comum aos médicos na mesa de cirurgia. Já Kiki tinha algo de militar em sua forma de comer: recostada no espaldar da cadeira de modo impecável, mastigava sem pressa e lançava olhares de aprovação para mim.

"Olha, vou confessar a vocês...", Umberto disse, minutos depois. "Já vivi essa experiência antes. Na Rússia, em 2012. Encontrei um restaurante secreto e comi carne humana grelhada."

"E como foi?", Cecília quis saber, mesmo de boca cheia.

"Tinha um gosto muito especial, feito essa. Mas o tempero era ruim. Esse está maravilhoso. E o ponto está perfeito. Sangrando, como eu gosto!"

No rosto de cada um, via-se o gozo de quem atingiu um prazer inigualável. De modo exagerado, Umberto enxugou a boca no guardanapo de pano, ajeitou sua gravatinha-borboleta e pediu que eu chamasse o chef para receber os elogios. Não levei a sério, mas os demais fizeram coro.

"Eles querem te ver", eu disse a Hugo assim que entrei na cozinha. "Amaram a comida."

"Eu sabia", ele respondeu, com os olhos brilhando.

Hugo encheu o peito e girou o toque na cabeça, deixando seu nome para a frente. Em movimentos rápidos, tirou o avental e entrou na sala, sendo recebido com uma chuva de aplausos. Baixou a cabeça, fingindo-se de tímido. Eu o conhecia bem e sabia quão orgulhoso estava. Era seu grande momento. Observar a cena de alguma distância me fez perceber que Kássio e Gustavo não aplaudiam e que tampouco haviam tocado na comida. Depois de alguns segundos, Umberto também se deu conta disso. Deixando de lado os elogios ao chef, dirigiu-se aos dois homens:

"Não vão comer?"

O casal trocou olhares. Kássio apertou a coxa do namorado por baixo da mesa, para tranquilizá-lo. Gustavo tinha uma expressão nervosa, estava mais branco do que nunca, e mordicava o lábio inferior.

"Eu... Eu não consigo comer", disse.

Umberto soltou um pigarro, sem tirar os olhos dele.

"Mas isso aqui está bárbaro!"

Gustavo disse baixinho para Kássio:

"Falei que a gente não devia ter vindo!"

A comida deles esfriava na mesa. Cecília, Ataíde e Kiki continuavam a devorar a carne, pouco interessados na discussão. Soninha até lançava olhares para o prato deles com aquela cara de será-que-posso-pegar-se-eles-não-quiserem? Kássio se levantou, puxando Gustavo pelo braço. Enquanto saía da mesa, voltou-se para Umberto, como se ele fosse o anfitrião.

"Desculpe o transtorno. A gente gostou da ideia do jantar quando viu na internet, mas agora... Eu estou com um pouco de... nojo. Enfim, melhor a gente ir embora."

Umberto pousou os talheres na mesa e entrelaçou os dedos, encarando os dois, sério.

"Vocês não podem ir embora."

"Como é?"

"Não podem sair sem comer", disse, enquanto passeava a língua pelos caninos para arrancar um fiapo de carne. "Conheceram o lugar, viram nossos rostos... Só teremos certeza de que não vão passar na delegacia mais próxima e denunciar o que está acontecendo aqui se comerem."

"Não vou passar em delegacia nenhuma. Pode confiar", Gustavo implorou.

Decepcionado com a perda de atenção, Hugo voltou para a cozinha. Eu tinha que tomar alguma atitude, mas continuei parado, esperando que o casal dissesse alguma coisa. Kássio caminhou até a porta do apartamento, pronto para sair.

"Eu disse que vocês não podem ir", Umberto repetiu. Dessa

vez, levou a mão à cintura e sacou um revólver. Deixou a arma sobre a mesa, próxima ao pé da taça de vinho. "Não estou brincando, meninas."

Todos pararam de comer. Kiki se encolheu na cadeira, pálida com a proximidade da arma, e começou a rezar uma ave-maria em francês.

"Por que você está rezando em francês?"

"É minha primeira língua."

Igualmente nervosa, Albertina decidiu acompanhá-la na oração.

"Umberto, não precisa exagerar", Nilo disse.

"Precisa, sim", Gabriel defendeu. "Ele está certo: todos têm que comer."

Gustavo era muito frágil e logo despencou num choro convulsivo. Kássio colocou o corpo diante do namorado, protegendo-o.

"Vocês estão atrapalhando meu jantar. Paguei caro por isso", Umberto disse, insatisfeito. "Não tenho nada contra essa coisa aí de vocês... gays. Só quero que provem. E não posso comer sossegado com essa bichinha fazendo drama na minha frente!"

Eu precisava agir. E logo.

"O senhor pode guardar a arma", falei. "Vou resolver a situação."

Aproximei-me de Kássio, chamando-o em um canto, de costas para a mesa para que não pudessem ler meus lábios.

"Eu entendo vocês. Mas o cara tá armado, não posso fazer nada", murmurei. "Tem um bife normal na geladeira, sobra do almoço. Posso requentar e jogar o molho em cima. Vocês voltam à mesa agora, derrubam os pratos numa briga qualquer. Eu sirvo novos pratos com carne de vaca, fingindo que é a mesma do jantar, vocês comem fazendo cara de nojo e se mandam daqui assim que acabar."

Sem alternativa, eles aceitaram de imediato. Sentaram à

mesa sob os olhares de todos e Gustavo voltou a chorar. Agora já não dava para saber se era real ou se ele era um grande ator.

"Pelo amor de Deus, isso é muito desagradável. Deixem os dois irem embora!", Kiki pediu, soltando os talheres sobre a mesa.

"Eu não quero, eu não quero", repetia Gustavo, como num mantra.

Em um gesto exagerado, ele moveu os braços no ar, derrubando os dois pratos no chão. Umberto se ergueu da cadeira, empunhando a arma. Apontou para Gustavo, que tremia imensamente — seu rosto estava vermelho, cheio de rugas e veios por onde corria o horror. Umberto puxou o cão do revólver, mantendo o indicador sobre o gatilho, pronto para atirar.

"Ei, ei, para com isso." Eu me interpus entre ele e Gustavo, que olhava para os cacos e a comida no chão com os olhos vazios. "Vou pegar mais e eles vão comer... Não vão?"

Gustavo e Kássio hesitaram pelo tempo exato para tornar aquilo verossímil antes de mover a cabeça em sinal de anuência.

"Ótimo!", eu disse, e fui para a cozinha.

Voltei cinco minutos depois, trazendo dois novos pratos, da louça mais vagabunda que a gente usava em casa no dia a dia. No centro de cada prato, havia três fatias de tamanho médio de carne cobertas pelo molho de odor cítrico. Um clima desagradável pairava sobre a mesa. Umberto mantinha a postura ereta, sem tirar os olhos do casal, como uma madre fiscalizadora em um convento.

Deixei os pratos diante deles e não me contive em dar uma piscadela para Gustavo quando me afastei da mesa. Queria que eles comessem e fossem logo embora dali. Talvez assim o jantar voltasse a correr normalmente, ainda que essa não fosse a palavra certa para descrever qualquer coisa naquela noite.

Os dois pegaram o menor pedaço. Gustavo olhava para o chão enquanto mastigava e até parou de chorar, como se o sabor intenso tivesse varrido sua tristeza. Kássio olhou para mim e fiz esforço para que meu olhar transmitisse confiança e serenidade. Ele comeu tudo o que estava no prato e, como provocação a Umberto, chegou a pegar o molho com a colher da sobremesa.

"Agora podem ir", Umberto disse, satisfeito.

Kássio apoiou Gustavo e eles se levantaram. Guiei os dois até a porta e chamei o elevador.

"Obrigado por tudo. Obrigado e… desculpe", Gustavo disse, aliviado. "Obrigado, obrigado."

Kássio abriu a porta do elevador para Gustavo e, quando o namorado já não podia ouvir nossa conversa, olhou fundo nos meus olhos.

"Aquele segundo prato… era mesmo carne de vaca?"

Hesitei, mas abri meu melhor sorriso.

"Era", menti.

6

Quando voltei à mesa, todos estavam entretidos com seus pratos como se nada tivesse acontecido. Ataíde retomou uma história sobre um passeio de veleiro pela costa amalfitana, mas ninguém parecia interessado naquilo. Extasiados pelo sabor, haviam deixado a educação francesa de lado e quase lambiam o molho do prato. Fiquei sutilmente inclinado a provar a comida, mas não conseguia. De costas para a mesa, abri mais uma garrafa de vinho tinto Angélica Zapata Malbec Alta 2008.

"Essa é a experiência mais louca da minha vida", Kiki disse. "Comer carne humana em um apartamento em Copacabana!"

Alguns riram, outros continuaram quietos, ainda impactados pelo gosto. A sensação geral era de torpor. Já um pouco bêbada, Cecília não resistiu à curiosidade.

"Ei, psiu, você...", ela me chamou. Girou o indicador pela boca da taça, levando depois algumas gotas aos lábios tensos. "Estamos mesmo comendo carne humana?"

"Carne de gaivota."

"De onde vem?", Ataíde quis saber.

"A procedência é boa. Garanto."

"Como pensaram nisso? Por que carne de gaivota?"

"Quatro amigos com uma ideia inusitada na cabeça", respondi, tentando ser vago sem soar evasivo. "Somos a Equipe Carne de Gaivota."

"Equipe Carne de Gaivota! É muito bom mesmo", Umberto comemorou. "Como tiveram a ideia?"

Propus o enigma que, de modo nebuloso, nos levou ao jantar, mas eles acabaram encontrando a solução com facilidade, pois já sabiam o final.

"Não é de estranhar que o sujeito tenha gostado da carne da mulher morta", Albertina se divertiu. "Isso aqui está impressionante!"

"Achei essa história de péssimo gosto", Soninha pontuou.

"Deixa os meninos... Jovens espirituosos!", Cecília disse, deixando a cabeça pender sobre a mesa. Faltavam poucas taças para ela apagar.

Quase todos recusaram o sorvete de lichias recheadas e o vinho de sobremesa. Queriam guardar na memória o paladar indescritível e já perguntavam pela data do próximo jantar. Ataíde chegou a retirar do bolso do smoking seu talão de cheques e a caneta Mont Blanc. Respondi que não havia previsão, mas prometi entrar em contato com novidades.

"Pago quanto quiserem. Vamos, diga um valor", Ataíde insistiu, massageando a caneta entre os dedos peludos, repleto de anéis.

"Não vamos pressionar o garoto", Umberto interveio, com um sorriso canastrão. "Mande um e-mail."

Enquanto eu levava os últimos pratos para a cozinha, Soninha Klein, Albertina Terranova e Kiki Dourado foram embora com Gabriel Franco Herméz Neto, pois todos moravam na orla de Ipanema ou do Leblon. Quando o motorista chegou para buscar Ataíde, ele ofereceu carona para Nilo Carlos e Cecília, que zanzava pela sala falando em voz alta, bastante alterada. De pernas cruzadas, Umberto continuou no sofá, sem pressa, e acendeu seu charuto.

"Fiz questão de ser o último", ele disse, soprando uma baforada na minha direção. "Quero manter contato com vocês, querido."

Eu já sabia que ele não gostava de ser contrariado. Não estava nem um pouco a fim de ter aquele revólver apontado para mim. Sorri, evitando parecer nervoso.

"Sabe, eu me identifiquei com o que vocês estão fazendo aqui, com esse jantar… A gente tem muita coisa pra conversar."

Ele arqueou as sobrancelhas, me estendendo sua mão peluda. Nos cumprimentamos, e ele retirou um cartão dourado do bolso interno do smoking. Umberto Marcondes de Machado — produtor executivo. Abaixo, o nome da empresa num losango estiloso: UMM Company.

"Você, querido… Qual é mesmo seu nome?"

"Dante."

"Tem algum telefone pra entrar em contato?"

"Pode deixar que eu te escrevo."

"A experiência me ensinou a não confiar em promessas, querido. Por favor, me dê seu tele…"

Não deixei que ele completasse a frase. Passei o número depressa, sem esperar que ele pegasse a caneta para anotar.

"O final… Repete só o final. Cinco-dois-zero…?"

"Cinco-dois-zero-sete."

Umberto digitou os números em seu celular e fez a ligação. No meu bolso, o telefone vibrou.

"Achou que eu estava mentindo?"

"Só queria conferir."

Ele sorriu, sem se abalar. Não havia qualquer sinal de que pretendia partir em breve. Soltei um bocejo para indicar que já estava tarde, mas Umberto parecia muito confortável no sofá da nossa sala. Eu não tinha gostado dele desde o início, e essa certeza crescia dentro de mim. Deveria ter dado mais atenção a isso, a essa impressão inicial, mas acabei sendo levado pelos acontecimentos, fui cego.

"Sabe, Dante, eu não nasci ontem...", ele começou. "Posso imaginar o que você falou praquele casalzinho quando eles se levantaram da mesa. Você disse pra eles quebrarem o prato, disse que trocaria a carne... Acertei?"

Engoli em seco, sem responder. Umberto notou algo na minha expressão.

"Mas tenho certeza de que não me enganei. Você é uma figura rara nos dias de hoje."

"Não sei o que está insinuando."

"Você é um mediador, Dante, um juiz de paz. Prometeu ao casal que trocaria a carne do prato por um bife normal, mas não trocou. Eles comeram carne humana, mas *não sabiam* disso. Você foi esperto, garoto. Gosto de gente esperta."

Umberto terminou seu charuto e o deixou sobre o cinzeiro da mesa de centro.

"Moro bem perto, vou a pé", disse, levantando. "Espero que a gente se encontre mais vezes. Te ligo pra combinar um café."

Chamei o elevador. Umberto deu tapinhas em meu ombro.

"Não se atormente, garoto. Você fez bem em enganar aqueles dois", ele disse, antes de ir embora. "O mundo é dos ousados, não dos covardes."

Fechei a porta de casa, me sentindo a pior pessoa do mundo.

7

A cozinha estava vazia. Parte da louça já havia sido lavada e estava no escorredor. Hugo tinha escapado silenciosamente para o quarto. Sua mensagem era clara: *Não quero mais conversar sobre a origem do corpo, me esquece!* Minha cabeça era uma caçarola de pensamentos contraditórios e eu não sabia como seguir em frente. Deixei na pia o restante da louça suja.

Passada a adrenalina, eu começava a sentir as reações físicas de uma noite tensa como aquela: o corpo moído, braços e pernas implorando por descanso. Tirei o paletó do smoking e joguei sobre uma cadeira. Desabotoei os punhos da camisa e peguei uma taça limpa para encher com o que tinha sobrado do Bordeaux Château Le Puy St. Emilion 2007. Apaguei as luzes e me estiquei no sofá. Tive vontade de ir ao quarto do Leitão buscar um baseado, mas a preguiça de levantar era enorme. Ainda não conseguia registrar com clareza o que havia acontecido ali. Meus olhos cansados passeavam pela penumbra e eu revia as sombras dos convidados, como se tivessem deixado fios de vida para trás. A luz precária vinha dos quartos do hotel de esquina e dos postes de iluminação do outro lado da rua.

Agora, enxergo como foi horrível o que começamos naquela noite. E entendo que tanta monstruosidade não poderia mesmo terminar bem. A distância e o tempo possibilitam uma visão mais clara dos fatos. Naquele momento, eu não me considerava um escroto, não era um cara cruel que acordava pensando maldades. Sempre ajudei cegos a atravessar a rua, contribuí com uma instituição que ajudava crianças doentes e, nas horas vagas, gostava de compartilhar vídeos de animais bonitinhos no Facebook. Eu negava esmola, mas pagava um salgado para quem tinha fome. Gostava de bloco de Carnaval, de brindar o Réveillon e de fazer sexo. Era exatamente como você, como todo mundo. Só queria ser feliz.

Depois do que contei, é claro que você está me julgando. Deve estar aliviado, pensando: *Eu jamais faria o que ele fez, esse cara é um psicopata.* Sou seu termômetro de criminalidade, seu espelho de morbidez, sua bússola de loucura. Mas a verdade é que, se estivesse no meu lugar, você teria feito o mesmo. É fácil condenar alguém, pulverizar a responsabilidade, montar teorias e encontrar culpados. Mas repito: você teria feito igualzinho.

As pessoas vinculam loucura a maldade e racionalidade a bondade. Segundo estatísticas, doze por cento das pessoas ditas normais são criminosas, assassinas ou perigosas. Enquanto isso, só três por cento das pessoas ditas loucas têm potencial ofensivo considerável. Isso significa que normais matam muito mais do que loucos. Se no mundo houvesse mais loucos, haveria menos violência.

Tive o impulso de me levantar e, dessa vez, a preguiça perdeu. Pensei nos convidados daquela noite, no casal se entreolhando assustado, em Albertina com suas bochechas infladas com uma camada de blush, em Umberto com sua arma sobre a mesa e em Ataíde com suas histórias gastronômicas ao redor do mundo. Pensei no homem negro sobre a mesa, cortado em peças nobres, com redução de vodca, cítricos e maçã verde. Nem sabia o nome dele. Fui até a porta dos fundos e chamei o elevador de serviço. Hesitei alguns segundos antes de apertar o botão do subsolo. Sabia que era um caminho sem volta.

Havia apenas uma lâmpada acesa na garagem. Verifiquei as horas no relógio de pulso: três e meia. Acendi a lanterna do celular e caminhei entre os carros estacionados. Dava para escutar as batidas do meu coração. O Bukowski ficava ao fundo. Hugo o havia estacionado com a dianteira voltada para a parede. Ele raramente parava assim.

Naquele instante, tive a certeza de que estava certo. Mas, mesmo assim, eu *precisava* ver. Fiquei espremido no espaço entre os veículos e fui passando, roçando minha calça do smoking na lataria imunda, até que finalmente cheguei à frente do carro. A lanterna esquerda estava quebrada e a lataria parecia bastante amassada no mesmo ponto. Quando aproximei a luz branca do celular, pude ver vestígios de sangue e fragmentos da pele grudados nos cacos restantes da lanterna. Fui tomado por uma dor imensa. Hugo tinha mentido. Descaradamente.

Ele havia mesmo matado aquele homem.

Receita de entrecôte de cordeiro grelhado com redução de vodca, cítricos e maçã verde assada

Ingredientes

2,5 kg de entrecôte de cordeiro
80 g de raspas de laranja-pera
30 g de raspas de limão-siciliano
10 g de pimenta-do-reino
5 g de pimenta-da-jamaica
3 g de cravo-da-índia
50 g de alho
200 g de cebola roxa em tiras finas
400 ml de vodca
200 ml de suco de laranja
100 ml de suco de limão-siciliano
30 g de canela em pó
10 maçãs verdes
200 g de manteiga
60 ml de azeite extravirgem
Sal q.b.

Modo de preparo

Junte no pilão as raspas, as pimentas, o cravo-da-índia e o alho, então macere até virar uma pasta. Corte o entrecôte em pedaços de 250 g e coloque para marinar com a pasta de especiarias, a cebola e a vodca por 30 minutos.

Corte as maçãs em quatro. Tire as sementes, mas mantenha a casca. Faça uma pasta com 100 g de manteiga e a canela em pó, então misture com as maçãs e asse por 20 minutos a 180 graus, em uma travessa coberta com papel-alumínio. Regue com os sucos e leve de volta ao forno, sem o papel-alumínio, por mais 15 minutos, a 200 graus. Reserve.

Retire a carne da marinada, salgue e sele em uma frigideira com azeite. Coe a marinada e reserve.

Deglace a travessa das maçãs com a marinada coada. Leve para reduzir, depois coloque os pedaços de carne com o restante da manteiga e asse por 15 minutos a 150 graus, coberto com papel-alumínio.

Finalize a carne na frigideira, deglaçando com a redução.

Modo de servir

Coloque a redução no fundo do prato, a carne no centro e as maçãs ao lado. Finalizar com zester dos cítricos.

Para um prato mais exótico e aromatizado, recomenda-se substituir 2,5 kg de entrecôte de cordeiro por 3,2 kg de glúteo máximo humano.

Serve 10 porções.

Crime e castigo

1

Dois comprimidos de Rivotril cuidaram do meu sono. Não tive pesadelos nem calafrios. Quem me visse sob os lençóis, diria que eu dormia com a consciência tranquila. O sábado amanheceu nublado, e eu só entrava na livraria às três. Fiquei me revirando na cama, sem vontade de pôr os pés para fora. A noite anterior se diluía em minha memória, como se não passasse de delírio: a música, as pessoas, os cheiros, a comida… A lataria amassada do Bukowski, no entanto, era bem real. O homem morto, com sangue saindo pelo pescoço, também. Não dava para varrer tudo para debaixo do tapete e seguir em frente.

Tomei um banho demorado, como se a água corrente limpasse impurezas morais. Peguei um copo de leite na cozinha e encontrei a louça toda lavada, inclusive a taça de vinho que eu deixara pela metade antes de ir para a cama. Não havia ninguém na área de serviço, na cozinha ou na sala. Era possível que Leitão ainda estivesse dormindo com Cora e que Miguel ainda não tivesse voltado, mas Hugo deveria estar no sofá, vendo TV e entrando em sites de restaurantes do Guia Michelin, como fazia todo fim de semana à toa. Conferi o quarto, mas ele não estava lá.

Quando comecei a me vestir, ouvi alguém chegando em casa. Avancei pelo corredor e flagrei Hugo entrando pela porta dos fundos como se pisasse em ovos. Ao me ver, ele tentou disfarçar.

"Pensei que você já tinha saído..."

"Tô terminando de me arrumar pro trabalho. Você tá me evitando?"

Ele foi para a cozinha e pegou um copo d'água. Eu o segui.

"Claro que não...", ele disse, com o rosto escondido pela porta da geladeira. "Por que acha isso?"

Não havia maneira sutil de abordar o assunto. Como Leitão dizia, o negócio era jogar a merda no ventilador.

"Desci na garagem ontem à noite, Hugo. A frente do Bukowski está amassada."

Ele bebeu toda a água de uma só vez, deixou o copo na pia e passou por mim sem dizer nada. Foi direto para dentro e se trancou no quarto.

"Não adianta fugir! Abre essa merda!"

Que Hugo não fosse o sujeito mais ético do mundo, vá lá. Mas, até onde eu sabia, ele não era um assassino calculista. Insisti com mais socos até ele ceder. Entreabriu a porta e virou para a janela do quarto, observando o movimento dos pedestres na rua Duvivier.

"O que você fez?", perguntei.

Ele me encarou com seus olhos muito vermelhos. Seu rosto, no entanto, não trazia qualquer vestígio de arrependimento. Havia até certo orgulho ali.

"Resolvi nosso problema."

"Como teve coragem?"

"Graças a mim, você pode ficar no seu apartamentinho. Devia me agradecer."

Não era a resposta que eu esperava. Estava preparado para escutar uma desculpa esfarrapada, uma história mirabolante, mas não aquilo: uma confissão fria e objetiva. Hugo havia cruzado um limiar sutil e não podia mais voltar.

"Você atropelou o cara?"

Ele se jogou na cama, encolhendo as pernas e abraçando os joelhos. Começou a chorar convulsivamente, o rosto escondido pelos cabelos compridos. Pensei em me aproximar, colocar a mão sobre seu ombro em sinal de consolo, mas na verdade não sentia pena. Cruzei os braços, esperando que o teatrinho acabasse.

"Você matou o cara?", insisti.

"Eu... Eu tava desesperado, Dante! Tive a ideia de seguir uma ambulância pra conseguir o corpo. Era nossa única chance. Mas não é fácil, esses caras pisam fundo. Tive que fazer o mesmo... Pra ficar na cola deles."

"E aí?"

"Eu tava no Largo do Machado, quando... Quando o cara entrou na minha frente. Nem vi direito, só senti a porrada. O filho da puta atravessou a rua fora da faixa! A culpa não foi minha!"

"Você continua mentindo! Atropelou o cara *de propósito*!"

"Não foi de propósito!" Hugo levantou a cabeça. Soava falso como um personagem de novela mexicana. "Ele ainda tava vivo. Tinha um pessoal por ali, uns pedestres, e eles ajudaram a colocar o cara no banco traseiro do Bukowski pra eu levar pro hospital, mas... Mas ele morreu no caminho. Você tem que acreditar em mim. Matei o cara sem querer! Olhei nos bolsos dele, mas não tinha carteira, documento, nada, nem um tostão. Era um morador de rua. Foi aí que eu tive a ideia..."

"De fatiar o sujeito que você atropelou!"

"Ele já estava morto e..." Hugo abriu um pequeno sorriso

destoante de sua expressão de transtorno. "Um morador de rua é quase como um animal!"

Eu não acreditava no que havia escutado:

"Quase como um animal?"

"Você entendeu... Não vem com lição de moral", ele disse. "Um cara preto, pobre e mendigo é perfeito. Ninguém vai procurar! Toda comida tem um preço, Dante."

Seu rosto tinha secado e o olhar havia se transformado em outra coisa, parecendo cínico e sem vida. Não havia mais nenhum vestígio do meu amigo ali. Ele tinha passado de vez para o lado de *lá*.

"Você é um assassino, Hugo", eu disse.

Aquela verdade o atingiu em cheio. Ele se levantou e me empurrou para a porta, aos berros:

"Me deixa em paz! Se quiser, vai na polícia, vai na imprensa, faz o que te der na telha. Se sou culpado, *você* também é! Todo mundo saiu ganhando, Dante. Todo mundo!"

Não adiantava brigar, Hugo era muito mais forte. Além disso, eu já estava atrasado. Peguei o ônibus para o trabalho tomado por uma sensação incômoda. Mais tarde, entendi o que era. Mesmo sabendo o que devia ser feito, eu não tinha coragem de denunciar Hugo. Eu havia sido beneficiado pelo ocorrido e, de certo modo, também havia tomado um caminho sem volta. Era cúmplice. Meu instinto de sobrevivência subornava meu senso de justiça. Ninguém buscaria aquele sujeito. Um cara preto, pobre, um mendigo. Ninguém sentiria falta dele. E, bem, nosso problema estava resolvido.

Certa vez, num banheiro público, havia um poema:

"A carne mais barata do mercado
É a carne negra."

2

Quando você pensa que seu dia não pode piorar, vai por mim: em geral, está enganado. No caminho para a livraria, meu celular tocou. Minha mãe havia me telefonado sem parar no dia anterior e, se eu continuasse sem atender, começaria a ligar para meus amigos.

"Oi, mãe."

Ela soltou um suspiro impaciente e perguntou:

"Por que você mentiu pra mim, Dante?"

Fiquei sem reação.

"Tá demorando pra responder porque tá pensando numa mentira?"

"Não sei do que a senhora tá falando."

"Falei com o corretor do apartamento. Vocês estão devendo o aluguel."

Merda, pensei. *Merda, merda, merda.*

"Mãe, eu sei me cuidar sozinho."

"Sabia que ir pro Rio de Janeiro não ia dar certo. Seu lugar é em Pingo, meu filho. Agora vocês estão aí, ferrados, e nem pra pedir minha ajuda! Tenho esse dinheiro, posso pagar!"

"Eu já tenho vinte e cinco anos, moro sozinho há seis e sei cuidar da minha vida. Vou pagar a dívida do meu jeito."

Aquilo a ofendeu profundamente.

"E como você pretende pagar?"

"Vou pegar um empréstimo no banco."

"Que banco vai emprestar tanto dinheiro pra um vendedor de livraria?"

Ela se recusava a cortar o cordão umbilical e sempre dava um jeito de me alfinetar. Apertei o celular, descontando a raiva.

"Obrigado pela parte que me toca."

"Tô falando sério, Dante. Você prefere mesmo pagar juros pro banco do que aceitar minha ajuda?"

"Seus juros são mais caros."

Hilda fez silêncio e escutei sua respiração agitada no bocal do telefone. Imaginei-a tamborilando as unhas feitas enquanto falava comigo. Meu maior medo era que ela decidisse vir para o Rio resolver o "problema". Eu não teria como impedir.

"O Miguel ligou pra Mirtes de novo", ela começou. "Dessa vez, ele não falou nada. Só ficou chorando, chorando e chorando no telefone."

"E daí?"

"A Mirtes insistiu, quis saber o que tava atormentando ele, mas nada..." Minha mãe fez uma pausa e senti que viria bomba pela frente. "Tenho que te fazer uma pergunta, filho. Vocês não estão fazendo nenhuma besteira pra conseguir esse dinheiro, né?"

Forcei um tom indignado:

"O que você tá sugerindo? Que a gente virou traficante de drogas ou assaltante de bancos?"

"Desculpa... Acho que tô exagerando."

Eu havia virado o jogo e tinha que terminar a partida sem que minha mãe pudesse pedir uma revanche. Insisti que tudo estava sob controle. Ela disse que me amava e fiz o mesmo, acrescentando que já estava atrasado. Desligamos com uma despedida breve. Eu precisava conversar com Miguel antes que ele fizesse uma besteira maior. Tenso, devolvi o celular ao bolso e entrei na livraria. Na seção Indicação do Livreiro, *Crime e castigo*, de Dostoiévski.

3

O gerente da livraria chamava Demóstenes. Com seus cento e dez quilos mal estocados em um metro e sessenta de altura, ele usava uma barba ruiva volumosa e tirava intervalos para fumar seus cachimbos fedorentos do lado de fora do shopping. Alguns diziam que era formado em filosofia. As más línguas garantiam que sequer completara o fundamental. Tinha ares de Ipanema, andar do Catete e trejeitos da Lapa. Certa vez, foi visto com sacolas de compras pelo Leme.

De todo modo, a existência de Demóstenes fora da livraria não tem qualquer relevância. Entre as estantes, gôndolas de lançamentos e mesinhas de café, ele existia. Era seu território, seu palco com holofotes. Nossa relação nunca foi das melhores. Demóstenes sabia que eu *estava* livreiro, mas não *era* livreiro, que não queria passar o resto da vida atendendo velhinhas em busca de livros espíritas e adolescentes histéricas pelo lançamento da YouTuber do momento.

Passei direto por ele, de cabeça baixa, fingindo não ter escutado a bronca pelo atraso de treze minutos. Eu sabia que logo, logo seria chamado em sua sala pelas duas faltas sem explicação nos dias anteriores. *Desculpa, estava buscando um cadáver para servir num jantar*, eu poderia dizer, mas talvez fosse melhor convencer Miguel a me entregar um atestado médico falso. Bati o ponto e vesti o humilhante avental. Pela primeira vez, pensei em jogá-lo no chão e ir embora. Eu passava oito horas por dia naquela livraria para, no final do mês, ganhar bem menos de um décimo do que tínhamos faturado na noite anterior com um jantar de poucas horas.

Acontece que o jantar é hediondo, a voz da consciência me disse. Ainda que os problemas imediatos estivessem solucionados, uma brecha havia sido aberta, trazendo à superfície uma insatisfação que eu contivera a muito custo. Eu me sentia injustiçado, covarde e de saco cheio. Tentei me distrair catalogando exemplares na seção jurídica.

Estava de costas, montado numa escadinha, organizando

livros sobre o Código de Processo Civil, quando senti uma mão envolver minha canela. No susto, me segurei para não cair. Enfurnado em um terninho muito semelhante ao que usara no jantar, Umberto Marcondes de Machado sorria para mim com jeito de quem ia dar a notícia a um ganhador da Mega-Sena. Ocorreu-me que ele devia ter um guarda-roupa só com blazers de três botões e uma coleção de gravatas-borboleta multicoloridas. A da vez era rosa-choque.

"O que você está fazendo aqui?", perguntei, contendo a surpresa.

"Preciso de um livro de culinária sobre carne de gaivota. Tem aí?", ele disse, soltando uma risadinha logo depois e fazendo um gesto vago com as mãos. "Brincadeira, vim conversar com você."

"Estou no trabalho."

Passei os olhos pela livraria em busca de Demóstenes. Ele cortaria meu pescoço se me visse de papo com alguém. Para minha sorte, devia ter saído para fumar e a livraria estava praticamente vazia.

"Lancha comigo? Espero seu intervalo."

"O que você quer? Como descobriu que eu trabalho aqui?"

"Desculpa aparecer assim, mas... Ontem, depois do jantar, fui pra casa e tentei dormir, mas não consegui. Eu precisava falar com você, querido. *Preciso*." Ele passou o polegar gordo pela lateral da boca, como se limpasse o excesso de saliva, e fincou seus olhos vívidos em mim. "O jantar... Eu adorei. A-DO-REI. Que comida, meu Deus. Que experiência! Nunca vi nada igual. Os pratos estavam deliciosos, e o apartamento é muito agradável... Vocês moram lá ou alugaram pro evento?"

"Não interessa."

"Ei, não precisa me tratar desse jeito. Só estou dizendo que gostei do espaço. Meu apartamento valia cinco milhões. Em

2012, pulou para dez. Com Copa do Mundo, Olimpíadas... O Brasil ficou na moda, mas agora tá na merda. Era nossa chance de desempacar, mas a gente afundou de vez... Típico de brasileiro. Crise, inflação, quer saber? Isso pode ser bom pros negócios. Os gringos ainda estão de olho na gente. Em período de miséria, sai ganhando quem investe certo, Dante."

"Desculpa, mas tenho mais o que fazer", eu disse, descendo da escada.

Segui para a seção de autoajuda. Tenso, mexi aleatoriamente na posição dos livros na estante. *Como vencer na vida em dez passos*; *Os caminhos da felicidade*; *Conheça você mesmo*, *Uma família feliz*... Eu não podia expulsar Umberto dali e não sabia como sair daquela situação.

Ele me alcançou, se recusando a desistir, e segurou meu braço com força.

"Não me trate dessa maneira!", disse, deixando escapar um sotaque do Norte. "Você sabe quem eu sou?"

"Sei", respondi, com desdém. "Um aristocrata decadente que ainda acha que manda em alguma coisa e quer a volta da monarquia no Brasil."

Leitão havia encontrado fotos de Umberto em um evento do movimento pró-monarquia, Casa Imperial do Brasil, o que era patético. Os bisavós do velho eram gente importante do meio dos transportes, mas atualmente a família Marcondes de Machado estava devendo para deus e o mundo, cheio de execuções na Justiça. Umberto só tinha um apartamento no Chopin, que era bem de família, inalienável.

Ele arregalou os olhos.

"Tá tudo na internet", eu disse.

"Sou um Marcondes de Machado, exijo que me respeite!"

"Você não tem nem superior completo."

"E daí? Nunca precisei de faculdade pra ser quem eu sou.

Doutor no Brasil não tem doutorado, tem dinheiro. É isso que vale, o resto é resto. Você é formado em quê? Vai, me diz."

"Administração."

"E quanto dinheiro ganhou com seu diploma? Rasga, não serve pra nada. Ninguém precisa de diploma. Olha, nós começamos mal, mas... Eu quero seu bem! Enquanto todo mundo reclama da economia do país, eu digo o contrário: tá mais fácil enriquecer no Brasil. Principalmente pra você, que é jovem e tá começando a vida. Você vai passar o resto da vida nesse lugar, tirando e botando livro da estante? É isso que você quer? Tenho certeza de que não é. A hora de ficar rico é essa, Dante. Brasileiro tá que nem chinês, tem em tudo que é lugar. Não importa o canto do mundo. Nova York, Milão, Bangladesh. Pode apostar, vai ter brasileiro lá. Paris, Taiwan, Barcelona, a mesma coisa. A Disney, então, parece que é aqui."

"Aonde você quer chegar?"

"Não quer mesmo fazer um lanche comigo?"

"Não."

"O.k., o.k., não insisto mais", ele disse, erguendo as mãos na defensiva. "Vou te contar uma coisa, querido: o ser humano gosta de poder. Qualquer um, rico, pobre, alto, baixo, homem, mulher... Todos gostam. Por que a gente quer dinheiro? Pelo poder. Por que a gente tira fotos de viagens e coloca na internet? Pelo poder. Sexo, sucesso profissional, amizade... Tudo é poder."

"Aham."

"Comida também é poder, claro. A gente mata boi, galinha, porco. Por quê? Porque pode. A gente é incrível, desenvolvido, racional. Melhores que os bichos, essa é a verdade."

Ele olhou ao redor e baixou a voz como se estivesse prestes a me revelar o segredo da vida.

"Ontem, depois daquele jantar, eu percebi: comer carne humana está acima disso tudo, Dante. É o poder dos poderes.

Pensa comigo... A gente vive num mundo tão polarizado: brancos contra negros, evangélicos contra gays, direita contra esquerda... As redes sociais são um campo de guerra! Pra pessoas como eu não faz mais sentido ficar comendo boi, tartaruga e jacaré. A experiência eleva a exigência. Somos o topo do topo da cadeia alimentar, o leão da selva! E queremos nos sentir desse jeito! Superiores, sempre!"

"Você é só um velho megalomaníaco."

"É verdade! Sou isso também." Ele não se ofendeu, pareceu até achar divertido. "Mas o que eu quero dizer é que passei a noite com essa ideia na cabeça e tô vendo um bom negócio. Vale investir. Enxergo o mundo em cifras, querido. E aquele jantar... Que jantar! É o futuro. Ninguém pensou nisso antes, não dessa maneira. Comer carne humana. Saborosa, provocativa, surpreendente. Um *must*."

"Você é louco."

"Pode me chamar do que quiser, mas escuta o que tô dizendo. Claro que vai ter gente contra, achando absurdo. No início, toda novidade é vista com maus olhos. Célula-tronco, robô, clonagem. É a luta dos conservadores contra o progresso. Mas a gente precisa ser bravo, investir no que acredita, Dante. Comer carne humana é o século XXII."

"Essa conversa não tem o menor sentido", eu disse, tirando o avental da livraria e prometendo a mim mesmo que não daria mais corda para ele. "É hora do meu intervalo. Com licença."

Umberto colocou as mãos sobre meus ombros, impedindo-me de sair. Aproximou seu rosto e senti o hálito de cigarro quando voltou a falar depressa:

"O Brasil já exporta muita coisa, Dante. Carnaval, futebol, caipirinha e mulata. Mulher gostosa, puta. Está na hora de exportar gastronomia. Tem gente de sobra no mundo. A China está toda fodida com a superpopulação. A África, a Índia... Já viu quanto mendigo tem por aí? E as favelas? Parecem formigueiros! Ainda tem essa cambada que vagabundeia e vive de subsídio do governo. Bolsa Família, cotas, nem sei mais o quê. Pega essa gente toda e fatia. Faz bife. Carpaccio. Pobre à milanesa. Vai revolucionar a cozinha no mundo. E vai dar uma esvaziada boa, uma limpada."

Umberto fez uma pausa para cumprimentar com um gesto de cabeça duas senhorinhas que entraram na livraria e pareceram reconhecê-lo. Então voltou a fincar os olhos famintos em mim:

"Quero entrar nessa com você e seus amigos, Dante. Quero ser sócio da Equipe Carne de Gaivota, adorei isso. O nome é ótimo. Vai ser nossa *startup* extraoficial. Vou injetar grana, cem mil pra começar. Sei que vou ganhar muito mais. Não tô te propondo porque sou bonzinho. Tenho interesse, você e seus amigos também. Gosto de dinheiro rolando solto e tenho tino para investimentos lucrativos."

"Engraçado, pelas minhas pesquisas você é um falido."

"Produzo filmes que ninguém vê, eu sei, mas é só fachada. Pra lavar a grana, sabe como é, ganhar uns incentivos fiscais. Cinema não dá dinheiro. No Brasil, cultura é coisa pra gente doida ou pra gente esperta. Eu não sou doido. Não tô nem aí pro cinema brasileiro, que se foda. Quero é fazer dinheiro de verdade com vocês."

"Não converso com lunáticos fascistas", eu disse, devagar. Não podia perder a linha no meu ambiente de trabalho. "Some daqui ou chamo o segurança."

Ele manteve as mãos sobre meus ombros mais alguns segundos, então se afastou como se eu fosse repulsivo. Sacudiu a cabeça devagar, ajeitando a gravatinha-borboleta abaixo do pomo de adão.

"Que pena, Dante. Ontem, no jantar, você foi inteligente, administrou bem a situação. Achei que fosse um rapaz corajoso, mas parece que me enganei. Você está jogando seu futuro no lixo. Talvez deva pensar melhor."

Não vou pensar em merda nenhuma!, prometi a mim mesmo quando ele já saía da livraria. Deus sabe como eu gostaria que fosse verdade.

As palavras de Umberto grudaram em mim de uma maneira que não podia evitar. Às vezes, tudo me parecia absurdo e eu tentava expulsar o pensamento, mas, na maior parte do tempo, eu me percebia encarando aquela ladainha como uma hipótese real e me desesperava. Hoje, vejo que não adiantou nada pensar tanto. No fim das contas, fiz a pior escolha possível.

4

Liguei seis vezes para o celular de Miguel, mas ele não atendeu. Por isso, a primeira coisa que fiz ao chegar em casa à noite foi correr para o quarto dele. Não havia qualquer sinal de que Miguel tivesse passado lá desde o dia anterior. Isso me deixou preocupado. Ele poderia contar o que tínhamos feito para dona Mirtes ou, pior, para Rachel, que nunca gostara de nós porque éramos "má influência". O pior é que ela estava certa.

Na manhã de domingo, voltei a ligar para Miguel uma dúzia de vezes, sem resposta. Esgotado, resolvi deitar no sofá confortável da sala e ficar mexendo nas minhas redes sociais para evitar pensar em besteira. Minutos depois, Cora saiu do quarto de Leitão.

"Você tá borbulhando por dentro", ela disse. "Dá pra sentir daqui."

Ela se aproximou e sentou ao meu lado. Estava maquiada, mas ainda tinha cara de sono. Seus dedos tamborilavam sobre as coxas morenas.

"Quer conversar?", ela perguntou, e soltou um bocejo.

"Pode ser... Como você se livrou dos restos dos dois corpos?"

"Enterrei."

"Onde?"

"Se eu te contar, vou ter que te matar depois", Cora disse, com um sorriso.

"Tudo bem, James Bond."

Ela chegou mais perto e pousou minha cabeça em seu colo. Aceitei o carinho nos cabelos, fechando os olhos para não pensar em mais nada. Era impossível. Voltei a olhar para Cora e me dei conta de como era estranho vê-la assim, de baixo para cima — eu só conseguia enxergar seus peitos duros e a ponta de seu queixo.

"Eu tava pensando, Dante...", ela disse. "Não precisa me pagar nada por ter ajudado na carneação. Pode usar o dinheiro todo pra dívida do aluguel."

"Obrigado, Cora."

Voltei a me sentar. Juntei minhas mãos às dela e olhei fundo em seus olhos. Ela era uma mulher sofrida, mas batalhadora. Rude, porém sensível.

"É que... vocês... são como uma nova família pra mim."

Ela virou o rosto discretamente, enxugando uma lágrima teimosa que escorreu por sua bochecha, borrando a pintura. Pegou um cigarro na mesa de centro e acendeu, cruzando as pernas para retomar a postura de dona de si. Achei bonita aquela transformação rápida, quase desesperada, e concluí que, se eu precisasse conversar com alguém, Cora era a pessoa ideal.

"Não vejo Hugo desde ontem", falei. "E Miguel sumiu na sexta. Tô tentando ligar, mas ele não atende. Tô com medo de que coloque tudo a perder."

"Tipo contando praquela namoradinha insossa o que a gente fez?"

"Sim."

"Eu entendo", ela disse, levando o cigarro à boca mais uma

vez. “O Miguel é meio mosca-morta e aquela namorada dele pode se fazer de santa, mas é perigosa, controladora, gosta de manter o macho no cabresto. Conheço mulher assim. Na horta da vida, aquela lá é uma plantação de falsinha.”

Achei graça e até me esqueci do peso nas costas por alguns segundos. Quis falar sobre Hugo e o corpo do mendigo, mas não era certo envolver Cora nos meus problemas. Mudei o foco:

“E o Leitão? Ainda na cama?”

“Roncando feito um trovão”, ela disse, com um sorriso em seus lábios com batom rosa. “A mesa de cabeceira chega a mexer, como se fosse terremoto. Sorte que tenho sono pesado.”

A relação deles me preocupava. Um obeso mórbido e uma prostituta… Na minha cabeça, aquilo não tinha como se sustentar por muito tempo. Temia que Leitão saísse machucado ou pirasse de vez. Um sinal de alerta pipocava no meu cérebro.

“Cora, não me leva a mal. Sei que você é uma mulher legal e que está fazendo um bem danado pro Leitão, mas… tenho um pedido.”

Pelo meu tom, ela percebeu que não era coisa boa e endireitou o corpo, atenta.

“Fala.”

“Não quero que você cobre mais dele. Sei que é seu trabalho, mas…”

“Não é”, ela me interrompeu. “A gente tá namorando, eu tô apaixonada. Não cobro pra fazer sexo com quem eu amo.”

Aquilo me pegou desprevenido.

“Você não está cobrando nada dele?”

“Claro que não!”

“Mas… A gente só ficou devendo essa fortuna porque ele te pagou!”

“Na época, a gente não tava namorando, eu tinha que cobrar”, ela disse. Amassou o cigarro e fez um carinho no meu rosto.

"Você não tá entendendo nada, não é? Acha impossível que eu goste dele, mas eu gosto. O Leitão é fofo e inteligente."

"Tudo bem", eu disse, dando de ombro. "Cada um com seu gosto."

"Quem gosta de homem sarado é viado, Dante. Mulher gosta mesmo é de gordinho, que não se acha tudo isso na cama e dá duro pra te dar prazer. O Leitão me entende, respeita minha profissão. No sexo, ele ainda tá aprendendo, mas adoro ensinar. E me esqueço do tempo quando tô batendo papo com ele."

Sobre o que Cora e Leitão conversavam enquanto ficavam deitados, abraçadinhos na cama, ia além da minha imaginação. Mas, se eles estavam mesmo se dando bem e Leitão não ia mais gastar nosso dinheiro com ela, eu não tinha motivos para me intrometer.

Cora acendeu outro cigarro.

"Dante, eu também queria te pedir uma coisa. O Leitão não fala do passado dele. Sei que tem alguma coisa, porque eu tento conversar, mas..."

"Prefiro não me meter nessa história."

"Conta alguma coisa, pelo menos. Sei que Leitão é sobrenome, mas não tenho nem ideia de qual é o primeiro nome dele! Isso não tá certo. A gente namora, poxa!"

"Ele não gosta do nome porque é duplo."

"Eu sei, mas me diz...", ela implorou. "Prometo que não conto pra ele."

"Jorge Luiz."

"Jorge Luiz... É bonito. Jorge Luiz!", ela disse, saboreando cada letra. "O que aconteceu lá na cidade de vocês?"

"Olha, Cora, aí já é demais."

"Me dá uma pista pelo menos, vai!"

"O Leitão é um cara do bem, mas tem um passado difícil", eu disse. "Vou te dizer uma coisa. Quando a gente tinha uns cinco, seis anos, a professora primária pediu que cada aluno desenhasse algo que gostava de fazer com a família. Tenho o desenho do Leitão guardado até hoje."

"Posso ver?"

"Espera aí."

Sempre fui organizado, e encontrei rapidamente no quarto as pastas onde guardava cartões-postais, cartas e recordações em geral. Entreguei o desenho a Cora. Ela encarou a imagem como se fosse um Rembrandt.

"Esse é ele?"

"É."

"O que ele tá fazendo?"

"Comendo, claro."

Cora sorriu:

"E essas mulheres?"

"Já falei que não vou contar nada."

Ela voltou a mergulhar nos traços feitos à canetinha, como se aquela imagem pudesse revelar todas as verdades sobre seu namorado. Eu ficaria ali por horas, vendo-a passear os olhos atentos pelo papel amarelado, mas a campainha tocou minutos depois. Levantei para atender. Hugo devia ter esquecido a chave, ou mesmo Miguel. Abri a porta e deparei com um sujeito alto e magro, vestindo jeans e camisa polo verde, com o rosto menos interessante que já vi na vida.

"O senhor é o Dante?", ele perguntou.

"Sou. E você é...?"

Ele colocou a mão no bolso do jeans e me estendeu o distintivo:

"Polícia."

[Desenho de Leitão para a escola]

Crematórios fogo e paixão

1

O inspetor Amóz se sentou ao lado de Cora no sofá e pediu um copo d'água. Fui pegar, mas queria era morrer. Curioso que, naquele momento, não pensava em mim mesmo, mas na minha mãe. Eu a via chorando, e seu olhar de desapontamento queimava minha pele e revolvia meu estômago. Era melhor morrer a ter que encará-la.

Lavei o rosto na pia, molhei a nuca e voltei à sala.

"Obrigado", o inspetor disse, bebendo toda a água de uma vez. "Não quero tomar seu tempo."

"Tudo bem."

"Não vai sentar?", ele perguntou.

"Prefiro ficar de pé."

Amóz deu de ombros e sacou um bloquinho de notas do bolso.

"Por acaso o senhor tem algum veículo no seu nome?"

"Tenho."

"Um Verona preto, com placa RMC2209?"

"Exato."

"Engraçado, verifiquei o registro no Departamento de Trânsito e consta que a cor do veículo de placa RMC2209 é vinho, não preta."

Engoli em seco.

"Deve ser algum engano no sistema."

"Engano?" Ele levantou os olhos apáticos do bloco e fixou-os em mim. "É o senhor que usa o veículo?"

"Sim. Na verdade, eu e meus amigos... Somos quatro dividindo o apartamento e o carro."

"Pode chamar seus amigos aqui, por favor?"

"Infelizmente, dois não estão em casa."

"E o outro é meu namorado", Cora interveio. "Mas ele ainda tá dormindo, doutor."

Só naquele instante o inspetor Amóz pareceu notar a presença dela. Seus olhos brilharam por um instante ao devorar as coxas fartas e os seios empinados antes de voltarem a morrer nas páginas do bloquinho.

"Quer que eu acorde meu amigo?", perguntei, incomodado com o silêncio.

"Não precisa. Pode me dizer onde o senhor estava na tarde da última sexta-feira?"

Ele pousou o copo sobre a mesa de centro e fez um gesto no ar com a mão esquerda, como quem espanta uma mosca.

"Sexta-feira, deixa eu pensar... Ah! Fiquei aqui em casa, preparando um jantar pra amigos."

"Alguém pode confirmar isso?"

"Eu posso", Cora disse. "Tava todo mundo aqui, ajeitando as coisas pro jantar."

"Ninguém saiu em nenhum momento?"

"Acho que não, delegado", eu disse.

"Sou inspetor, não delegado."

"Desculpa, inspetor." Eu não estava gostando nem um pouco do tom da conversa e pensei que partir para o ataque talvez fosse uma boa estratégia. Em geral, os inocentes são destemidos. "Por que todas essas perguntas?"

"Recebemos uma denúncia. Na última sexta, por volta de uma da tarde, um morador de rua foi atropelado por um Verona preto com a placa RMC2209 no Largo do Machado. O motorista socorreu o homem, mas ele não foi encontrado na emergência de nenhum hospital da região."

"Nossa, que absurdo!", Cora simulou. "A família do homem tá buscando ele e não encontra?"

"Não. Foi uma denúncia anônima, senhora."

Cora sorriu, parecendo gostar de ser chamada de senhora. Não consegui sorrir também.

"Ninguém aqui esteve no Largo do Machado", garanti.

"Deve ser algum amigo tentando te sacanear, Dante", Cora arriscou.

Então percebi: Miguel havia feito a denúncia. Só podia ser! Era pior do que abrir o jogo para dona Mirtes ou para Rachel: ele tinha nos entregado à polícia!

"Posso ir até a garagem dar uma olhada?", o inspetor Amóz pediu, levantando.

"Claro", respondi, quando na verdade queria dizer: *Pelo amor de Deus, não*! "Aceita mais água?"

Ele recusou. Cora aproveitou a deixa para acender um terceiro cigarro e escapar para o quarto. Passei com o inspetor pela cozinha e pela porta do quarto de empregada. Tomamos o elevador dos fundos, espremidos no cubículo repleto de mosquitos que subiam do fosso. Amóz falava qualquer coisa sobre a política de trânsito enquanto minha vida repassava em flashes diante dos meus olhos, como um condenado no corredor da morte.

A garagem subterrânea era escura e apertada. Deixei que o inspetor seguisse na frente. Rezei para que o Bukowski não estivesse na vaga, mas minhas preces foram inúteis: o carro estava voltado para a parede, na mesma posição desde a noite de sexta. Amóz teve que se espremer entre o Bukowski e um fusquinha azul bem conservado do vizinho do terceiro andar para chegar à dianteira. Agachou para olhar a lataria e, naquele instante, soube que era meu fim. Eu poderia inventar mentiras, lutar contra ele e até matá-lo para me livrar do problema, mas aquilo seria uma bola de neve. Além disso, eu não era um assassino. Não tinha coragem de tirar a vida de ninguém. Era melhor pagar logo pelos meus erros.

"Ótimo", o inspetor Amóz disse. "Talvez um perito venha essa semana... Mas só por questões burocráticas, o.k.?"

"Sem problema", respondi, disfarçando a surpresa.

Nós nos cumprimentamos e fiz questão de acompanhá-lo pela rampa até a portaria. Tão logo o inspetor dobrou a esquina, corri de volta para a garagem. Não pude acreditar ao ver a frente perfeita do Bukowski, sem um arranhão sequer.

•

2

Delírio? Claro que não, era impossível. Então, o quê? Liguei catorze vezes para Hugo e para Miguel, sem sucesso. Ao meu lado, Cora pintava de vermelho as unhas do pé enquanto assobiava uma música desconhecida.

"Fica calmo, o Hugo deve ter consertado o Bukowski", ela disse.

Aquilo não era suficiente. Eu precisava que ele confirmasse, e continuei a ligar. Já eram quatro da tarde. Leitão entrou na sala, com remelas nos cantos dos olhos semicerrados e vestindo uma samba-canção do *Pokemón*.

"Que vocês estão fazendo aí?"

Contei sobre a visita do inspetor. Leitão levou as mãos rechonchudas aos ouvidos.

"O.k., já me arrependi de perguntar... Você tá com uma cara péssima. Há quanto tempo não trepa, Dante?"

"Tem noção da merda em que estamos metidos?", retruquei.

"Não me interessa. Eu só quero fazer amor. Vamos, bebezinha?"

Leitão pegou Cora pela cintura e a puxou para si. Ela levantou, deixando o esmalte aberto e os algodões sobre a mesa de centro. Deu um tchauzinho antes de sumir com o gordo. Sozinho, continuei tentando falar com Miguel e Hugo. Meus dedos já doíam, e a vontade era arremessar o celular contra a parede. Não demorou muito para chegarem à sala os gemidos, ou melhor, os urros selvagens, desavergonhados, que iam do grave ao agudo em questão de segundos. Definitivamente, Cora não conseguia ser discreta na cama.

De saco cheio, peguei o papelzinho guardado na cabeceira do meu quarto e liguei para o príncipe vendedor da Zara Home. Ele atendeu no segundo toque.

"E aí, sumido, tá a fim de sair?", perguntei.

Marcamos em um boteco na Lapa, próximo a um motel barato que eu já conhecia. Eis uma lição para a vida: quando alguém começar uma conversa com "E aí, sumido?" ou vai pedir favor ou quer trepar.

3

Na medida do possível, a noite foi boa. Não quero falar aqui da minha vida sexual. Mesmo numa confissão, algumas intimidades devem ser preservadas. Digo apenas que foi gostoso o suficiente para que eu conseguisse deixar os problemas de lado e chegasse atrasado em casa na manhã de segunda-feira. Queria passar rápido no banco para pagar a dívida antes de seguir para o trabalho. A ideia era tomar uma ducha, mudar de roupa e sair em menos de dez minutos, mas encontrei Hugo na cozinha, preparando um misto-quente na chapa.

"Te liguei o fim de semana todo", eu disse.

"Fiquei sem celular. Cora contou o que aconteceu ontem."

"Foi por pouco, Hugo."

"Não foi nada." Havia certo desprezo em sua voz. "O carro estava limpo."

"Onde você levou pra consertar? Os caras da oficina podem ter desconfiado de alguma coisa."

"Não se preocupa. Cuidei de tudo enquanto você ficava trancado no quarto."

"Quanto custou? Como você pagou?"

"Não me enche, Dante. Resolvi o problema, sou foda, e você é um viadinho chorão."

Hugo nem se dava ao trabalho de olhar nos meus olhos. Colocou o misto em um prato e se sentou na banqueta para comer.

"Onde você passou o fim de semana?", perguntei.

"Vai à merda."

Era meu limite. Mesmo Hugo sendo mais forte, dei um soco nele. Com o segundo, Hugo se desequilibrou. Revidou, chutou minha canela e saltou para cima de mim. Ao tentar me segurar na bancada, acabei puxando o fio da chapa. Caí no chão, trazendo fio, chapa e Hugo comigo. O negócio bateu na cabeça dele, abrindo um corte no supercílio. Hugo ficou ainda mais irritado e deu um soco na minha cara. Senti minha boca encher de sangue. Ele já erguia o braço de novo quando parou. Estávamos a poucos centímetros um do outro, ofegantes, seu corpo sobre o meu, seu antebraço no meu pescoço.

"Ainda tô esperando a resposta", consegui dizer. Passei a língua pelos dentes. Estavam todos no lugar, mas o gosto de sangue ficava cada vez mais forte. "Não vou te deixar em paz."

Ele hesitou, mas baixou o braço, se afastando. Limpou o sangue que escorria do lado direito do rosto.

"Foi o Umberto, o.k.? Ele salvou a gente."

"O que você tá dizendo?"

"Ele me procurou no sábado", Hugo disse, estancando o sangue do supercílio com um guardanapo. "Queria saber mais sobre o jantar, acabou perguntando como a gente tinha conseguido o corpo e... contei a verdade pra ele. Você, que é meu amigo, acha que eu matei aquele mendigo de propósito, mas o Umberto, que mal me conhece, acreditou em mim. Ele alertou que a polícia podia bater aqui em casa e se ofereceu pra consertar o Bukowski em uma oficina de confiança. Fez isso em menos de vinte e quatro horas."

"Ótimo, agora a gente tem uma dívida com aquele velho nazista!", eu disse. Hugo não podia ser tão cego. "O policial estranhou que o Verona fosse preto, não vinho, como consta no registro do carro. Além disso, a qualquer momento, ele pode fazer o link com o vídeo do cadáver sendo roubado no hospital. Certeza que vai aparecer alguém que viu um Verona preto circulando."

Hugo riu.

"Você anda vendo muito CSI."

"Só tô mandando a real!", eu disse. "Esse Umberto quer acabar com a gente."

"Ele só quer fazer uma parceria, Dante. O Umberto amou o jantar, quer fazer outros, ganhar muito dinheiro com isso. Sei que ele conversou com você também."

"Não vou cair no papo dele. Essa loucura toda começou

porque a gente precisava pagar o aluguel. Hoje mesmo vou depositar tudo e problema resolvido. A gente não tem que continuar nisso. Vamos seguir com a vida, Hugo."

"Seguir com essa vida ridícula?" Ele amassou o guardanapo sujo e jogou na lixeira. "Tô fora, Dante! Depois de tudo, você acha mesmo que quero continuar trabalhando feito escravo num bufê pra ganhar mil e quinhentos reais, sem ninguém reconhecer meu talento? Eu sou foda, cara! Sou melhor do que muito famosinho com programa de culinária por aí! Nesse país de merda, todo mundo rouba, todo mundo desvia, todo mundo se dá bem e eu vou ficar nadando contra a corrente? Chega! Quero prestígio, quero reconhecimento, quero encantar as pessoas com minha cozinha! E quero dinheiro!"

Enchi a boca de água, bochechei e cuspi na pia o líquido vermelho e imundo.

"Sua cozinha são jantares de carne humana?"

"Qual é o problema? O mundo tá em guerra, todo mundo se odeia. É natural que uns devorem os outros. Como diz o cara do *Clube da Luta*: 'Talvez a autodestruição seja a resposta'."

"Você não tá falando sério..."

"Esse pode ser o futuro da gastronomia, Dante. Você viu a reação dos convidados ao sabor da carne... É deliciosa, diferente de tudo!"

"Então vocês vão matar seres humanos? É isso?"

"Umberto tem um esquema pra conseguir carne de gente já morta. Não vai precisar matar ninguém. Já falei com o Leitão e a Cora e eles toparam."

"Miguel nunca vai aceitar isso."

"Ele tá em outra, vai se dar bem como médico. Ele segue com a vida dele, a gente segue com a nossa. O Umberto Marcondes de Machado tá do nosso lado, Dante. Um cara da elite!"

"Da elite decadente..."

"Ele consertou o Bukowski pra salvar nossa pele. Podia fazer os jantares por conta própria, mas quer entrar nesse negócio com a gente. Finalmente a vida tá sorrindo pra mim... Não vou desperdiçar a chance."

"Tô fora", eu disse, com firmeza.

"Tudo bem." Hugo acenou com a cabeça, pegou o misto e só então deu a primeira mordida. Já devia estar frio. "Vou fazer isso com ou sem você."

"Boa sorte."

Virei as costas. Era impressionante. Hugo parecia dormir em um beliche: ele embaixo, o ego em cima. *Jantares com carne humana!* Apesar de atrasado, tomei um banho para relaxar. A verdade é que eu estava morrendo de medo. Medo de aceitar aquela empreitada, medo de recusá-la e de me arrepender depois. A certeza com que Hugo havia dito que ia fazer aquilo me indignava não só porque a ideia era absurda, mas também porque eu a estava cogitando desde a conversa com Umberto e não tinha sido capaz de decidir com tanta facilidade.

Certa vez, num banheiro público, havia um poema:

"*O cagaço motiva*
O recalque constrói."

4

A agência bancária mais próxima ficava na avenida Atlântica, a duas quadras do apartamento. Eram onze horas e eu deveria entrar na livraria ao meio-dia, mas não queria deixar aquilo para mais tarde. Por sorte, a fila do banco estava pequena. Em menos de dez minutos, consegui autorização para fazer a transferência dos 25.974,38 reais para a conta da imobiliária. Com o comprovante em mãos, liguei para o corretor e disse que estava tudo pago. Mesmo a quilômetros de distância, percebi sua surpresa.

"Como vocês conseguiram o dinheiro?", ele quis saber.

"Não é da sua conta", respondi, e logo soltei um risinho para destilar a grosseria. "A partir de agora, eu faço os depósitos. Boa semana, querido."

Ele também me desejou boa semana. Eu deveria ficar feliz por finalmente ter tirado aquela pedra do caminho, mas um vazio monstruoso me dominava. No ponto de ônibus, percebi que, com tudo voltando ao normal, o *normal* não tinha a menor graça. A insossa rotina casa-livraria-estudos me deprimia. Receber estranhos em casa para um jantar bizarro pelo menos trazia certa adrenalina à vida.

Antes que o ônibus chegasse ao ponto, meu celular tocou. Era Miguel.

"Preciso falar com você", ele disse, com voz de luto.

"Tentei te ligar nos últimos dias e você não atendeu."

"Eu sei", ele disse. "Não queria conversar com ninguém."

"Fiquei preocupado."

"Tô chegando em casa agora. Você tá aí?"

"Tô na rua, indo atrasado pro trabalho."

Ele fez silêncio do outro lado e percebi que estava chorando.

"Por favor, Dante...", ele disse, soltando um suspiro. "Preciso falar com você agora."

Meu ônibus parou no ponto. Cheguei a entrar na fila para subir, mas voltei atrás.

"Me encontra na orla em cinco minutos. Na frente do Copacabana Palace."

Aquele pequeno ato de rebeldia me fez bem. Foda-se o trabalho, eu tinha que cuidar do meu amigo primeiro.

5

Cheguei rápido ao ponto de encontro. Miguel já estava lá, sentado em um banco com os ombros curvados, a cabeça enfiada entre as mãos e os óculos pendurados na gola da camisa. Por um instante, aquela visão me recordou a primeira vez que vi Cora, sentada em um banco similar àquele, mas com postura de lady, fumando seu cigarro como uma rainha do mar.

Quando me viu, Miguel me abraçou e chorou, deixando seu corpo despencar sobre o meu. Os olhos inchados, a barba por fazer e o jaleco fedido indicavam um homem que havia se transformado drasticamente em poucos dias. Ele sempre fora cuidadoso com a aparência, e vê-lo no fundo do poço acabou comigo.

"Tá tudo acontecendo ao mesmo tempo", ele disse, finalmente. "Me ajuda, cara!"

"Não fica assim. Onde você tava?"

"Eu... Eu não ia aguentar ficar naquela casa. O corpo que o Hugo conseguiu... Não consigo parar de pensar que ele matou o homem. O jantar aconteceu mesmo?"

Abracei sua cabeça, acarinhando o cocoruto. Sempre achei Miguel um homem interessante, bonito e até sexy, com seu jeito meio nerd, mas, naquele instante, eu só conseguia enxergá-lo como um coitado aos trapos que precisava de apoio.

"Roubar o corpo daquela mulher me destruiu, Dante. Hoje, a polícia apareceu no hospital e interrogou todo mundo. Tenho certeza de que eles sabem que fui eu."

Se Miguel tivesse respondido às perguntas naquele estado, não era preciso ser um grande investigador para colocá-lo no primeiro lugar da lista de suspeitos.

"Eles só estavam sondando", amenizei. "Todo mundo recebeu uma convocação pra depor hoje, não foi? É só ficar tranquilo que ninguém vai descobrir nada."

"Mesmo que ninguém descubra, Dante, a questão é o que eu fiz! Sou um médico, um profissional, e ajudei a furtar o corpo de uma paciente em óbito do meu ambiente de trabalho! Tô envolvido nisso até o pescoço, não tem jeito. Eles vão descobrir e, pronto, acabou minha carreira..."

Eu sabia que não adiantava dizer nada. Fechei os olhos e esperei que meu amigo chorasse tudo o que tinha para chorar. Minutos depois, ele ergueu o rosto.

"O filho da senhora que a gente levou do hospital estava lá hoje, junto com o delegado. Foi horrível. Ele desabou na frente de todo mundo, implorou pela chance de enterrar a própria mãe. Foi por pouco que não me levantei e contei tudo."

"Calma, não fica assim."

"Não ter um corpo pra enterrar é como viver eternamente com um fantasma."

"Você contou alguma coisa pra Rachel?"

"Não, eu... Fiquei esses dias na casa dela. Ela sacou que tinha alguma coisa acontecendo, claro. Mas não falei nada." Miguel respirou fundo e limpou os olhos na barra da camisa, depois colocou os óculos de volta. "É insuportável, Dante. Mal consigo olhar na cara da minha namorada. Mal consigo atender meus pacientes."

"Você contou alguma coisa pra alguém, Miguel? Pra polícia?"

"Claro que não... Por quê?"

"Nada", eu disse. Preferi não insistir naquilo, ou eu teria que contar sobre a visita do inspetor Amóz, o que só o deixaria mais assustado. Miguel estava em frangalhos, mas mantinha sua autodefesa armada: não era louco de chamar a polícia. "Sei que você conversou com a sua mãe por telefone outro dia. Toma cuidado com o que você fala... Por favor."

Ele abriu um sorriso triste e seus olhos voltaram a se encher de lágrimas.

"Minha mãe é meu conforto, Dante. É tudo o que me importa na vida. E agora a notícia chegou como um castigo dos céus."

"Que notícia?"

"Pensei que você já tava sabendo...", ele disse, confuso. "Ontem eu tava muito mal. Discuti com a Rachel e precisava tomar um ar. Liguei pra minha mãe, que nem notou que eu tava mal porque... ela estava pior. Minha mãe fez novos exames. O câncer voltou, com toda a força. De maneira galopante. Ela vai precisar fazer uma nova cirurgia com urgência ou..."

Agora eu entendia o que ele queria dizer com "Tudo está acontecendo ao mesmo tempo". Miguel não merecia, dona Mirtes não merecia. Ela era como uma segunda mãe para mim. Um ano antes, quando descobrira o câncer, tinha vindo ao Rio de Janeiro passar um tempo conosco. Em casa, acompanhamos a tensão do pré-operatório, as fases desumanas da quimioterapia, a lenta degradação da personalidade, que ia caindo aos poucos junto aos tufos de cabelo. Miguel teve que usar todas as suas economias para conseguir um bom cirurgião e um anestesista. Trabalhando em um hospital público, ele sabia que as condições eram precárias e preferia que a mãe se tratasse em um particular.

Nós nos abraçamos, sem dizer nada. Ainda que eu me sentisse mal pelo jantar, naquele momento pensei que, na escala de crueldades, tinha gente muito pior no mundo. Gente que desviava verba de hospital público, que traficava órgãos, que fazia vídeos de sexo com criancinhas. A perversão não tem limites. O ser humano é um bicho escroto por natureza. Não importa o que digam, todo mundo é assim. Rico ou pobre, negro ou branco, velho ou novo, não interessa. Somos todos iguais em escrotidão.

6

Entrei na livraria com cinquenta minutos de atraso, sem a menor vontade de trabalhar. Corri para bater o ponto, mas Demóstenes fez sinal pelo vidro da sala, me chamando para conversar. Era segunda-feira, o dia das broncas.

"Sei que tô atrasado...", eu disse, já me desculpando. "Tive um problema de família."

Não era exatamente mentira. Demóstenes me encarou sério, exalando um forte cheiro de fumo. Ajeitou-se na poltrona, que rangeu sob seu peso, cruzou os braços sobre a mesa e foi direto ao assunto:

"Não tem maneira fácil de dizer isso, Dante... Você tá demitido."

"Como é?"

"Com essa crise, a gente tem que fazer uns cortes..."

"Não faz isso, por favor", pedi, e minha voz saiu esganiçada, de um jeito engraçado, mas trágico. Eu nunca tinha valorizado aquele emprego e, de repente, perdê-lo era a pior coisa que podia me acontecer. Mais uma derrota entre tantas outras.

"Não adianta, Dante, já decidi", ele disse. "Além dos atrasos e das faltas, ontem um cliente veio reclamar do seu atendimento. Você foi mal-educado com ele."

"Mal-educado? Isso é mentira! Você me conhece! Sabe que eu..."

"Ele conversou pessoalmente comigo. É um sujeito das antigas, frequenta a livraria há anos."

A ficha caiu: Umberto Marcondes de Machado, sem dúvida. Já que eu me recusava a escutá-lo, ele tinha decidido jogar baixo — e vencera. A corda sempre arrebenta do lado mais fraco.

"Tudo bem, vou embora. E quer saber? Vou feliz!", eu disse, indignado. "Fica aí você, seu gordo filho da puta, achando que é um Tolstói, mas vendendo livros de colorir!"

"Dante, você não precisa..."

"Vai se foder!", gritei, batendo a porta. Demóstenes veio atrás. Voltei a xingar no meio da livraria, observado por senhoras entre as estantes e criancinhas no setor infantil. Peguei um exemplar da pilha de mais vendidos na entrada e bradei no ar:

"Aproveita e destrói esse diário enfiando no cu!"

Joguei o livro no chão e saí sem olhar para trás. Do lado de fora do shopping, chorei.

7

Caminhei até o Leme, sem atentar para nada, nem mesmo os ciclistas bonitões que passavam por mim. Mais um desempregado, mais um para a estatística. Deitado na Pedra, com a vista da orla de Copacabana diante de mim, descalcei os sapatos e enfiei os pés na areia. O mar estava agitado e preferi não arriscar um mergulho — ainda que a ideia de nadar de roupa fosse agradável.

Quando já anoitecia, resolvi voltar para casa. Tão logo girei a chave na porta, escutei o burburinho na sala. Sentados no sofá, Hugo e Leitão tinham os olhos grudados em Umberto, que gesticulava de pé, vestindo um terno escuro com gravata-borboleta de bolinhas roxas. Na poltrona mais ao canto, Miguel parecia um mendigo de ombros curvados, observando a cena. Umberto interrompeu sua ladainha para me recepcionar:

"Dante, meu querido!"

Veio na minha direção de braços abertos, como um bom amigo. Nem hesitei e parti para cima, dando um empurrão no desgraçado, que caiu sobre o sofá. Hugo me segurou antes que eu pudesse socar a cabeça dele.

"Calma, Dante, calma!"

Era muita cara de pau aparecer na minha casa e tentar aliciar meus amigos. Queria enxotar Umberto dali, mas recuei quando Miguel ergueu o rosto e me pediu, exalando amargura:

"Escuta o cara, Dante."

Miguel era o sujeito mais correto e ético que eu conhecia e, mesmo assim, me fez esse pedido.

"Você não precisa me tratar dessa maneira, rapaz." Umberto levantou, ajeitou o paletó amassado e sacou um lenço roxo do bolso interno para assoar o nariz. "Hugo me falou do policial que apareceu aqui. Inspetor Amóz, não é? Podem ficar tranquilos que eu cuido disso. Vou garantir que ele deixe essa história pra lá e não atormente mais ninguém."

Hugo puxou meu braço e me espremeu no sofá, entre ele e Leitão.

"Você agora manda na polícia?", desdenhei.

"O prestígio manda em tudo, querido. A gente já conversou sobre isso." Umberto colocou a mão no ombro de Miguel, em tom consolador. "O mocinho aqui me contou o que aconteceu no hospital público... Vou tentar apagar esse incêndio também. Afinal, vamos ser sócios. Quase uma família!"

Miguel continuou de cabeça baixa, encarando o chão. Leitão colocou o indicador diante da boca, pedindo silêncio.

"Escuta, Dante. Só escuta", ele murmurou.

"Veja só que coincidência... O Leitão foi lá em casa uma vez, meses atrás. Meu computador pifou e a secretária o contratou pra consertar. O destino estava querendo unir a gente, Dante", Umberto disse, alisando a gravata. Parecia um soldadinho mecânico. "Esse negócio de jantares vai ser minha menina dos olhos. Vou investir todo o meu suor nisso. Não entro em nada pra perder. Vamos fazer vários jantares e lucrar muito! Dividimos o que ganharmos. Metade pra mim, metade pra vocês."

"Só cinquenta por cento?", ironizei. "Você tá mesmo pensando no melhor pra gente, hein?"

"Ei, não me encara assim. Cinquenta por cento, qual é o problema? Posso ajudar mais do que vocês imaginam. Não só com capital. Com a cartela de clientes também. Ficar buscando gente interessada na internet vai dar problema. A Polícia Federal pode acabar pegando e aí ferrou."

"Você é um cara falido, Umberto. Não pode ajudar em nada…"

Ele ruborizou por um instante e soltou um pigarro.

"Conheço as pessoas certas, Dante, sei exatamente quem vai se interessar por uma experiência exótica desse tipo. Deputados, prefeitos, empresários, artistas plásticos, advogados, celebridades, conheço todo mundo. Se tem dinheiro, sobrenome ou fama, eu conheço. Vou falar pros meus amigos do Jóquei Clube, pro pessoal do bridge e do golfe. Muita gente vai querer entrar nessa. A ideia de vocês vale ouro, meninos!"

"A gente vai se dar bem!", Leitão disse, com sua gargalhada adiposa.

Umberto pegou gancho no entusiasmo:

"E nada de cobrar três mil. Vamos pedir cinco. Dez pessoas por jantar. Só gente top, a nata da sociedade. Vai ser um sucesso. Todo mundo comendo carne… de gaivota! Pode apostar."

Era um absurdo sem tamanho. Esperei que algum dos meus amigos reagisse, mas tudo o que eles fizeram foi sacudir a cabeça em concordância, como aqueles bibelôs de cachorrinho com uma mola no pescoço.

"Tem que ser meio a meio mesmo?", Hugo insistiu. "Nós somos quatro! Fica muito pouco pra cada um!"

"Não seja ambicioso, rapaz. Vocês vão ganhar tanto dinheiro que vai sobrar uma fortuna pra cada um!"

"E por que você precisa da gente pra fazer isso?"

"Que pergunta! Vocês são essenciais… Hugo é um gênio da cozinha, e isso faz toda a diferença."

Hugo alisou as tatuagens no braço, aceitando o elogio com uma falsa humildade.

"Leitão vai cuidar do marketing digital e garantir o sigilo da empresa", Umberto continuou. "Miguel tem o know-how do corpo humano e você, Dante, você é o administrador, o cérebro por trás de tudo."

"Obrigado pela parte que me toca. Você também sabe como conseguir a carne? A ideia é invadir mais hospitais ou atropelar pessoas nas ruas?"

Hugo fez menção de reagir, mas Umberto respondeu antes dele:

"Nada disso, tenho uma sugestão melhor. É limpo, não machuca ninguém... Vocês não sabem, mas minha família é dona da maior rede de crematórios do Brasil. Isso não está no meu cartão de visitas, claro. Não me orgulho disso, temos muitos outros negócios, mas enfim... Crematórios Fogo e Paixão. Já ouviram falar?"

"Não", Leitão respondeu por todos.

"Estão em mais de vinte cidades. E até que dão algum dinheiro. Não muito, mas o suficiente. Os ricos pararam de enterrar os parentes. Hoje, só querem saber de cremar. Deve ser pra garantir que o defunto não volta mais..."

Umberto gargalhou de modo afetado e quase se engasgou sozinho. Por um instante, quis que ele sufocasse ali mesmo.

"Desculpa, não foi engraçado", disse, quando se recuperou. "Bem... Acho que vocês já entenderam. Com nosso negócio, encontrei outra utilidade para os Crematórios Fogo e Paixão: é onde vou conseguir matéria-prima pra vocês, meninos!"

Era insuportável escutar tanta baboseira em silêncio.

"Do que você está falando?"

"Desvio de corpos! É bem simples, na verdade: quando um corpo chegar ao crematório, vejo o histórico do defunto. Se foi acidente, se foi doença, enfim, como e a que horas o sujeito morreu. Caso não prejudique a qualidade da carne, desvio o corpo. Entrego pra família uma cinza qualquer, na urna, ninguém vai desconfiar, e trago o corpo pra cá, já dessangrado, pronto para ser preparado e servido no próximo jantar secreto."

"Isso é sério?", precisei perguntar. "Miguel, você não vai dizer nada?"

"O Leitão e o Hugo já toparam", Umberto se adiantou. "Miguel também disse que está dentro."

"*Ele* está dentro? Impossível!"

Miguel começou a chorar na poltrona e senti toda a minha confiança ir embora. Ele tremia e soluçava.

"Tô fazendo isso pela minha mãe."

Fiquei destruído. Leitão e Hugo se aproveitavam de uma fraqueza de Miguel para convencê-lo a entrar naquela história. Era injusto.

"Vocês têm muito trabalho pela frente!", Umberto disse, como se o fato de Miguel estar um caco não tivesse importância. "Quando receberem os corpos, precisam limpar tudo, selecionar os cortes, fazer o tempero e preparar o jantar. Precisam investir também, óbvio. Investir pesado. Montar cardápios, preparar o ambiente, criar a orgia gastronômica mais agradável da noite carioca! Coisa de profissional, meninos! E com qualidade. Da carne, quero dizer. Somos pioneiros. Vocês vão ter que pesquisar a fundo. É um mundo novo. Qual carne é melhor? Da mulher ou do homem? Do preto ou do branco? Do gordo ou do magro? Do velho ou do novo? A do índio e a do asiático têm gosto parecido? Precisam descobrir. E logo, pra me ajudar na seleção do crematório."

"Jantares de carne humana!"

"Carne de gaivota", Umberto me corrigiu.

"Ainda não aceitei esta loucura..."

"Você tem que decidir agora, Dante. Vai ser o gerente e tomar as decisões quando eu não estiver por perto. É pegar ou largar", ele disse, fincando os olhos de falcão em mim. "E então, vamos ficar ricos?"

[Convite]

Exmo. sr(a). XXXX,

A Equipe Carne de Gaivota tem o prazer de confirmar sua presença em uma noite de degustação de sabores exóticos, preparados exclusivamente em nossa cuisine pelo chef V. H.

Essa experiência gastronômica inesquecível é reservada a poucos convidados, e o(a) senhor(a) agora é um deles. Conforme informado anteriormente, o jantar acontecerá às XX horas do dia XX de XX de XXXX.

O evento é secreto.
Contamos com sua compreensão e o respeito
a cinco regras para esta noite mágica:

1. Não é permitido falar sobre o jantar.
2. Um veículo executivo vai buscá-lo em sua residência e levar ao local do evento. É obrigatório o uso de venda nos olhos durante o trajeto.
3. Não é permitido levar acompanhante. Cada presença é única e especial.
4. Não é permitido desistir da experiência ou abandonar o local antes de seu término.
5. Não é permitido o uso de celulares ou outros aparelhos eletrônicos. Guarde esta celebração apenas na sua memória — e no seu paladar.

Seu anfitrião

S.

TRAJE DE GALA EXIGIDO

Canibalismo gourmet

1

O primeiro passo foi conseguir uma casa.

"Não dá para receber os convidados aqui", Umberto dissera, passeando os olhos pela nossa sala. "Não se vive onde se come a carne, meninos!"

Visitei imóveis em Vargem Pequena, Pedra de Guaratiba e Recreio dos Bandeirantes. Precisávamos de um lugar com ambientes amplos, área externa agradável e, o mais importante, isolado o suficiente para ninguém estranhar a movimentação de carros e pessoas nas noites dos jantares. Tomei o cuidado de visitar apenas imóveis que não fossem administrados pela mesma imobiliária que alugava o nosso apartamento. Queria evitar suspeitas. Mostrei minhas melhores opções a Umberto, mas ele não gostou de nenhuma.

"Rico odeia ir pra longe", disse, com sua voz de locutor. "O ponto é a alma de um negócio, Dante. Imagina se alguém vai ficar mais de meia hora dentro de um carro com os olhos vendados!

Esses jantares têm que ser na Zona Sul. No centro da cidade, no máximo. Entra em contato com minha advogada, ela vai ajudar."

A advogada de Umberto era Cecília Couto, a mulher de cabelo crespo que havia jantado lá em casa. Pelo visto, a relação dos dois não se limitava ao campo extraconjugal. Marcamos um encontro. Ela parecia ainda mais magra e alta, como uma árvore seca em crescimento.

"Fiquei feliz que vocês vão fazer outros... você sabe, *jantares*. Vou ser cliente assídua", ela disse, com um sorriso de hiena. Depois, me entregou uma lista de casas no Rio de Janeiro.

Naquela tarde, visitamos seis imóveis na Estrada das Canoas, incrustados no Maciço da Tijuca, antes de chegar à casa do Jardim Botânico. Assim que a avistei, soube que seria perfeita. Era um triplex de luxo, isolado no final da Sára Viléla, uma rua sem saída, com uma varanda espaçosa voltada para a vegetação da montanha. Na entrada, havia um portão verde-musgo e um muro alto, coberto de ervas daninhas, ao longo de todo o perímetro, dificultando a presença de intrusos.

Além de ter cinco vagas de garagem ao final de uma pequena rampa e da casa de caseiro nos fundos, só o térreo da mansão, dividido em três ambientes, era do tamanho do nosso apartamento inteiro. Na sala de jantar, havia uma mesa vermelha, moderna, com dez lugares, iluminada por um lustre ovalado, trabalhado a mão com detalhes coloridos. Nas paredes, tapeçaria Aubusson, com representações de paisagens campestres com florestas, castelos e pássaros. Mais tarde, soube que o apartamento pertencia a uma família francesa que vinha raramente ao Brasil.

Tão logo batemos o martelo, Umberto me telefonou.

"O primeiro jantar será no próximo sábado. Na sexta, vocês vêm aqui em casa pra afinar tudo. Depositei um dinheirinho bônus na sua conta, pra dividir entre os quatro."

Acessei o bankline e o "dinheirinho" eram oitenta mil reais. O certo era repartir a grana por cinco — Cora havia se tornado parte essencial do grupo.

"Sou contra, ela é uma intrusa", Hugo disse.

"A bebezinha é responsável pela carneação", Leitão retrucou. "O Miguel não faz nada!"

"Mas o velho pensa que foi ele quem selecionou os cortes."

"A Cora vai continuar ajudando", eu disse.

Sabia que Miguel estava no limite da sanidade, a um passo de surtar. Era impossível que assumisse aquilo sozinho. Ele havia se tornado um peso para nós, era desagradável tê-lo ali, com expressão lívida, lembrando-nos o tempo todo do que estávamos fazendo. Ao mesmo tempo, expulsá-lo estava fora de cogitação.

"A Cora faz parte da Equipe Carne de Gaivota", Leitão insistiu. "Eu, Dante e Miguel concordamos com isso. Se você discorda, Hugo, o problema é seu."

Ele suspirou, aceitando a derrota. Transferi dezesseis mil reais para a conta pessoal de cada um e, mais tarde, quando Cora chegou lá em casa para passar a noite com Leitão, transferi a parte dela. No dia seguinte, o gordo veio conversar comigo.

"Não quero que o Umberto conheça a Cora. Ele pode querer roubar minha bebezinha. Ela é tudo o que eu tenho na vida, Dante."

Eu entendia a preocupação dele. Seria insuportável se ela terminasse na cama com o velho egocêntrico. Sem dúvida, assim que a conhecesse, Umberto poderia tentar algo. Garanti a ele que a participação de Cora seria assunto só nosso e o alívio encheu seus olhos. Estar apaixonado é um inferno.

Toda mulher quer ter um melhor amigo gay, e Cora estava decidida que eu seria o dela. Nos dias seguintes, conversamos muito enquanto Leitão dormia ou jogava video game no quarto. Ela era uma mulher incrível, linda, divertida e deliciosamente amoral. Tinha manias como odiar aparecer em fotos e colecionar adesivos multicoloridos. Falava sem parar de seu passado em Goiás, da morte da mãe no parto, da convivência quase matrimonial com o pai, dos primeiros poemas, das madrugadas eviscerando bois, da vinda para a cidade grande e da primeira vez com Leitão.

"Cora é seu nome verdadeiro?"

Ela ficou incomodada:

"Claro que é, já te disse. Homenagem a Cora Coralina."

Com o tempo, a intimidade fez com que ela se abrisse de vez. Chorava na minha frente, sem embaraços, contava detalhes pessoais e me mostrava suas poesias.

"Um dia, ainda vou ser publicada", dizia, orgulhosa. "Essas editoras de merda só querem livro comercial... Isso aí, não, é arte pela arte, Dante!"

Li quase todos os seus versos. Eram bastante fracos, óbvios, a maioria de péssimo gosto, mas Cora se julgava genial e não seria eu a dizer o contrário. No fim das contas, ela estava certa: tinha tanta porcaria à venda nas livrarias, por que não a dela?

Certa vez, num banheiro público, havia um poema:

"*qualquer coisa*
pode ser poesia se
você der

enter de vez em
quando."

2

Quinta à noite, dois dias antes do primeiro jantar secreto na casa nova, matamos juntos um Red Label que Cora comprou.

Estávamos completamente bêbados, sozinhos na sala. Hugo havia passado as últimas horas trancado no quarto estudando livros de culinária ou na cozinha testando receitas, Miguel saíra com Rachel e Leitão precisava zerar o novo *Halo*. Ela pegou meu celular para selecionar caras no Tinder como se fosse eu. Divertia-se com isso.

"Se tem uma coisa que eu entendo é de homem", ela disse, distribuindo *likes* e *dislikes*. "Olha esse aqui, loirinho, fofinho, mas tem pau pequeno. Dá pra ver pelo tamanho do polegar."

Gargalhei, escondendo meus polegares na palma da mão. Cora riu também e deitou sua cabeça no meu colo — já estava se tornando um hábito.

"Peraí, esse que você negou era bonito!", reclamei, enquanto ela continuava a mexer no aplicativo.

"Nem pensar. Gay heteronormativo ninguém merece." Cora deixou o celular de lado e me encarou. "Você tá nervoso?"

"Um pouco. Não sei o que esperar de amanhã..."

Tínhamos combinado de ir ao apartamento de Umberto acertar os últimos detalhes para o jantar de sábado.

"Vai dar tudo certo."

"Eu não queria que você ficasse chateada por não ir..."

"Tô de boa", ela disse, acendendo um cigarro. "Confio em vocês."

"Também confio em você, Cora."

"Então por que não me conta o que mais tá te preocupando? Conheço você."

"Falei no telefone com minha mãe. Ela perguntou sobre meu emprego na livraria. Disse que continuo lá, que está tudo ótimo, que até tive um aumento. Me sinto cada vez mais distante dela."

"Não fica assim. Você é foda, Dante", ela disse, como se fosse a solução para todos os problemas. Então sorriu para mim, com os olhos entreabertos.

Minutos depois, ela roncava no meu colo. Fiquei ali, examinando seus traços. Para mim, mais do que agradável ou escrachada, Cora era misteriosa. Como ela conseguia eviscerar um ser humano com tanta naturalidade? Sempre tive certa fascinação por mulheres, como se fossem seres imaculados, inatingíveis. Talvez por isso nunca tenha sentido nada sexual por elas.

Levantei, movido por uma curiosidade súbita. Fui até a bolsa dela e remexi em tudo: batons, blush, escova de dente, lápis de olho, porta-moedas e até uma calcinha de renda. Finalmente, bem lá no fundo, encontrei a identidade desbotada, seu maior segredo. A moça da foto, nascida em 1985, era mesmo Cora, porém mais frágil, feia, com olhos esgotados e pele amortecida. Seu nome era Deusdete da Silva.

3

Umberto Marcondes de Machado morava no tradicional Edifício Chopin, na avenida Atlântica, ao lado do Copacabana Palace. Fomos a pé e o encontramos na piscina do hotel, cercada por turistas vermelhos de tanto sol segurando caipirinhas. Ele se aproximou para nos cumprimentar. Vestia short florido, camiseta branca que deixava entrever os tufos grisalhos das axilas e chinelos de dedo. Pela primeira vez, não usava gravata-borboleta. Cheirava a um perfume que lembrava minha avó. Beijou nossas bochechas e fez um gesto para que o acompanhássemos.

"O Copa é meu quintal! Nado todo dia!"

Entramos pela portaria principal do prédio, imponente e bem decorada. Ao chegar no seu andar, todo o luxo foi embora. No hall de entrada, um espelho enferrujado recebia os convidados. Por dentro, o apartamento era a cafonice em pessoa, com um excesso de cadeiras, mesinhas, carrancas, pinhas antigas e objetos decorativos. O cheiro de mofo nos móveis e nas paredes fazia pensar que a última reforma ali havia sido concluída no século XIX. Escolhi uma das quinze cadeiras da sala para me sentar e meus amigos me seguiram. Umberto optou por uma poltrona ao centro, de veludo roxo. Cruzou as pernas e bateu palmas para iniciar o assunto:

"Então, animados pra amanhã? A investigação sobre o corpo do hospital foi abafada. Você voltou a ser importunado, Miguel?"

Ele engoliu em seco.

"Não."

"Ótimo! Aquele inspetorzinho que vistoriou o carro deu dor de cabeça, mas acho que não vai mais perturbar vocês. Ele também sumiu do mapa, não é?"

Concordei, a contragosto. Umberto se levantou para servir dois dedos de uísque a cada um de nós e propôs um brinde. Os copos tilintaram no ar. Então a empregada entrou na sala para dizer que a comida estava na mesa.

"Ótimo, Cícera! Nada de carne de gaivota hoje, não é?", ele disse, divertindo-se.

"É, seu Umberto", a empregada respondeu, envergonhada. Não fazia ideia do que ele dizia, mas já devia estar acostumada às loucuras do patrão.

A sala de jantar era igualmente antiga e exagerada. Umberto se sentou na cabeceira, desfazendo o arranjo do guardanapo de pano com manchas milenares e o prendendo na gola da camiseta. Seus movimentos eram afetados, exageradamente marcados, como se ele vivesse numa eterna peça de teatro. Por um instante, me ocorreu que Umberto Marcondes de Machado talvez fosse um gay enrustido, daqueles que casam com mulher, têm filhos e destilam preconceitos por aí em nome da "família tradicional brasileira". Mas acabei abandonando a ideia e até consegui aproveitar o almoço, que foi inesperadamente agradável. De entrada, rosbife de porco ao molho de vinho, combinação que Hugo jamais tinha visto.

"Nosso evento vai ser um sucesso", ele disse, enquanto mastigava. "Isso aqui está divino, não está?"

Concordamos, devorando a comida. Era o melhor rosbife que eu já havia comido na vida. Exótico na medida certa, deixava um leve adocicado no céu da boca. Umberto falava sem parar, sempre contando vantagem. Pouco a pouco, seus mecanismos de defesa se tornavam evidentes: ele usava de sua eloquência para resgatar um passado áureo e mascarar a realidade decadente.

"Já tenho lista de espera pra lotar cinco jantares", disse, antes de dar uma nova garfada. "Uma decoradora deu uma repaginada na casa e chamei cinco garçons superdiscretos que estão comigo há anos para servir a mesa. Um pra cada dois comensais, é o que manda a etiqueta. Tenho uma empresa de confiança que vai fazer o transporte e a segurança do local. Vocês estão bem protegidos, meus meninos."

Nada disso parecia aliviar Miguel. Mesmo à mesa, ele mantinha a expressão cabisbaixa. Não fazia a menor questão de esconder que se odiava a cada segundo por estar ali.

"Ei, por favor, vê se muda essa cara. Está tirando meu apetite", Umberto disse para ele, minutos depois, enquanto a empregada recolhia os pratos vazios.

Miguel soltou os talheres, dando um soco na mesa tão forte que as taças vibraram.

"Não dá pra escutar tudo calado... É hediondo! Como vocês conseguem dormir à noite?"

"Comida não tem nada a ver com razão, Miguel. Muito menos com consciência", Umberto disse, limpando o molho que se acumulava no bigode. "Por que você come carne de vaca, por exemplo? Ou melhor, por que raspou o prato de rosbife? Porque foi criado assim! É uma realidade cotidiana! A carne satisfaz, tem sabor e aparência agradáveis. Logo, comemos! O que tem de errado nisso? Absolutamente nada. Com um pouquinho de esforço, em duas gerações comer carne humana vai ser como devorar ovos e bacon pela manhã."

Miguel se encolheu feito um pássaro ferido. A empregada trouxe o prato principal: trouxinha de pato, crocante por fora, cremosa por dentro. Havia ainda um molho de tamarindo para acompanhar que dava um toque especial. Estava delicioso, mas nada comparado ao rosbife. Eu sonharia com aquela entrada pelos próximos anos. Comemos em silêncio, acompanhados apenas pelo som da crosta da trouxinha sendo mordiscada, dos talheres nos pratos, das taças sendo pousadas na mesa. Então, Umberto voltou a falar, como se retomasse um assunto pendente:

"A gente precisa definir o *high concept* da empresa."

"Como é?"

"Ah, você sabe, toda empresa tem um conceito-base, uma ideia que resume o todo. Pensei em *antropofagia gourmet*", disse, abrindo as mãos como quem desenha um letreiro no ar. "Mas depois me pareceu covardia, eufemismo barato. Acho melhor *canibalismo gourmet*."

Leitão gargalhou:

"Canibalismo gourmet?"

"O conceito de canibalismo está poluído, tem uma carga semântica muito negativa. Você fala nisso e as pessoas logo pensam no sujeito que se ofereceu para ser devorado na internet, no Hannibal Lecter e nos malucos que fizeram coxinha de carne humana pra vender lá no Nordeste. Coxinha, pelo amor de Deus! Que jeito de cozinhar uma iguaria!"

Miguel levantou da mesa.

"Agora você tá dizendo que canibalismo é legal?"

"Estou dizendo que precisamos acabar com essa relação direta com selvageria e maldade. É um tabu. A palavra 'canhoto', por exemplo, tinha um sentido pejorativo no passado, mas hoje não é mais assim. A valorização dos sabores passa necessariamente por uma questão cultural. Por exemplo, por que o caviar vale mais do que a mandioca? Ambos são iguarias divinas! A carne humana também é divina, tem o sabor mais potente de todas. É o que precisamos mostrar às pessoas..."

Era inútil discutir com ele. Abatido, Miguel voltou para seu lugar e mastigamos trouxinhas de pato em silêncio por mais alguns minutos. Às vezes, eu tinha a impressão de que Umberto falava aqueles absurdos só para nos provocar. Tentava desvendar sua expressão e seus trejeitos, mas ele parecia mesmo acreditar no que dizia.

"As pessoas precisam entender que comer carne humana pode ser bom e gostoso!", ele explicou. "Vocês sabiam que para os índios tupinambás o rito antropofágico era a principal forma de aquisição de cultura, capaz de transformar em bem o mal inerente à natureza? Comiam o inimigo vencido pra elevar a alma, adquirir sua coragem, força e vitalidade. Desde que comi carne humana pela primeira vez, eu entendo os índios! É a fonte da juventude, meninos. Tem efeito curativo e regenerador. Me deixa perguntar uma coisa pra vocês: qual é o maior problema do mundo?"

"Doenças", Miguel arriscou.

"Pessoas discutindo política no Facebook", Leitão disse.

"A fome", respondi.

"Isso, a fome", Umberto disse, como o professor satisfeito com o aluno sabido. "Já pararam pra pensar que o canibalismo pode ser a solução mais imediata pra fome no mundo? Quero dizer, não comemos nossos próprios mortos por uma questão cultural. Não fomos criados assim. Acontece que enterrar os mortos é um grande desperdício de carne saborosa que poderia ser usada como alimento. Mesmo na vila mais pobre da África, onde pessoas passam fome, há carne sendo desperdiçada nos enterros. Por que não comer? O que mata essas pessoas de fome é esse impedimento moral de comer os semelhantes…"

Era uma loucura sem tamanho. Antes que disséssemos qualquer coisa, a empregada entrou na sala para retirar os pratos principais. Como quem cronometra os segundos, Umberto se levantou esfregando as mãos diante da boca.

"Hora do *grand finale*!"

Ele se afastou da mesa e sumiu pelo corredor. Gritou um "Venham comigo" lá de dentro, quando percebeu que não o tínhamos seguido. Descemos uma escadinha e entramos no elevador dos fundos, que nos levou até a garagem. Ali, entre picapes e conversíveis, um Honda Civic preto de vidros escuros novinho em folha nos aguardava. Era lindo, com banco de couro e lanternas perfeitas.

"Esqueçam aquele carango velho. Este é um presentinho pra vocês caprichar em no jantar de amanhã", disse, batendo de leve na lataria.

Por um segundo, estranhei que Umberto tivesse comprado aquele carro para nós. Mas o velho logo abriu as portas, me entregou a chave e abandonei o raciocínio, entretido com o cheiro de carro novo. Umberto deu tapinhas na lataria, como um grande paizão.

"Podem chamar este de Hemingway."

4

No final da manhã de sexta, pendurei meu smoking em um cabide e fui de carro novo com meus amigos para a casa no Jardim Botânico. Precisávamos começar os preparativos para o jantar de inauguração. Em poucas horas, a mesa já estava posta, com castiçais e dez *sousplats* sobre a toalha de linho, o pratinho para pão e manteiga à esquerda, taças de cristal para água e vinhos branco e tinto alinhadas à perfeição, como uma cascata caindo pelo lado esquerdo, os talheres de prata milimetricamente posicionados (à esquerda, os dois garfos; à direita as duas facas; acima, os talheres de sobremesa), guardanapos de linho alvíssimo presos em elegantes anéis de prata e, por fim, lavandas inglesas, com pétalas de flores. Deu vontade de tirar foto e postar no Facebook.

O corpo chegou por volta das duas da tarde, trazido por dois sujeitos de terno em um veículo escuro — nunca fui bom para identificar tipos de carro. Como quem carrega um saco de batatas, a dupla levou o cadáver até a casa do caseiro, nos fundos, e o deixou sobre uma lona plástica. Cora agradeceu aos homens, que foram embora, então disse que ia se trocar, me abandonando ali sozinho com o corpo. Era um jovem branco, um pouco mais velho do que eu, de traços finos e marcantes. Tinha o peito rasgado, em carne viva, e já viera dessangrado, o que justificava sua palidez cadavérica. Apesar de tudo, era bonito, o que aguçou minha curiosidade. Quem era ele? Do que haveria morrido, sendo tão novo?

Encarei seu rosto por não sei quanto tempo: o nariz pontiagudo, os olhos claros, o rosto anguloso, as marcas nas laterais indicando que usava óculos. Parecia alguém bem de vida, talvez de classe média alta. Foi inevitável imaginar os pais chorando sua morte, recebendo uma caixa com cinzas de outra pessoa, enquanto o filho jazia numa casa de caseiro no Jardim Botânico, nu e macilento.

Cora me trouxe de volta à realidade. Vestia macacão branco e máscara cirúrgica, e segurava sua motosserra amarela, agora enfeitada com adesivos de *Star Wars*, *Game of Thrones*, Frida Kahlo, *Harry Potter*, *Pokémon*, Jesus Cristo e *Hello Kitty*. A cada dia, a máquina parecia mais colorida, com frases engraçadas e rostos de personagens de TV. Era seu brinquedinho de estimação.

"Dá licença, bonitão?", ela disse, abafada pela máscara. "Tenho muito trabalho pela frente."

Obedeci sem questionar e subi as escadas da casa até o segundo andar. Entrei no chuveiro na mesma hora em que o ronco da motosserra engolia o terreno, ganhando um eco incômodo na floresta. Permaneci embaixo da água quente por horas, fugindo do barulho, antes de me preparar para a noite de gala.

O jantar de inauguração correu tranquilo, como todos os outros que fizemos nos meses seguintes. Ao contrário do que eu imaginava, mesmo com a crise econômica as listas de espera não paravam de crescer. Para atender a demanda, em pouco tempo tivemos que aumentar a frequência e passamos a realizar dois jantares secretos semanais, às quartas e aos sábados.

Como num restaurante em pleno vapor, um ritual foi estabelecido. Minhas responsabilidades iam de controlar os funcionários contratados por Umberto a receber os convidados. A equipe era formada por cinco garçons, dois ajudantes de cozinha de Hugo, seguranças, motoristas, arrumadores e faxineiros. Todos eram discretos e humildes. Se estranhavam a atmosfera do evento, não tinham qualquer consciência do que era cozinhado ou servido ali. Nunca conversamos sobre o assunto e apenas uma vez um garçom fez a pergunta errada — *Que carne de gaivota é essa que eles comem?* — e foi demitido.

Em um endereço pré-combinado, os convidados aguardavam nossos motoristas, que faziam uma revista inicial no momento do embarque, desligando e apreendendo aparelhos eletrônicos e quaisquer objetos de risco. Começavam a chegar na casa — apelidada por Leitão de JB SteakHouse — a partir das sete, sempre com venda nos olhos e traje de gala. Eram mais uma vez revistados pelos seguranças na entrada e então eram guiados à sala de estar, com música ambiente agradável, velas acesas e Veuve Clicquot à vontade. Quando todos já tinham chegado, eu aparecia para dar as boas-vindas, de smoking e gel nos cabelos.

"É uma felicidade recebê-los nesta seleta oportunidade. Meu nome é Sidney e estou aqui para garantir que tenham a melhor noite de suas vidas. Espero que se divirtam. Suponho que tenham muitas perguntas a fazer, a maioria tem da primeira vez. Podem perguntar o que quiser, mas não se esqueçam de usar o termo *gaivota*, em vez de... Vocês sabem..."

Nesse momento, todos sempre riam, trocando olhares. Então, vinha o silêncio e alguém se arriscava com questões óbvias:

"Como conseguem as gaivotas?"

"Nossa seleção de carnes é feita de maneira segura e sustentável, de gaivotas já mortas", eu respondia. "Todas as peças são frescas e passam por um cuidadoso processo de inspeção."

"E se eu não tiver coragem de comer?"

"Aqui, é proibido apenas observar. Você deve participar, está nas regras. Da primeira vez pode até dar certo medo ou peso na consciência, mas garanto que depois de uma garfada vocês não vão querer saber de outra coisa!"

Terminadas as perguntas, eu guiava os comensais à sala de jantar, onde havia uma plaquinha com a abreviação do nome de cada um definindo sua posição na mesa, respeitando critérios de idade e prestígio. Os garçons voltavam a servir as bebidas e a sequência de pratos começava — naturalmente, todos os sabores eram harmonizados com diferentes tipos de vinho. Como havia um garçom para cada casal, os pratos chegavam à mesa ao mesmo tempo e as cloches de inox eram erguidas em perfeita sincronia. Os cortes de gaivota vinham à mesa com molho, enquanto os acompanhamentos eram servidos à francesa: os garçons circulavam com as travessas fumegantes para que cada um se servisse à vontade.

No começo da refeição, os convidados comiam em silêncio, com avidez, se esquecendo de tudo e de todos para se deliciar com o sabor extraordinário da carne nova. Os rostos se revigoravam, os olhos se coloriam e as fisionomias ganhavam energia após provar alguns pedaços. Depressa, um calor se espalhava pela mesa e, com o espírito aquecido e a imaginação aguçada, todos começavam a conversar, repletos de excitação.

A vida muda quando descobrimos nosso talento, e eu havia descoberto o meu. Recebia bem os convidados, deixava-os confortáveis, sentindo-se importantes e exclusivos. Sabia ser discreto e não fazia perguntas íntimas, mas demonstrava interesse pelas histórias que queriam contar, elogiava as roupas e as joias das mulheres na hora certa e conversava com os homens sobre mercado financeiro, futebol e bebidas importadas. Ganhava um bom dinheiro em gorjetas no final de cada noite. Sem dúvida, era o anfitrião ideal.

Leitão também cumpria com eficiência seu serviço no backstage, investigando previamente a vida dos comensais e garantindo que nenhum deles tinha qualquer relação com a polícia. Em geral, todos eram muito comedidos, fascinados com a eletrizante experiência de chegar vendados em um local desconhecido e ser tratados como reis num banquete digno de Babete, provando o sabor de uma carne rara e especial como a humana.

"Aqui, não se paga apenas pela comida, mas pela experiência", eu costumava dizer.

Movidos por um perverso interesse, os mais excêntricos apareciam em peso. Muitos preferiam dar outro sobrenome e inventar uma profissão, mas Leitão sempre descobria tudo. Depois de meses, o gordo, que sempre gostou de listas, enumerou os principais profissionais que frequentavam nossos eventos. Médicos, artistas, advogados, empresários e políticos encabeçavam a lista. Havia muitos herdeiros de famílias tradicionais e, quase toda semana, ao menos duas ou três celebridades — como atores e diretores de TV.

Para garantir seu lugar na lista de espera, os comensais eram obrigados a fazer o depósito da quantia integral no momento da reserva, de modo que o dinheiro não parava de entrar. Descontadas as despesas e a metade de Umberto, recebíamos cerca de quinze mil reais por jantar, a ser dividido entre os cinco, o que dava quase vinte mil reais por mês para cada um. Era muito mais do que eu poderia ganhar num cargo administrativo júnior em qualquer empresa privada. Certa noite, fiz uma fogueira com todos os meus livros da faculdade e gargalhei ao ver Taylor e Chiavenato em chamas.

Hugo cortou relações com o bufê para o qual prestava serviços e Miguel diminuiu os plantões, sem contar a verdade para Rachel. Cora deixou de fazer programas e decidiu se dedicar apenas à seleção de cortes e à literatura. Insistia em ser apresentada a Umberto, mas, respeitando a vontade do gordo, eu negava. Logo após fatiar os corpos, ela ia para casa com o namorado, antes que os funcionários e os convidados chegassem.

Aqueles jantares mudaram nossas vidas, trazendo uma sensação de progresso enquanto o país agonizava. Sem a sombra de ter que voltar para Pingo d'Água, eu tinha uma vida estável e até me permitia alguns luxos. Leitão estava mais feliz do que nunca, enchendo-se de comida, internet e sexo com Cora. A cada dia, os dois pareciam mais sólidos, feitos um para o outro.

Hugo havia encontrado alimento para seu ego. Passava todo o tempo livre estudando receitas, experimentando quitutes especiais e encomendando iguarias pela internet. Orgulhava-se de ser o maior *chef de cuisine* underground do Brasil. Não era raro que as noites terminassem com os convidados exigindo sua presença à mesa para ser parabenizado, como um diretor de teatro sendo chamado ao palco.

"Eu nunca tinha sido aplaudido antes desses jantares", ele me disse certa madrugada, enquanto suava diante do fogão combinando temperos. "Ninguém me valorizava."

Claro que eu enxergava sua lenta transformação em um ser estranho, autossuficiente, embebido de vaidade, mas, naqueles dias, não perdia tempo me preocupando com isso. Estava ocupado demais trocando minha TV por uma maior e abastecendo a geladeirinha do meu quarto de Johnnie Walker.

Se é verdade que Miguel nunca entrou a fundo no negócio dos jantares, também é verdade que nunca esteve totalmente fora dele. Continuou a morar no nosso apartamento em Copacabana e até ajudou na realização dos jantares em três ou quatro oportunidades. Lembro-me de uma vez em que um dos garçons passou mal e ele vestiu o uniforme para servir a mesa, e de outra em que trouxeram orégano fresco no lugar de tomilho, Hugo deu um chilique e Miguel foi correndo ao supermercado buscar o maldito tomilho.

Em meados de agosto, fui surpreendido pela presença de Kássio Gheler entre os dez confirmados do evento. Chegou sozinho, com os cabelos compridos caindo sobre o rosto e olheiras marcando os traços esgotados, como um viciado em recuperação. Eu não o via desde o jantar no apartamento em Copacabana, em abril. O gordo me informou que Kássio havia rompido com o namorado semanas antes por divergências morais. Ele me cumprimentou e ficou sério por alguns segundos. Então, sorriu.

"Não se preocupe", disse, com sua voz depressiva. "Você mudou minha vida."

Carne humana vicia, lembrei na mesma hora, e observei enquanto Kássio devorava com paixão o ossobuco de gaivota braseado ao molho de tâmaras com cuscuz marroquino servido naquela noite. Ele voltou em outros quatro ou cinco jantares e sempre fazia questão de me agradecer. Seu tom obsessivo me incomodava.

Não demorou muito para surgir a necessidade de inovar. Umberto sugeriu que todos os pratos, não só os principais, contivessem carne de gaivota e deu a ideia dos jantares temáticos. Hugo se refestelou com a novidade. Ao final de agosto, fizemos um jantar com cortes especiais embalados a vácuo, com uma etiqueta indicando gênero, cor, idade e peso da gaivota. Cada comensal podia escolher sua peça, que era preparada no ponto desejado na churrasqueira de alvenaria e servida com legumes grelhados. Nessa noite, pela primeira vez, Hugo arriscou preparar coração no espeto, temperado com limão, além de linguiça, feita com gordura de mulher, carne de atleta e carne de gordo, mais marmorizada, garantindo o sabor e a suculência.

Houve também a noite francesa, em que as combinações clássicas reinaram. O cheiro de manteiga, creme de leite e pimenta-do-reino era marcante. Hugo me ensinou que o princípio da cozinha francesa é o uso de técnicas que respeitam o alimento e a busca pelo equilíbrio perfeito entre os sabores, a acidez, a picância, o doce e o sal, a mistura de texturas e sabores. Para essa ocasião, ele fez um clássico steak tartare de entrada, com uma série de temperos como alcaparras, maionese, mostarda, cebola, pimenta-do-reino misturados à carne crua — um corte da costela macio e saboroso. O prato principal foi um escalope *au vin* acompanhado de ratatouille. De sobremesa, profiteroles.

A noite tailandesa passou como um borrão de cores e aromas. De entrada, rolinhos de papel de arroz com carne de pescoço, vegetais e especiarias. O segredo era o molho, que misturava à perfeição laranja, pimenta, shoyu, namplá e açúcar mascavo. Hugo deu um toque especial ao molho usando estragão, um ingrediente incomum na cozinha tailandesa. De prato principal, uma variedade de curries — verde, amarelo, vermelho — servidos com arroz jasmim, cogumelos frescos, vagens e ervas. Os aromas eram vivos e as cores, maravilhosas. Hugo decidiu usar diferentes partes para os diferentes curries. Pro verde, de sabor mais suave, utilizou o equivalente humano ao filé-mignon, retirado das costelas. Pro amarelo, uma carne com um pouco mais de personalidade e gordura, um músculo das costas de uma pessoa acima do peso. No vermelho, usou barriga e nádegas, gordura e sabor.

Em meados de setembro, fizemos bailes de máscaras, com os convidados esbanjando sofisticação e mistério, e até uma noite especial com cardápio vegetariano. Umberto fez questão de explicar antes do brinde que as duas gaivotas servidas naquela experiência eram um casal vegano que havia morrido dias antes em um acidente de carro. Segundo os comentários de todos, estava uma delícia.

5

No aniversário do Leitão — em que ele e Cora comemoravam um ano de "namoro" —, ela decidiu fazer uma festa. Reservou uma escuna e desembolsou um bom dinheiro para comprar bebidas. Na manhã do dia 22 de setembro, fazia um sol escaldante. Saí de casa vestindo short, camiseta e chinelos, certo de que seria uma tarde divertida. Quando chegamos ao píer no Aterro do Flamengo, com a estonteante vista da Baía de Guanabara, Cora revelou a surpresa: havia convidado quatro de suas "amigas" para a alegria dos rapazes.

"Adoro uma boa putaria", ela disse.

Entrei na escuna, desanimado com a ideia de ver meus amigos bêbados transando com garotas de programa na proa numa manhã de terça-feira enquanto eu chupava o dedo. Peguei um copo de vodca com gelo, ajudei a ligar o som e selecionei rapidamente uma *playlist* no iPhone. Pelo menos, ia me distrair com boa música.

"Por que a gente não zarpa logo?", perguntei.

"Está achando que esqueci você, né?", ela me disse. "JA-MAIS, meu lindo."

Minutos depois, chegou quem faltava: um moreno musculoso, de olhos claros e piercing nos mamilos chamado Sebástian. Foi a melhor festa de todos os tempos. Ficamos muito loucos em poucos minutos. Eu nunca tinha visto hambúrguer ou mojito de maconha, mas Cora havia encomendado essas e outras delícias caprichadas no cânhamo.

Aquele dia representou como nunca a nova fase de nossas vidas. Vivíamos em euforia, com dinheiro rolando solto. Leitão gastava sem controle, enchendo Cora de bolsas, sapatos e perfumes. Comprou também muitos jogos de computador e comida. Eu tentava convencê-lo a ser mais discreto nos gastos, mas seu argumento era infalível: eu mesmo não andava muito contido — perdia a linha em noitadas na The Week, entupido com as bebidas mais caras e com as melhores drogas que o Rio de Janeiro já vendeu. Foi nessa época que provei cocaína e MDMA pela primeira vez e tive acesso ao mundo-maravilhoso-da-fissura, o que ajudava a esquecer tudo o que fizemos para chegar até ali e o que continuamos a fazer para sustentar nossa vidinha perfeita.

Os jantares não paravam de crescer. Umberto foi ganhando confiança no meu trabalho e nem sempre aparecia. Alegava compromissos e encontros de negócios, mas eu sentia que o velho escondia algo mais grave. Ele e Cecília acabaram brigando, e ela fez questão de me avisar que não o representava mais. Ainda assim, a advogada magricela continuou a comparecer fielmente aos jantares ao menos uma vez por mês, devorando com sofreguidão as fatias de filé.

A essa altura, você deve estar se perguntando se eu nunca provei a carne de gaivota. Não é difícil imaginar que a curiosidade crescia em mim a cada jantar, a cada epifania dos comensais, a cada elogio emocionado que Hugo recebia. Eu observava os cortes sendo servidos, cobertos por molhos, enfeitados por ervas e tomatinhos, com aromas inebriantes e sempre convidativos. A vontade de comer era enorme, claro. Então, eu me lembrava dos corpos que abasteciam os eventos, do rosto das pessoas mortas, e perdia totalmente o apetite.

Foi numa noite no final de novembro que provei. Já era madrugada, e eu estava na sala de estar da mansão após ter desfeito a mesa com a ajuda de Cora. Havia duas garrafas com restos de vinho e ela sugeriu que bebêssemos antes de voltar para o apartamento — tinha brigado com Leitão e queria fazer um charme. Aceitei.

Jogamos conversa fora por horas, brincamos de imitações — Cora era uma mestra — e falamos sobre sexo, família, amores e comida. Cora se levantou para ir ao banheiro e voltou minutos depois, trançando as pernas. Deixou na mesinha ao meu lado um prato com um ojo de bife de gaivota ao molho de cogumelos frescos que havia sobrado do jantar.

"Encontrei na cozinha", ela disse. "Prova."

Olhei para o prato. Um cheiro gostoso de alecrim e gordura subiu pelas minhas fossas nasais e senti minha boca se encher de saliva.

"Melhor não."

"Vai logo, Dante. Só tem a gente aqui", Cora insistiu. "É sua obrigação saber o que tá vendendo... Prova!"

Sem pensar muito, cortei um pedaço e pus na boca. Mastiguei devagar, espremendo todo o suco da carne com a língua, enquanto as papilas captavam cada nuance de sabor. Rapidamente, um langor desconhecido dominou toda a minha boca, desde as bochechas até o palato, e meu corpo relaxou de prazer, implorando por mais. Sem dúvida, era a carne mais deliciosa que eu já havia comido na vida. Mordi mais um pedaço. E mais outro.

Só parei, largando garfo e faca, quando me lembrei de onde conhecia aquele sabor: era idêntico ao do rosbife que não me saía da cabeça, servido na casa de Umberto. *Não... Não pode ser...*

Cora até tentou me acalmar, mas não teve jeito. Sozinho, peguei um Uber e fui para casa, transtornado em pensamentos, mas ainda inebriado pelo gosto. Hugo provavelmente sabia que aquele prato na casa de Umberto não era rosbife de porco e devia ter me contado. Não tinha o direito de esconder isso de mim.

Entrei no apartamento cheio de ódio e tive um déjà-vu: espalhados no sofá, meus amigos tinham os olhos vidrados no velho de terno e gravata no centro da sala. Avancei na direção de Umberto, pronto para brigar, mas me contive quando ele virou para mim. Tinha os ombros curvados, o olhar desesperado e até a gravata-borboleta — listrada de azul-marinho e vermelho — estava amassada. Eu nunca o tinha visto tão vulnerável.

"O que tá acontecendo?", perguntei.

"Isso", ele disse, e me estendeu seu celular com uma página do Instagram aberta. "Nosso negócio vazou, Dante."

Vladimir

1

A foto no Instagram foi o começo do caos. Postada pelo usuário @kassio_kolks há oito horas, ela mostrava um prato servido em um dos jantares secretos, com a carne grelhada acompanhada de legumes salteados. Abaixo, vinha a sequência de hashtags: #jantarsecreto #topsecret #carnehumana #humanos #melhorjantar #quedelícia #queromais. Impossível ser mais indiscreto. Para nosso desespero, a postagem já contava com mais de duzentas curtidas e treze comentários de pessoas horrorizadas perguntando se era mesmo carne humana e de outras curiosas querendo saber se era gostoso.

Trêmulo, Umberto explicou que havia recebido aquele link por e-mail de um usuário desconhecido, e cobrou de Leitão uma solução imediata. Diante de seu Mac, o gordo suava em bicas, digitando freneticamente e abrindo acessos criptografados para tentar destruir o link. A foto não parava de ser curtida e comentada, e o risco maior era que se alastrasse. A internet é um inferno:

você apaga uma informação, mas no mesmo segundo ela ressurge em outros cem lugares; links são compartilhados na velocidade da luz, impossíveis de controlar.

Miguel andava de um lado para o outro, limpando as lentes dos óculos na barra da camisa.

"Sabia que isso ia acontecer, falei pra gente desistir!", ele repetia. "Não dá pra continuar com os jantares! Acabou!"

Ele estava certo, as coisas tinham saído do controle. Era o fim da nossa mina de ouro e não havia nada que pudéssemos fazer. Fui ao banheiro engolir dois comprimidos de Rivotril. Entreguei outro para ele. Mencionar o rosbife servido por Umberto só pioraria as coisas, Miguel surtaria, talvez fosse até a polícia. Melhor brigar depois, quando o clima estivesse menos pesado.

"Leitão, você vai conseguir resolver isso, não vai?", Umberto insistiu.

"Me deixa trabalhar. Tô fazendo meu melhor."

Pela expressão do gordo, percebi que a situação não era tão simples de resolver. As horas seguintes foram uma merda, levadas na base de Red Bull, café e coca-cola, com todos desconfiados, irritadiços e neuróticos, esperando que a qualquer momento a polícia batesse à porta para destruir nosso castelinho de areia. Hugo não parava de mexer no celular, acessando sites de busca para confirmar que a imagem não havia viralizado.

"Ainda tem esperança", ele disse, mais para si mesmo.

Umberto se enxugava com seu lencinho encardido e sumia pelo corredor de tempos em tempos para falar ao telefone. Pesquei pedaços de conversa e tive a impressão de que a pessoa do outro lado da linha lhe dava umas broncas. Umberto dizia "Desculpa, vou resolver, desculpa" e voltava para a sala ainda mais abatido, jogando-se no sofá e pondo os olhos cheios de expectativa em Leitão. Achei aquilo estranho, mas não era hora de exigir satisfações.

"A culpa é sua, Dante", o velho disse, quando parecíamos engolidos por um silêncio fúnebre. "A responsabilidade dos jantares era sua! Como você deixa alguém tirar uma foto dessas?"

"Não sei como aconteceu. Uma falha na segurança, com certeza."

"Você é um incompetente! Tô engolindo muito sapo por sua causa!"

"Vai se foder", respondi.

Fui buscar um copo d'água na cozinha. Sentado na banqueta, confirmei minhas suspeitas: o usuário @kassio_kolks era Kássio Gheler. Kássio continuara a frequentar nossos jantares só para se vingar do que eu tinha feito com ele e o namorado no primeiro jantar. Completamente pilhado, voltei para a sala. Por um instante, desejei ter só um cristalzinho de MDMA em casa para poder pirar de vez e me esquecer de tudo. Mas não tinha.

"Já tentei várias coisas, não adianta", Leitão disse. Ele deu um bocejo, deixando o MacBook de lado. Trabalhava havia mais de quatro horas naquilo e fedia como nunca. "Preciso descansar um pouco."

"Não temos tempo pra isso!", o velho esperneou. Sua superioridade escorria pelo ralo. Nem seus trejeitos nem seu discurso floreado conseguiam mais esconder que ele estava se borrando de medo. "Isso é muito sério. Se a gente não resolver, estamos fodidos! Não só eu, mas todos! Fodidos!"

Naquele momento, não entendi muito bem o horror em sua voz. Se ele era tão respeitado e poderoso, temia exatamente o quê? A repercussão pública ou a investigação policial? Umberto revelava um lado covarde que era inédito para nós.

Mais uma vez, seu telefone tocou e ele levantou assustado, seguindo imediatamente para o corredor. Aproximei-me para escutar a conversa.

"Sim, claro... É com 'ch'? Ótimo! Eu garanto. Estou falando que garanto! O Vladimir não vai mais se aborrecer com isso. Agradece a ele, sim?"

Ele desligou o celular e me flagrou ali.

"Tô tentando consertar sua cagada", disse, recuperando o ar superior que tanto me incomodava. Então voltou para a sala. "Consegui a senha do perfil do sujeito."

Leitão fumava um cigarrinho de maconha na janela.

"Como é?"

"A senha do tal @kassio_kolks. É 'trapiche66'", ele disse. "Entra no perfil, apaga a foto e, por favor, tenta confirmar que isso não foi divulgado em nenhum outro lugar."

"Tudo bem."

Leitão voltou ao computador.

"Como você conseguiu a senha?"

"Meus homens arranjaram o endereço de quem postou a foto", Umberto disse. "Deram um susto no sujeito. Não foi muito difícil."

Miguel e Hugo ficaram ao lado de Leitão enquanto ele acessava telas escuras, repletas de caracteres, e digitava sequências de números e letras para ter certeza de que a foto não tinha se multiplicado em outros sites. Umberto desapareceu mais uma vez pelo corredor. Aproveitei o momento para ir atrás dele e puxá-lo pelo braço.

"Quem é Vladimir?", perguntei.

Seu rosto empalideceu:

"Do que você tá falando?"

"Te escutei no telefone. Quem é Vladimir?"

"Não interessa."

"Se não me falar agora, volto pra sala e conto pra todo mundo que você serviu carne humana na sua casa sem a gente saber."

Ele não se abalou. Abriu um sorriso largo:

"Vai mesmo brigar por isso?"

“Você é um escroto.”

“As pessoas dizem que a carne de gaivota tem o sabor parecido com a do porco, mas acho um erro. A gaivota é muito mais exótica e surpreendente. Achei que vocês notariam a diferença na hora.”

“Me diz quem é Vladimir.”

“O novo sócio.”

“Novo sócio?”

Naquele instante, não captei a real dimensão de Vladimir e do poder que ele exercia sobre todos nós. Estava tão irritado que não conseguia pensar direito.

“Digamos que é um sócio oculto”, Umberto disse.

“Foi ele que conseguiu encontrar o Kássio e pegar a senha, não foi? Ouvi você no telefone.”

“Você faz perguntas demais, garoto.”

“E o que vão fazer com o cara? E se ele for à polícia?”

“Não se preocupa, Vladimir vai cuidar disso”, ele respondeu. “Quer meu conselho? Faça seu trabalho direito pra que merdas como essa não aconteçam de novo. A gente cuida do resto.”

Umberto se aproximou dos meus amigos, agradeceu ao Leitão pela ajuda e se despediu, dizendo que havia sido só um susto. Tive que tomar mais dois comprimidos para conseguir dormir e continuei na fome por um MDMA ou por uma carreirinha. Kássio nunca mais apareceu em nenhum dos jantares. Meses depois, tentei descobrir o que havia acontecido com ele. Seu endereço de e-mail tinha mudado e ele não estava mais nas redes sociais. Pedi a Leitão que me ajudasse a descobrir onde morava ou qual era seu telefone, mas o gordo só conseguiu confirmar que o cara tinha mudado de endereço e de número.

Em resumo, Kássio havia sumido do mapa.

2

Aos poucos, tudo voltou a ser como antes. Com a virada do ano, passamos a fazer três jantares secretos por semana (às quartas, sextas e sábados), para atender mais depressa à demanda das listas de espera. Nas quartas de manhã, semana sim, semana não, cinco corpos eram trazidos pelos sujeitos que trabalhavam para Umberto. Eu até tentava puxar assunto com eles e tornar a relação mais pessoal, mas eles eram quietos, taciturnos e se limitavam a cumprir o serviço, deixando os corpos no quarto dos fundos e indo embora.

Acabei adquirindo o hábito de ficar ali examinando os mortos, suas histórias enterradas, seus passados despersonalizados, enquanto Cora se trocava. Eles eram trazidos das formas mais variadas possíveis — sem membros, sem pele, cortados ao meio, às vezes sem cabeça, já dessangrados, quase sempre sem órgãos.

"Quando possível, peço pra tirarem logo tudo, pra não impressionar vocês", Umberto me disse, certa vez. Ele não fazia ideia de que um corpo pela metade ou sem os braços podia ser muito mais chocante.

De todo modo, é como acontece com os médicos de hospital público. Chega uma hora em que a morte faz parte da agenda semanal, e pacientes com a cabeça estourada ou sem partes do corpo são tão rotineiros quanto pão no café da manhã. A cada dia, me incomodava menos não saber quem eram aquelas pessoas, de onde vinham e como tinham morrido. É como um mecanismo de defesa, um instinto de sobrevivência para te impedir de enlouquecer. No fim das contas, é loucura.

Cora trabalhava mais do que nunca com sua motosserra amarela enfeitada de adesivos e avançava nas investigações do corpo humano. Certa noite, enquanto dividíamos uma garrafa de vinho que sobrara de um jantar de sábado, ela me passou suas conclusões.

"É como montar um carro. Só que ao contrário", disse.

E logo explicou que a picanha do homem fica na altura da cintura, na região lateral do abdômen, quase chegando aos glúteos, onde também se encontra a alcatra. O filé-mignon é retirado próximo às costelas ou do músculo posterior da coxa, e é tão macio quanto o mignon bovino, principalmente em pessoas que praticam pouco exercício. Os obesos têm gordura amarela em excesso, mas são melhores do que os muito magros ou musculosos, cuja carne é mais dura e cujos músculos são esponjosos e fibrosos.

"Esses caras bombados não servem nem pra comer", Cora disse, com cara de nojo, enquanto se servia de mais vinho.

Negros e brancos têm o mesmo sabor, mas estrangeiros e brasileiros não — o terroir e a água consumida criam particularidades na carne. Sem dúvida, a carne da mulher é mais gostosa do que a do homem devido ao maior percentual de gordura. Além disso, o melhor corte de todos só existe nelas: os seios, cuja carne é marmorizada, com gordura entremeada, bem macia — uma verdadeira iguaria. Naquela época, quase metade dos corpos que chegavam eram de mulheres negras gordinhas.

Cora retirava a picanha, o miolo de alcatra, a maminha, o contrafilé e o filé-mignon. Selecionados os cortes, ela os pesava e separava em porções de trezentos gramas. Dez eram levados à cozinha, onde Hugo os temperava para o jantar da noite; os demais eram etiquetados e refrigerados para os jantares seguintes. Normalmente, durava até a outra semana. Antes de ir embora da casa, no fim da tarde, Cora ensacava os restos mortais que seriam cremados.

Na cozinha, Hugo continuava a experimentar combinações, determinando o preparo de acordo com o corte do dia. Além das picanhas e dos filés-mignons, que servia grelhados ou assados, sempre acompanhados de molho, o chef também dava atenção às carnes menos nobres, como as bochechas, a língua, o carré e a palheta, retirada dos ombros. Para surpresa geral, apesar da pouca carne, o pênis tinha sabor intenso, devido ao tecido cavernoso que absorvia as marinadas e era excelente para fazer assados, enquanto os testículos eram considerados afrodisíacos.

Como entrada, ele preparava ossobucos com a canela e a panturrilha, terrines com o fígado, miolos fritos à milanesa e rins ensopados ou como recheio de tortas de massa folheada. Apesar de duros, os músculos das costas se prestavam para cocções longas, ficando suculentos e cheios de sabor. O tutano dos ossos, retirado da coluna vertebral ou dos ossos longos das pernas, também era aproveitado: virava caldo, jus, redução ou molho. A pele frita ficava deliciosamente crocante e a barriga quando curada, salgada ou defumada chegava ao divino sabor do bacon.

Independentemente do preparo, os clientes ficavam satisfeitos e impressionados, em especial os que tinham a experiência pela primeira vez. Miguel continuava a reclamar que aquele dinheiro era sujo, mas usava a grana para pagar o tratamento do câncer da mãe. No final do ano, ela até deixou de trabalhar com meus pais para morar em Curitiba. Segundo os médicos, dona Mirtes vinha melhorando, o que mantinha Miguel calado.

Seu namoro com Rachel não durou muito tempo depois que a frequência dos jantares aumentou. Esperta e dissimulada, ela logo desconfiou dos ganhos de Miguel e voltou a pressioná-lo. A briga foi feia. A suspeita dela era perigosa demais, e ele preferiu terminar o namoro.

"A Rachel nunca ia entender", ele me disse, arrasado.

Não ia mesmo. Tentei consolá-lo, dizendo que havia feito a coisa certa, mas ele não parava de chorar. Retirou os óculos, deitou no meu colo e se encolheu, trêmulo como um bebê na chuva.

"Dante, eu sempre fui contra...", ele disse, enxugando o rosto. "Desde o início, me opus a esses jantares de carne humana... Vocês me obrigaram!"

"Não fica assim."

"Tô preocupado. Você tá cada dia mais drogado, fora de controle."

Saí de perto dele. É verdade que eu tinha passado a cheirar cocaína uma vez ou outra e tomava MDMA quando me sentia muito deprê, mas isso não afetava em nada meu desempenho. Tinha o completo controle da situação, não era um viciado.

"Por que continua fazendo esses jantares?", ele insistiu. "Não é mais pelo dinheiro, né?"

"O quê?"

"Você gosta!"

"Vai à merda, Miguel!"

"Desculpa, eu... Só tô confuso, sinto que fui forçado por vocês a fazer tudo."

"A gente tava no sufoco, cara!"

"Tenho medo do que pode acontecer", ele me disse, enquanto as lágrimas rolavam. Miguel levantou e me encarou com seus olhos vermelhos. "Promete que não vamos virar uns monstros, Dante. Promete."

Eu prometi.

3

Desde a noite da maldita foto no Instagram, Vladimir era como uma sombra, um assunto em suspenso, que vez ou outra voltava a me atormentar, mas de que eu logo me esquecia, tomado de obrigações ou chapado demais para pensar em qualquer coisa.

A segunda vez em que ouvi falar dele foi com Cecília. Mesmo brigada com Umberto, a advogada magricela com traços de cavalo continuava a frequentar os jantares, comia toda a carne e raspava o prato. Então, me acenava com as mãos trêmulas e o sorriso débil de satisfação. Ela definhava diante de nós, bebia todas e incomodava os outros convidados. Umberto não gostava nem um pouco da presença dela, mas não podia fazer nada. Cecília sabia demais.

Em março, tomei coragem de falar com ela. No final da refeição, enquanto os outros convidados se ocupavam da sobremesa e dos licores, maravilhados com a terrine de gaivota curada com aspargos glaceados e torradas de brioche servida naquela noite, sem a menor pressa de irem embora, peguei Cecília pelo braço de graveto e a levei até um canto.

"Olha o que você tá fazendo! Por que insiste em voltar aqui?"

"Me solta! Eu vou gritar!"

Ela fedia a uísque.

"Por favor, Cecília, vai embora."

"Você se acha muito esperto. Mas é um otário, um cego! Vladimir é quem manda..."

Aquele nome fez soar um alarme no meu cérebro. Cecília percebeu minha expressão de surpresa e soltou um risinho embriagado:

"Você não sabia, não é? Desde o início, Vladimir é o chefe."

"Desde o início?"

"Umberto é só um fantoche, um laranja que obedece ordens. E você é outro brinquedinho dele, Dante, o fantoche júnior..."

"Vai embora, Cecília!"

"O Umberto treme todo de medo dele", ela disse, tropeçando nos próprios pés. "Vladimir..."

Ela tinha os olhos caídos, o corpo torto, mas parecia muito certa do que dizia. Senti meu coração ser tomado por uma carga elétrica. Tudo fazia sentido: Vladimir não era nenhum novo sócio, como Umberto havia dito, mas o cérebro por trás daqueles jantares. Isso explicava como o velho vivia naquele apartamento caindo aos pedaços, mas conseguira comprar um carro e entregar oitenta mil reais para nós antes do primeiro jantar. A resposta era Vladimir. Eu me sentia um idiota por não ter enxergado o óbvio antes.

"Vladimir de quê?", insisti.

"Eu não sei", ela disse, soluçando. "Ninguém sabe."

Sacudiu o braço, afastando-se de mim. Na área externa, chamou um dos motoristas, colocou a venda nos olhos e entrou no carro para ser levada para casa.

4

No dia seguinte, liguei muitas vezes para o celular de Umberto, mas ele só me retornou no fim da tarde. Marcamos um encontro em um restaurante tailandês do Leblon, onde eu tinha certeza do tipo de carne que iam me servir. Quando cheguei, ele já estava me esperando, enquanto bebericava um martíni de lichia. Sentei sem apertar sua mão e fui direto ao assunto:

"Você mentiu sobre o Vladimir."

"O quê?"

Umberto quase engasgou. Ajeitou-se na cadeira, afrouxando o nó da gravata-borboleta vermelha. Fez sinal ao garçom e pediu uma dose de uísque, mesmo sem ter terminado sua bebida. Então, voltou a me encarar.

"Ele não é o novo sócio, mas o velho sócio, certo?"

"Dante, aceitei esse jantar pra falar de coisas boas. Não estou aqui pra brigar."

"Só quero saber a verdade. Quem é Vladimir?"

"Meses depois e você ainda insiste nesse assunto… Por favor!", ele disse, deixando escapar um agudo incomum para sua voz de locutor. "É melhor você e seus amigos não se meterem. Essa história não é pra vocês..."

"*Não é pra nós*? A gente tem uma sociedade!"

O uísque foi servido e Umberto bebeu toda a dose de uma só golada. Fez um som com os lábios, remexendo na toalha de mesa com os dedos tensos. Olhou para os lados, antes de sussurrar:

"Não adianta, não posso te contar muito."

"Me fala ou saio daqui e passo na delegacia mais próxima."

"Você não é louco de fazer isso. Escuta o que vou dizer, Dante: vocês têm uma boa grana pra receber, acumulada dos últimos jantares. Não posso depositar na sua conta, a Receita Federal vai acabar estranhando. A tendência é que a gente ganhe mais a cada dia, vocês precisam dar um jeito de lavar esse dinheiro... Eu faço isso pela produtora de cinema, a UMM Company. Vocês precisam de algum negócio de fachada, de preferência na área da cultura, onde a fiscalização é menor."

"Não adianta mudar de assunto, Umberto. Me conta ou tô fora do negócio."

Um medo muito íntimo o impedia de dar o próximo passo.

"Vladimir ajudou a ampliar os jantares, é verdade", o velho se rendeu, finalmente.

"Foi ele quem interrompeu a investigação da polícia?"

"Sim... É um sujeito influente, mas discreto. Faz questão que ninguém saiba de sua existência; nem você nem seus amigos. Por favor, não diz que eu contei."

"Quanto ele ganha nisso tudo?"

"Oitenta por cento da minha parte. Não quero falar mais. Vocês não têm nada a ver com isso."

"Preciso conhecer esse cara."

"Você não tá entendendo. Vladimir é um homem perigoso, Dante." Havia um horror sincero em sua voz. "Continua a fazer os jantares, ganha seu dinheirinho e esquece isso. Esquece o que te contei e nem comenta com seus amigos. Tô falando pro bem de vocês todos. E pro meu também. Com licença, perdi o apetite."

Umberto deixou duas notas de cem reais sobre a mesa e foi embora sem olhar para trás.

5

Peguei um táxi na rua do restaurante e desci na praia de Copacabana, na altura do posto dois. Eu me sentia observado, como se perseguido por uma entidade fantasma. Olhei ao redor. Ninguém. Era madrugada e a rua estava deserta, com exceção de alguns mendigos caídos na escuridão. Eu não queria voltar imediatamente para casa e decidi andar a esmo, o que sempre me ajudava a pensar. Havia muita coisa em jogo. Eu não podia me dar o luxo de tomar a decisão errada. Na avenida Atlântica, um ou dois bares estavam cheios de gringos, com o samba rolando solto e algumas putas se oferecendo entre os carros. Até pensei em entrar num daqueles inferninhos com luzes neon e pedir um drinque, mas a sensação ruim ainda me assombrava, cada vez mais próxima, mais *física*. Voltei logo para casa.

Cora estava de camisola, deitada no sofá da sala. Sob a luz do abajur, escrevia distraidamente em seu caderninho enquanto escutava Gal Costa cantar "Como dois e dois" no iPhone. Antes de falar com ela, busquei um copo d'água na cozinha e encarei meu reflexo na tela escura do celular. Não queria que percebesse nada estranho em mim.

"Onde você tava?"

"Saí pra jantar com um amigo."

"Aham, saiu pra jantar *com um amigo* ou pra jantar *o amigo*?"

"Não estou com cabeça pra piada, Cora."

"Ih, já vi que não prestou... Quer conversar?"

Eu não queria. Mudei de assunto.

"O que você tá fazendo?"

Sentei ao seu lado e, como sempre, ela deitou a cabeça no meu colo.

"Criando poesia", ela respondeu, e me entregou seu caderninho de anotações. "A madrugada me inspira."

Passei os olhos pelas folhas do caderno, sua letra era bonita, bem desenhada, com "as" e "os" redondos. As rimas continuavam pobres, combinando verbos no infinitivo e assuntos de mau gosto.

Certa vez, num banheiro público, havia um poema:

"*Nessa vida*

Poucas são as verdades

Às vezes é melhor dar o cu que a intimidade."

"Você não gosta das minhas poesias, né?", ela me perguntou.

"Claro que gosto... Por que acha isso?"

"Você nunca elogiou."

"Não distribuo elogios por aí", respondi, bancando o difícil. "Mas torço pra perceberem seu talento um dia e te publicarem."

Ela sorriu, a esperança inundando seus olhos, e me mandou um beijo no ar. Naquele instante, vendo Cora deitada com os cabelos macios caindo nas minhas coxas enquanto Gal cantava acompanhada de uma percussão ritmada, me veio a ideia. Lembrei-me de Umberto falando dos quinhentos mil reais que tinha para nos entregar e da necessidade de lavar o dinheiro. Parecia perfeito! Fiquei tão animado que pedi licença e levantei do sofá para pensar melhor.

"Nós vamos publicar, Cora", eu disse.

Ela se levantou também e desligou a música.

"Como é?"

"Quantos livros você já escreveu?"

"Uns cinco."

"Ótimo! Vamos abrir uma editora de e-books e publicar seus poemas!"

Cora correu na minha direção, me abraçou e me deu um selinho. Depois se afastou e acordou a casa toda para contar a novidade. Fez questão de reunir todo mundo na sala e pediu que eu explicasse minha ideia. Eu nunca a tinha visto tão feliz, nem na festa do barco. Todos concordaram que era uma boa solução para lavar o dinheiro recebido nos jantares secretos.

Naquela semana mesmo, dei entrada com a papelada para criar a Editora Carne de Gaivota, especializada na publicação de e-books. Além de obras em domínio público, só publicaríamos mesmo as poesias de Cora. A ideia não era vender e-books, e sim *fingir* vender e-books, mas ela pouco se importava com isso. Estava tão orgulhosa de si mesma que a partir daí não houve um dia sequer em que não gritasse aos quatro cantos que *finalmente* era uma autora publicada.

6

Leitão ficou responsável por fazer o site da editora Carne de Gaivota e por criar um programa em que os e-books fossem automaticamente vendidos a usuários-fantasma. Segundo ele, havia um padrão supercomplexo de compra, de modo que era impossível rastrear a fraude. Os jantares continuavam a fazer sucesso e a calmaria estava de volta: Cecília havia sumido dos eventos, e os convidados respeitavam as regras e saíam satisfeitos, invariavelmente solicitando a entrada em uma nova lista de espera.

Por vezes, me atormentava pensar em Vladimir e saber que ele fazia parte daquilo tudo sem aparecer, mas, no fim das contas, acabei concluindo que Umberto estava certo. O melhor mesmo era esquecer aquela história e não contar nada aos meus amigos.

Nós estávamos mais felizes do que nunca, não estávamos? Eu ganhava mais dinheiro do que qualquer sujeito na minha idade, Hugo se sentia o maior chef do mundo, Cora e Leitão viviam sua fábula de amor e até Miguel tinha dado a volta por cima depois do término com Rachel e comemorava a recuperação inesperada de dona Mirtes. Se Vladimir mandava ou não em Umberto, se ele controlava tudo, o que isso tinha a ver comigo? Às vezes, a ignorância é, sim, uma bênção.

No dia 26 de maio, meu aniversário, resolvi fazer uma comemoração discreta no bar Inhangá, lá perto de casa. Era uma quinta-feira quente e o bar estava lotado por causa do feriado de Corpus Christi, com muitas mesas espalhadas pela pracinha próxima à estação de metrô Cardeal Arcoverde. Eu, Miguel, Hugo, Leitão e Cora pedimos cervejas e pizzas, brindando a nada específico e cantando músicas de caraoquê enquanto batucávamos com os talheres nos pratos. Quando já faltava pouco para meia-noite, Cora subiu na cadeira e começou a declamar suas poesias, fazendo gestos expansivos e mostrando os peitos. Caímos na gargalhada.

Lembro-me claramente do que eu estava fazendo quando vi Arthur pela primeira vez. Depois de tanto rir, eu enxugava minhas lágrimas com o guardanapo, enquanto Cora continuava a fazer palhaçadas. Arthur era um homem bonito, com barba feita e corpo magro, mas agora penso que foi sua decadência que chamou minha atenção. Ele caminhava desolado entre as mesas, distribuindo cartazes com as mãos trêmulas e os olhos inchados. Nossa alegria era quase ofensiva diante de tanta dor. Quando ele se aproximou de nós, percebi a energia pesada que carregava sobre os ombros curvados.

"Desculpa atrapalhar a noite de vocês", ele disse, num fio de voz. "Meu nome é Arthur. Minha noiva, Ruth, desapareceu na última terça-feira. Saiu pra caminhar na orla da praia e não voltou. Se vocês tiverem visto…"

Ele se interrompeu, prestes a chorar na nossa frente. Estendeu-me o cartaz com a foto da mulher desaparecida e seguiu para a mesa seguinte, sem esperanças. Ao olhar para o cartaz, larguei o copo de cerveja e vomitei sobre a mesa. Até tentei disfarçar, forjei um mal-estar, mas eu sabia que nunca mais esqueceria aquele rosto. Era a mulher que tínhamos servido no último jantar.

O inferno de Dante

1

Naquela noite, não dormi nem quis falar com ninguém. Tranquei-me no quarto, debaixo das cobertas. Cora até bateu na porta, mas não atendi. Olhando fixamente para o sorriso da mulher na foto do cartaz, eu me sentia seco, sem o direito de chorar. Dois dias antes, quando seu corpo chegara à casa do Jardim Botânico, eu a tinha observado por pouco tempo, pois Cora logo aparecera carregando sua motosserra amarelo-ovo e vestindo o macacão branco, que já começava a adquirir uma leve tonalidade rósea.

Ruth tinha o peito rasgado até a altura da base do pescoço, e lembro-me de ter pensado antes de sair do quartinho que o vermelho forte do sangue no abdômen combinava com seus cabelos. Agora, aquilo me parecia vulgar diante da angústia do noivo viúvo. Cogitei buscar o orelhão mais próximo e fazer uma ligação anônima, pedir desculpas a ele e contar que Ruth estava morta. Sabia que alimentar esperanças era bem mais doloroso do que revelar a verdade; mas acabei desistindo de buscar redenções no calor do momento. Era arriscado demais.

Assim que a sexta-feira amanheceu, tomei um banho rápido. Sem deixar que a água quente baixasse minha adrenalina, vesti calça jeans e camisa larga de cor escura, escondi uma faca de cozinha nas costas, na altura da cintura, e caminhei três quadras até a entrada principal do Edifício Chopin. O porteiro interfonou para o apartamento de Umberto, que autorizou minha subida. Tomei o elevador e uma empregada de avental me conduziu até a sala.

Vestindo robe de seda e pantufas, o velho estava sentado em sua *chaise longue* com vista para a praia de Copacabana. Ao lado, em uma mesinha, havia um suco de cor amarela com um canudinho verde. Ele se levantou rapidamente, fechando o robe para me cumprimentar.

"Dante, querido, a que devo a honra?"

"Você é um filho da puta", eu disse, enfiando um soco na cara dele. Umberto caiu sobre a cadeira. Apoiado no encosto, olhou para os lados, buscando pela empregada, mas ela já tinha ido para dentro. Peguei-o pela gola do robe e esfreguei o cartaz na cara dele. "Me explica! Me explica isso!"

Ele passeou os olhos apáticos pela imagem e pelas letras do cartaz:

"Como assim? Não tem nada pra explicar."

"Foi essa mulher que a gente cozinhou na última quarta-feira, Umberto. Foi ela!"

"E daí?"

"Me explica como o corpo dessa Ruth veio do crematório se o noivo está atrás dela."

"Não sei, Dante."

"Ela foi pra praia e não voltou! Vocês mataram essa mulher? Responde!"

Umberto soltou um risinho insuportável, esgarçando a boca, que sangrava. Estava ofegante. Os fios longos que tentavam esconder a careca tinham sido bagunçados e formavam tufos no alto da cabeça de um jeito patético.

"O negócio cresceu, não consigo controlar", ele disse, como se cuspisse as palavras. Sua respiração lembrava a de um asmático. "Entramos num ritmo de produção industrial, atuamos em vários nichos, não só nos jantares."

"Vários nichos? Que merda você tá falando?"

Peguei a faca escondida nas costas. Empurrei Umberto até o janelão e o fiz se ajoelhar, encostando a faca em seu pescoço. Ele ergueu os braços em sinal de rendição:

"Não adianta me matar... É impossível parar agora."

Não havia qualquer sinal de medo em sua voz, mesmo com a faca afiada a centímetros da jugular. Ficamos assim por alguns segundos. Como eu não disse nada, ele se sentiu impelido a continuar:

"Só cumpro ordens, Dante. Vai dizer que acreditou nessa história de crematório? Acha mesmo que assim daríamos conta de três jantares por semana? É como pensar que bois de propriedades familiares vão sustentar o consumo mundial! A gente precisa da indústria, querido."

"Vocês estão matando as pessoas?"

"Esquece isso", ele disse, segurando delicadamente meu braço, que empunhava a faca. "Você não seria capaz de..."

Pressionei a lâmina um pouco mais.

"Fala! Fala logo, seu fascista! Ou acabo com você aqui mesmo. Não tô nem aí se vou ser preso."

"Melhor você não saber de nada, Dante... É pro seu bem."

Fiz um pequeno furo em sua pele, deixando o fio de sangue escorrer pelo pescoço até manchar o robe. Eu não estava disposto a seguir adiante, mas esperava que aquele corte fosse suficiente para o velho entregar o jogo. Umberto colheu o sangue com o indicador e o provou.

"É gostoso", disse, e fechou os olhos, como se esperasse o carrasco terminar o serviço. "Você sempre soube que essas pessoas eram assassinadas, mas preferia acreditar na historinha que inventei. Era uma ignorância intencional, Dante, uma inconsciência consciente, porque participar do negócio te dava o dinheiro que você sempre quis."

A faca tremia na minha mão. Por um instante, pude ver seu pescoço jorrando litros de sangue como o corpo do primeiro sujeito que destrinchamos.

"Vai, me mata!", ele insistiu.

Minha coragem tinha ido embora. Baixei a faca, esgotado.

"Eu não sabia! Não tinha ideia de que as pessoas estavam sendo assassinadas!"

"Não precisa se condenar, garoto. Essa é a mesma ignorância que faz com que você não mate um bicho, mas coma a carne dele disponível no mercado. A gente vive com uma dieta inconsistente, suavizada pelo sabor. Temos pena do porquinho e da vaquinha, mas adoramos um bom bife ancho. Meu pai já dizia que a beleza sempre ocorre no particular, enquanto a crueldade prefere a abstração. Ele estava certo. Você pode me matar agora, se quiser. Mas Vladimir não vai gostar nada de saber o que fez."

"Não tenho medo dele."

"Deveria", Umberto disse, tirando minha mão de seu pescoço. Ele estendeu o braço, como quem pede ajuda para se levantar. "Vladimir sabe tudo sobre você e seus amigos, sua vida em Pingo d'Água, seus pais, sua família..."

Deixei-me cair na cadeira, sem ver saída.

"Você é louco, é um selvagem!"

"Comer carne, qualquer carne, é selvagem, eu sei, mas não

há nenhum problema nisso. Somos mesmo bárbaros", ele disse, ajeitando o robe e alisando os fios de cabelo sobre a careca.

"Onde vocês conseguem tanta carne, Umberto? Eu quero saber!"

Ele suspirou, com ar de pena.

"Acho que não há necessidade de segredos entre a gente, Dante. Se quer mesmo saber, vou me trocar e te levo lá. É bom que esteja preparado."

2

Pensando a respeito, me senti um tanto ridículo e inconsequente por ter abordado Umberto sem avisar meus amigos. Esse era o tipo de erro imperdoável dos filmes de terror: ir atrás do assassino sem avisar ninguém. Por isso, quando o velho sumiu pelo corredor, mandei uma mensagem no grupo do WhatsApp: *Vim falar com o Umberto. Se alguma coisa acontecer, vocês já sabem*. Devolvi o celular ao bolso, sentindo as pontadas na cabeça aumentarem. Diante de mim, eu via os rostos das pessoas servidas nos jantares dos últimos meses... Mulheres magras, homens gordos, pessoas de idades variadas, senhores com cara de ricos e jovens com traços sonhadores... *Meu Deus*... Todas aquelas pessoas tinham sido assassinadas. Como? Por quem?

O apito do celular me trouxe de volta. Eu não tinha a menor vontade de falar com Miguel, mas recusar a chamada poderia ser pior.

"Dante, tá tudo bem com você?"

"Tá."

"Vi o que você mandou... Sai daí agora!", ele disse, chorando. "Esse pessoal é perigoso! Descobri que aquele rosbife não era de porco. Era carne humana, cara! A gente precisa ir na polícia!"

"Miguel, não faz nada. Eu…"

Minha vontade era de chorar também, mas então Umberto entrou na sala, vestindo calça social bege e camisa social azul-marinho. A gravata-borboleta era mais discreta desta vez, bege também.

"Preciso desligar."

Devolvi o celular ao bolso, disfarçando a tensão.

"Algum problema?"

"Nada, só minha mãe. Vamos?"

Umberto abriu caminho, fazendo sinal para que eu seguisse na frente. Descemos o elevador em silêncio e caminhamos até os fundos do prédio, saindo pela avenida Nossa Senhora de Copacabana.

"Vamos no seu carro", ele disse. "Mas eu dirijo."

Eu ainda estava atordoado, e minha consciência me impelia a reagir, mas não sabia exatamente como. Sem reclamar, me sentei no banco do carona. Antes de dar a partida, Umberto retirou do bolso uma venda e me estendeu.

"Por favor, não se oponha", disse. "Questões de segurança."

Coloquei o negócio e deitei a cabeça no encosto, mergulhado na escuridão, mas determinado a memorizar o caminho de alguma forma. Pegamos um bom trânsito de início. Os vidros fechados me impediram de chegar a maiores conclusões sobre o trajeto: havia muitos semáforos e viradas à esquerda e à direita. Então, finalmente, entramos no que parecia ser uma via expressa — o Aterro do Flamengo? A Linha Vermelha? Eu estava perdido. Ficamos pelo menos duas horas no carro até que Umberto desse a seta e estacionasse à direita.

"Chegamos", ele disse. "Pode tirar a venda."

Tive que me acostumar à luz do sol que entrava forte pelo painel dianteiro. Olhei para o relógio no rádio: onze e catorze. Ao erguer a vista, não pude conter a surpresa: estávamos parados em um posto da Polícia Rodoviária no que parecia ser uma rodovia com algum movimento, cercada por árvores e arbustos. Havia um pequeno engarrafamento onde agentes rodoviários vestindo coletes selecionavam carros para fiscalizar no acostamento, atrás de uma barreira de cones laranja.

"Isso é alguma brincadeira?", perguntei.

"Desce", Umberto disse.

Ele bateu a porta e caminhou na direção do posto rodoviário, fazendo sinal para que o seguisse. Havia três ou quatro carros estacionados ao nosso lado, com motoristas nervosos mostrando os documentos aos policiais. Reparei especificamente em um Vectra preto perto de nós, com uma moça adormecida no banco do carona, enquanto o motorista — um jovem com aparência de bobo — e um policial de costas se inclinavam sobre o porta-malas numa conferida superficial. Algo naquela imagem me soou familiar, mas continuei em frente.

Tomamos o corredor principal da cabine de polícia sem que nenhum agente nos detivesse ou perguntasse algo. Por um instante, voltou a me ocorrer que Umberto era na verdade um policial infiltrado, talvez para conseguir prender Vladimir, ainda que não fizesse o menor sentido ele ser da polícia rodoviária.

Entramos em uma sala de vidros escuros ao final do corredor, com uma mesa de escritório, um computador antigo, um fax e muitas pilhas de papel. Atrás dela, um sujeito se levantou para cumprimentar Umberto. Pude ler seu nome no uniforme: Antunes.

"Quem é esse?", ele perguntou, apontando o indicador peludo na minha direção.

"Veio caçar com a gente."

Antunes concordou, passando por mim como se eu fosse um fantasma. Aquele cubículo cheirava a estagnação e o som do ventilador de teto era uma tortura. Umberto se sentou em uma das cadeiras próximas à parede, fuxicou a mesa zoneada até encontrar uma revista de palavras cruzadas e começou a preenchê-la.

"E agora?"

"Agora a gente espera. Às vezes, demora."

Umberto se concentrou nas palavras cruzadas. Fiquei ali de pé, sem reação, atento ao movimento do posto policial, incomodado com as pessoas que entravam e saíam, com os policiais que trocavam olhares e faziam gestos repletos de significado que eu não conseguia entender.

"Não fique andando de um lado pro outro, é irritante", Umberto disse, sem levantar os olhos da revista. "Me ajuda aqui. Caráter das doutrinas metafísicas ou morais que afirmam a supremacia do mal sobre o bem. Dez letras."

"Realismo."

Umberto tentou preencher e viu que não dava.

"Realismo só tem oito letras."

"Tenta pessimismo", eu disse, com uma piscadela. "Vou ao banheiro."

No corredor, não foi difícil encontrar a porta com uma folha de papel A4 pendurada onde estava escrito "mijódromo". Entrei, tranquei a porta e tentei pensar rápido. Como meu 3G funcionava, mandei minha localização por WhatsApp para Cora e escrevi: *Caso eu suma, avisa os meninos*. Se eu mandasse essa mensagem no grupo, Miguel poderia surtar e aparecer ali de surpresa. Se mandasse para Hugo… A verdade é que eu não tinha muita confiança nele.

Antes de sair do banheiro, lembrei-me de dar descarga para disfarçar a demora e lavei o rosto, respirando fundo para tentar parar de suar frio. Como eu não sabia o que viria adiante, resolvi ligar o gravador do celular. Quando voltei para a sala, Umberto continuava a resolver palavras cruzadas, enquanto o policial Antunes carimbava papéis. Ele olhou para mim como uma mosca barulhenta circulando, mas logo voltou a se concentrar em suas tarefas. Aqueles instantes me pareceram eternos.

Depois de alguns minutos, um policial entrou na sala. Mantive a cabeça baixa, para não dar na cara que prestava tanta atenção. Não havia nome no uniforme.

"Casal de gaivotas em potencial", ele disse. "O cara é aquele ali."

Olhei o jovem do Vectra sentado numa cadeira na outra sala. Ele se ajeitava, com as mãos apoiadas na mesa e ar preocupado.

"Estão indo pra onde?", Antunes perguntou.

"Ilha Grande."

"Ótimo, se sumirem, vão achar que foi na ilha. Tá esperando o quê?"

"Tem um problema", o policial disse. "Parece que vão encontrar um pessoal por lá, o cara vai devolver a carteira que um amigo esqueceu com ele. Além disso, eles têm um Vectra, a noiva toma remédio de dormir pra não enjoar na estrada. Parece um casalsinho de classe alta, pode ser perigoso. Por isso preferi perguntar ao senhor antes."

Antunes e Umberto se entreolharam, pensativos, até que o chefe tomou a decisão.

"Melhor não arriscar. Pega o bafômetro, tira uma grana do nerd e libera."

"Tudo bem."

Quando o policial virou as costas, algo em seu jeito de andar me fez reconhecê-lo de imediato. Era o inspetor Amóz! Estava um pouco diferente, com os cabelos mais ralos e um bigode farto que sufocava seus traços ordinários, mas não havia dúvidas: era o mesmo sujeito que tinha batido lá em casa no ano anterior com uma suposta denúncia de atropelamento no Largo do Machado.

Fiquei sem reação, congelado. Era uma armação, desde o

início. Umberto havia criado aquilo para nos colocar sob pressão e ganhar nossa confiança. Foi assim que nos convenceu a entrar no negócio. Será que Hugo fazia parte da encenação? Ou também era vítima dela?

"Esse cara é o...", comecei a dizer.

"Não adianta voltar nesse assunto, Dante", Umberto me interrompeu, levantando. "Vem, me ajuda aqui."

Agachou-se para abrir uma bolsa de viagem em um canto. Retirou uma pistola automática e uma espingarda e conferiu a munição. Antunes seguiu até a porta e olhou para fora, onde Amóz e outros dois policiais abordavam um casal em um Corsa 1997 vermelho. Era perto do horário de almoço e o tráfego havia diminuído. Aquele era o único carro no acostamento, além dos veículos policiais e do meu.

Vi quando o motorista — um negro alto, bonito, com os olhos levemente puxados e a boca volumosa — foi convidado por Amóz a se retirar do veículo e seguir até o posto. Um dos agentes ficou perto do carro, fazendo companhia à mulher na área externa, enquanto os demais seguiram para dentro da cabine. Com a expressão séria, o motorista caminhou pelo corredor até a salinha diante da nossa. Vestia camiseta, shorts e chinelos. Amóz fez sinal para que se sentasse e o deixou sozinho.

"Outro casal de gaivotas que vai curtir férias em Ilha Grande", disse, entrando na nossa sala. "Mas esses são pretos, estão num Corsa velho e, considerando o que estavam escutando no rádio, são dois fodidos. Ninguém vai sentir falta."

Antunes olhou para Umberto brevemente e fez um movimento de cabeça para Amóz. Sem dizer nada, o policial saiu da sala. Antunes engatilhou sua pistola enquanto Umberto se aproximava para me entregar a espingarda.

"O que é isso?"

"Vamos caçar!", ele disse, abrindo um sorriso.

Saíram para o corredor com as armas erguidas. Tudo aconteceu muito rápido. Assim que entrou na sala, Amóz deu dois tiros pelas costas do homem, pouco abaixo da nuca. O sujeito tombou sangrando sobre a mesa e rastejou no chão, ainda com vida, antes de receber o último tiro, no peito. Lá fora, a mulher escutou o som e se abaixou, assustada. Abriu a porta do carona e correu agachada para o meio do mato antes que o agente pudesse fazer qualquer coisa.

"Merda!", Antunes disse, correndo para a saída ao lado de outro policial.

Segui atrás deles. Fora do posto, o calor era quase insuportável. Um bassê latia sem parar no banco traseiro do Corsa, preso por uma coleira própria para viagens. Dois ou três carros passaram em alta velocidade, mas os agentes nem se preocuparam em esconder as armas. Sem dizer nada, Antunes fez sinal para que entrássemos na mata. Pisei na terra árida, olhando para dentro da floresta, e estagnei horrorizado. O verde se estendia num descampado, com poucas árvores esparsas. A pobre mulher não tinha a menor chance. Senti medo por ela.

Em silêncio, os agentes circularam pelo matagal com as armas em punho, explorando arbustos e reentrâncias onde ela podia estar escondida. Antunes se agachou em um ponto estratégico, atento aos sons da vegetação farfalhante, como quem espera a presa abandonar o esconderijo. O vento abafado criava sons esparsos nas áreas da floresta. Fechei os olhos e rezei para que aquela mulher conseguisse escapar. A mais de vinte metros de mim, alguns agentes se comunicavam por sinais, engatinhando entre as árvores, enquanto outros formavam um paredão e começavam a varrer a área no sentido leste.

Eu cambaleava, mas não podia ceder agora. Agachei, tentando manter a vista num ponto do horizonte. Sem ar, com o coração saindo pela boca, percebi uma movimentação sutil à minha esquerda e avistei a mulher, escondida no desvão de um arbusto próximo. Encolhida, ela tremia e chorava, com os olhos arregalados. Levou o indicador diante da boca, implorando que eu não a denunciasse. Dois agentes faziam a varredura ali perto e chegariam onde ela estava em menos de um minuto.

"Acho que tá pra lá", gritei para eles, apontando na direção contrária.

Alguns agentes seguiram para o local que eu apontava, mas Antunes continuou em frente como se já soubesse do esconderijo. Quando já estava a menos de um metro de distância, a mulher levantou e saiu correndo na direção da rodovia, a toda a velocidade, na luta para salvar a própria vida. Ela gritava por socorro, mas seu desespero era engolido pelo canto dos pássaros. Não demorou muito para que fosse cercada e dominada por quatro agentes, que a puxaram pelos cabelos e arrastaram pelo mato. Ela se feria em gravetos e pedras, implorando que não a machucassem.

"Para com isso!", gritei. "Por favor, para!"

A mulher tinha traços bem marcados. Seu choro gutural e a testa sangrando concediam um aspecto disforme ao seu rosto, impossível de ignorar. Os agentes a jogaram no meio do descampado, com as mãos algemadas para trás. A bota de um policial imobilizava sua cabeça. Outro agente se aproximou com o bassê cor de mel no colo, muito agitado, rosnando sem parar e voltando os olhinhos amedrontados para a dona, que babava e urrava ferozmente.

"A cadela não para de latir. O que a gente faz?"

Sem hesitar, Umberto apontou a arma e deu um tiro na cabeça do animal, fazendo a mulher gritar ainda mais. O policial arremessou o corpo inerte em uns arbustos a oeste, como quem se livra de uma latinha vazia.

"Chamamos isso de captura acidental, Dante", Umberto disse. "Você sabia que para cada quilo de camarão, vinte quilos de outros animais marinhos são mortos e jogados de volta no oceano?"

Percebi que eu estava chorando. Cogitei matar Umberto ali mesmo, mas não daria tempo de recarregar a arma, e os policiais acabariam comigo em seguida. Atirar nele seria um último ato de heroísmo antes de morrer fuzilado no meio do nada. Eu não tinha essa coragem.

"E ela?"

"Atira, Dante", Umberto disse. "É a gaivota escolhida."

"Você tá maluco? Não vou atirar nessa mulher."

"Gaivota... Gaivotinha...", os policiais cantavam, em tom provocativo.

Chutaram a barriga, as pernas e a cabeça da mulher, arrancaram sua roupa imunda de terra, deixando-a nua, coberta de sangue, castigada pela luz intensa do sol. Antunes me colocou em sua mira, mas Umberto fez sinal para que ele baixasse a arma:

"Atira, Dante."

"Vai se foder!", eu disse.

Larguei a espingarda no chão e virei as costas. Saí andando, sem olhar para trás, as pernas bambeando. Cheguei a fechar os olhos, esperando levar um tiro, mas isso não aconteceu. Quando pisei no asfalto, corri até meu carro, louco para ir embora, mas as portas estavam trancadas e a chave continuava com Umberto. Encostado na lataria, chorei ainda mais, como não chorava havia anos. Parecia que nunca ia acabar.

Umberto só saiu da floresta minutos depois, acompanhado de outros agentes:

"Você pediu pra vir."

"Todos aqueles corpos... Vocês pegaram matando pessoas numa blitz?"

"Essa é uma das bases de caçada, Dante. Existem outras, em diversas áreas da polícia. Fora as empresas-fantasma que anunciam entrevistas de emprego no jornal, e os encontros marcados nesses aplicativos de relacionamento pra mulherada carente, doida pra ser bem comida…”

Eu mal conseguia falar. Eram tantos absurdos, tantas perguntas a fazer.

“E a Ruth, a mulher do cartaz? Ela tinha saído pra caminhar na Atlântica!”

“Foi uma ordem do Vladimir. Queima de arquivo.”

Dois policiais saíram da cabine, carregando com dificuldade o corpo do sujeito envolto em um plástico preto. Pela abertura, eu conseguia ver seus pés descalços, sujos de sangue. Os chinelos tinham ficado pelo caminho. Umberto entrou no carro e o estacionou nos fundos da cabine de polícia. Abriu o porta-malas para que os policiais guardassem o cadáver.

“Para com isso!”

“Dante, por favor, não cria problema.”

“Desde quando isso acontece?”

“Não sei”, ele disse, e parecia sincero. “Vladimir organizou tudo. Eu só gerencio, pago os policiais e pronto.”

Amóz e outro agente logo saíram da mata, trazendo o corpo da mulher também envolto em plástico preto. Colocaram-na no bagageiro do carro, sem ligar para o que eu dizia. Executavam suas tarefas como máquinas pré-programadas.

“Vocês atiraram nela?”

“A mulher tá viva”, Umberto respondeu. “Só um pouco dopada.”

“O que vão fazer?”

“O que *vamos* fazer, você quer dizer”, ele corrigiu, batendo o porta-malas.

Umberto olhou ao redor para confirmar que não estava sendo observado e se sentou no banco do motorista. Ligou o carro e deu uma buzinada, me chamando com a mão:

"Agora você vai conhecer o galpão para onde vai a carne de gaivota. Entra logo e põe a venda nos olhos, o.k.? Não vamos perder tempo."

3

Certa vez, num banheiro público, havia um poema:

"*Diga-me o que tu comes*
Que te direi quem és."

A viagem de carro foi mais rápida desta vez. Ou pelo menos pareceu assim. Minha cabeça girava com a imagem do casal assassinado, tingida em vermelho forte. Eles estavam de férias, felizes, e então... *aquilo*. Não pude fazer nada. Se ousasse reagir, teria terminado como eles.

Vez ou outra, numa curva mais brusca, ouvia o sacolejo no bagageiro e meu estômago revirava. Pela velocidade em que o carro avançava, tínhamos deixado a rodovia e entrado em uma via ampla, mas muito movimentada — talvez a avenida Brasil? Minutos depois, tomamos caminhos vicinais, de terra, subimos ladeiras e margeamos áreas inóspitas, sem qualquer barulho de trânsito. Finalmente, o carro parou.

"Pode sair", Umberto disse.

Tirei a venda. Diante de mim, havia uma área enorme com perímetro demarcado por uma cerca de arame farpado. No centro do terreno, estavam dois galpões industriais, com holofotes e imensos exaustores no teto, como uma grande fábrica em funcionamento. Estávamos no meio do nada. O sol já começava a baixar, tingindo o céu de um laranja lindo, porém fúnebre, que me fazia pensar de novo no casal assassinado.

"Vamos", Umberto disse.

Passamos por um portão com dois seguranças armados e

avançamos pelo chão de terra. Nada — nem a caçada humana no posto policial — tinha me preparado para o que havia dentro daquelas paredes. Nunca supus que o ser humano fosse capaz de imaginar tanta crueldade, muito menos de colocá-la em prática. Nas próximas linhas, vou procurar descrever friamente o que vi nos minutos em que permaneci naqueles galpões. Não é fácil para mim.

Sei que a essa altura meus lamentos e minhas crises de consciência devem estar soando um tanto falsos. Afinal, eu não fiz nada. Passei por corredores, entrei em salas e assisti a espetáculos de horror, violência e morbidez sem tomar qualquer atitude para evitá-los. Por duas ou três vezes, pensei que desmaiaria, mas isso não arrefece minha culpa, eu sei. Naquele fim de tarde, sinto que me tornei um monstro. Deixei no passado o fiapo de humanidade que me restava e mergulhei num poço de sofrimento sem volta. É onde você vai entrar agora, fique avisado. Adiante para o matadouro, então.

Atravessamos uma portinhola na extremidade sul do primeiro galpão, que levava a uma sala funcional, com a aparência de uma recepção de escritório de advocacia, onde retiramos crachás com uma secretária muda. Pelas janelas superiores, saía o zumbido de máquinas e correntes misturado ao que parecia o murmúrio de uma plateia que aguarda o início do show.

"Você sabe qual dos sentidos é o mais importante pro homem?", Umberto perguntou, chegando na catraca.

"A visão. Não me importaria de ser mudo ou surdo, desde que pudesse enxergar."

"Errado. Sem o gosto das coisas, a vida é uma miséria, Dante. O paladar é o único sentido isento das questões éticas que governam os demais. Imagine um performer que mutila um animal numa galeria de arte ou um músico que tortura um animal, porque acha o som agradável… Casos impensáveis! Ainda assim, há anos, nós matamos, mutilamos e torturamos animais simplesmente porque eles são saborosos. As pessoas toleram muito sofrimento em sua comida. Em nome do paladar, tudo é possível, meu amigo. É esta supremacia que você verá hoje."

Antes de girar a maçaneta da porta à frente, Umberto me encarou:

"Me esqueci de um detalhe. Seu celular, por favor."

Entreguei o aparelho, rezando para que ele não percebesse a gravação que eu fizera no posto policial nem a localização que enviara para Cora pelo WhatsApp. Por um instante, tive a sensação horrível de que não sairia vivo daquele lugar. O velho desligou o aparelho sem atentar para o que estava na tela e o devolveu para mim. Guardei-o no bolso e seguimos em frente por corredores bem iluminados, com paredes brancas e limpas, como num hospital particular de alto nível.

Através das portas de metal, eu ouvia gritos guturais constantes que pareciam de animais, mas não perturbavam Umberto nem por um segundo. Ao final de um corredor, havia uma porta metálica maior, de onde vinham os gritos mais fortes, acompanhados de súplicas desesperadas. Eram gritos humanos. Dois homens de macacão branco e cinto de ferramentas faziam a segurança da sala. Com um cumprimento de cabeça, Umberto passou por eles e abriu a porta.

Rapidamente, um forte cheiro invadiu minhas narinas. Não havia janelas ou ventilação, apenas potentes refletores de luz branca que davam a impressão de que ainda estava claro lá fora. Dei os primeiros passos e meus pés afundaram num composto de vômitos, excrementos e sangue coagulado. Nas paredes, gaiolas grandes empilhadas, com homens e mulheres nus, imundos e feridos, acorrentados às grades, sem poder se mover.

Tentei contá-los. Havia ao menos trinta pessoas nas gaiolas, mulheres principalmente, a maioria de pele escura, com jeito de morador de rua, ainda que pudessem ter ganhado aquela aparência hedionda, com crostas negras e hematomas na pele, após terem sido raptadas. Diante delas, havia potes de água esverdeada e ração pastosa de cor mostarda. A maioria estava dopada demais para comer ou dizer qualquer coisa. Aqueles que permaneciam acordados e guardavam alguma sanidade imploravam por ajuda num lamúrio abafado. Evitei olhar diretamente em seus olhos.

"Nas outras salas, ficam as galinhas e os porcos. Mas isso não dá nenhum dinheiro, comparado ao que criamos aqui", Umberto disse, como um açougueiro orgulhoso. "As luzes ficam acesas vinte horas por dia, para que comam mais ração. Em duas semanas, eles ficam ligeiramente acima do peso, com aquela deliciosa camadinha de gordura."

Imaginei-me naquele lugar por quinze dias, amontoado numa gaiola com outras pessoas, dormindo sobre um forro de excrementos, sendo drogado e deformado pelo calor e pelo medo. Ao passear os olhos pelas grades, não foi difícil encontrar homens e mulheres desmaiados, machucados, com ossos expostos, sangramentos, infecções aparentes, vértebras deslocadas e membros gangrenados.

A luz amarelada do corredor invadiu a sala e minha atenção se voltou para a porta. Dois brutamontes de macacão entraram, trazendo a mulher negra sequestrada no posto policial. Suas mãos continuavam amarradas para trás, mas ela estava desperta outra vez, perguntando desesperada pelo marido. Sua indignação pareceu despertar as pessoas no cativeiro, que voltaram a gritar com mais força.

"Pelo amor de Deus, controla essa gaivota", Umberto mandou.

Um funcionário pegou um martelo de carne em seu cinto de ferramentas e desferiu um golpe com força na testa da mulher, que desmaiou. Os outros funcionários tentaram conter a revolta geral, batendo com cassetetes, puxando cabelos, pisoteando corpos caídos e usando sprays de pimenta.

"Infelizmente, para baratear nosso negócio, as gaivotas passam por um forte estresse", o velho disse, depois que a situação foi controlada. "O importante é calcular quão perto da morte podem ser mantidas sem que morram antes da hora. Para nossa sorte, elas são bastante resistentes."

"Por que isso? Por quê?"

"Quanto mais frescas as peças, mais valiosas. Selecione a sua, Dante."

"O quê?"

"Já que veio até aqui, escolha sua gaivota. É como apontar uma lagosta no aquário de um restaurante."

"Não vou escolher nada, Umberto."

Ele fez sinal para que um dos homens arrastasse o corpo desmaiado da negra até nossos pés e chutou a cabeça dela como se fosse uma bola de futebol.

"Escolhe!"

"Não, eu..."

Outro chute. A mandíbula da mulher se deslocou — *Clac* —, mas Umberto não se deteve.

"Escolhe, merda!"

Sem pensar, apontei para a primeira pessoa enjaulada diante de mim. Era uma mulher um pouco acima do peso, branca, de cabelos crespos, com a pele repleta de feridas e sangue. Umberto fez um movimento de cabeça e os homens se aproximaram para retirá-la da gaiola. Ela urrou, tentando evitar a captura, mas foi rapidamente dominada com um golpe do martelo de carne na nuca, então teve que ser arrastada para fora da sala.

"Está na nossa hora também", Umberto disse, olhando o relógio de pulso.

Tive a esperança de que aquele pesadelo havia chegado ao

fim, mas foi em vão. A sala seguinte era como uma enfermaria, com macas e tripés com soro espalhados por todos os lados. Dois funcionários de uniforme médico examinavam pessoas amarradas aos leitos com cintas e algemas. Injetavam seringas, retiravam sangue e recolhiam amostras dos corpos.

"Aqui, todas as gaivotas são testadas para confirmar que não há doença... Assim garantimos que a carne é segura e higiênica."

"E os doentes?"

"São destruídos", ele disse, com uma certeza científica. "Os médicos verificam os tipos sanguíneos e os órgãos que podem ser vendidos no mercado negro."

"Mercado negro?"

"Nichos de atuação, Dante, já falamos sobre isso. Os sortudos são anestesiados e levados para uma sala de cirurgia com uma equipe médica. Os outros seguem para o abate."

Deixamos a enfermaria para voltar ao corredor. Atravessamos um desnível e percebi que aquela era a passagem interna de um galpão para o outro. O zumbido continuava a martelar meus ouvidos. Além de assistir de mãos atadas àquele inferno, eu me sentia responsável pela vida das pessoas mantidas entre porcos e galinhas, torturadas apenas para encher minha conta bancária e alimentar meu ego. Segurei o ombro de Umberto, interrompendo a caminhada.

"O que mais vocês fazem com essas pessoas?"

"Toda comida tem um preço, Dante. Em geral, é a vida dos animais. Não acha justo a própria raça que vai desfrutar pagar esse preço?", ele perguntou, impassível. "Logo depois dos primeiros jantares, Vladimir fez uma parceria com o dono deste matadouro e conseguiu reservar algumas áreas para nossas gaivotas. Agora, os jantares secretos acontecem em várias cidades."

"Como assim?"

"Continue a andar", Umberto mandou, seguindo pelos corredores. “Estamos em São Paulo, Belo Horizonte, Porto Alegre, Curitiba e Brasília. Realizamos eventos pra clientes de confiança e fornecemos blends de cortes especiais que são entregues em domicílio por todo o país e até no exterior. Matéria-prima gratuita, escória do mundo, quase ninguém sente falta dessas gaivotas. Cá entre nós, uma vida excruciante é pior do que uma morte excruciante.”

As salas de abate das galinhas e dos porcos eram amplas e divididas em baias, com funcionários de avental branco, botas de borracha, luvas cirúrgicas e máscaras. Ao fundo, numa instalação menor, acontecia o abate humano. Os funcionários trabalhavam sem parar, executando uma série coordenada de movimentos, como numa dança de mau gosto. No teto, luzes brancas incidiam sobre o piso frio e sobre o quadro de ferramentas com motosserras, luvas metálicas para fatiar, martelos amaciadores, fatiadores, tesouras, pinças, serras giratórias, amoladores e facas em diversos tamanhos.

Caminhando entre as baias, Umberto falava o tempo inteiro, enquanto apontava matadores, sangradores, removedores de membros, tripadores e responsáveis por abrir as carcaças. Detive-me nas máquinas, no baile das correntes metálicas pelo ar, erguendo corpos pelos ganchos. O tilintar barulhento dos metais se misturava aos gritos animais que vinham das instalações vizinhas e aos pedidos de socorro das pessoas arrastadas até aquele lugar. Ao mesmo tempo, havia uma falsa sensação de conforto trazida pela brancura hospitalar e pela sincronia das engrenagens. Não era difícil esquecer todo o horror e ficar fascinado com a tecnologia tão eficiente que retirava daqueles seres toda a sua humanidade para transformá-los em objetos na linha de produção.

Paramos em uma baia vazia, onde dois funcionários limpavam com uma mangueira o piso imundo de sangue e excrementos. Ignorando nossa presença, eles continuaram seu serviço até que a mulher que eu havia apontado foi levada para o centro da área. Ela tinha o rosto desfigurado e os braços quebrados e tortos.

Quando algemaram suas mãos e tentaram erguê-la pelas correntes através das roldanas, ela urrou de dor.

Seus gritos eram tão altos que parei de escutar o que Umberto dizia. Finalmente, o funcionário se deu conta de que o braço direito dela estava arrebentado e a devolveu ao chão, colocando os grilhões nos pés para erguê-la de ponta-cabeça. Ali, pendurada pelos ganchos, nua, a mulher parecia mesmo uma peça de carne, com os músculos esticados, o peito arfante, os pelos eriçados e o sangue escorrendo pelos cabelos compridos até encontrar o chão.

O funcionário riscou um fósforo para acender o fogão, deixando a chama crepitar sob uma panela cheia d'água. Minutos depois, quando já borbulhava, encheu um balde com água fervente e jogou sobre a pele da mulher, deixando no ar um cheiro de queimado. O som característico conforme a água escorria reverbera até hoje na minha cabeça: *tssss, tssss*. Com uma gilete, o funcionário raspou fiapos da pele que cediam com facilidade devido ao calor. Conforme a lâmina deslizava, a mulher gritava, defecando de dor e pavor, agitando-se inutilmente no ar. Em poucos minutos, o colo, o abdômen, as costas, as nádegas e as pernas estavam em carne viva.

Era de supor que naquele momento ela já estivesse morta ou inconsciente, mas continuava firme, movendo o tronco como possível, gritando ao se ver talhada. O funcionário mais baixo se aproximou com uma pistola pneumática e atirou, perfurando seu crânio. A mulher desmaiou na mesma hora.

"Essa é a dessensibilização", Umberto disse. "Uma forma humanitária de realizar o abate."

O funcionário sacou uma faca do cinto de ferramentas e fez um corte na nádega esquerda dela, retirando um naco perfeito de carne. Outro corte foi feito na lateral do abdômen. Mesmo sem sentir nada, a mulher se contorcia e vomitava em espasmos involuntários.

"Acaba logo com isso", pedi, desesperado.

"Antes, vão abrir a carcaça e tirar os órgãos", Umberto disse, voltando os olhos mortos à cena.

O funcionário se dirigiu à parede de ferramentas para buscar uma motosserra. Eu não aguentava continuar ali. Sem me importar com as consequências, dei as costas para aquela monstruosidade e saí correndo. Ainda ouvi Umberto me mandar voltar, mas não me detive. Abandonei a sala, passando por corredores vazios e por baias de abates de animais.

Os empregados nem olhavam para mim, absortos em suas atividades entorpecentes, mas dois seguranças me detiveram na passagem de um galpão para outro. Comecei a gritar. Eles me seguravam com firmeza, enquanto eu agitava os braços e as pernas como um epiléptico. A sensação era de que estavam prestes a me prender em um gancho para ter meus músculos fatiados. No desespero, me veio à mente o olhar da mulher caçada no posto rodoviário, testemunhando a execução do marido e do cachorro para depois ser levada ao matadouro. Se soubesse o que eles faziam com as pessoas naquele galpão, eu a teria matado antes. Por piedade. Para que sofresse menos.

Os seguranças me arrastaram até a enfermaria. Caído no chão próximo à entrada, imobilizado e com a cabeça girando sem parar, vi uma mulher jogada ao lado de uma maca, trêmula, as pernas afastadas, os olhos com crostas que a impediam de enxergar. Cascas de feridas cobriam seu corpo em carne viva. Um funcionário se aproximou, deu um tiro na testa dela e mandou que a retirassem dali. *Destruídos*... Depois, o mesmo homem preparou uma seringa e veio na minha direção. Tentei até fugir, mas minhas pernas não me obedeceram. Senti uma pontada no braço, que logo ficou dormente. Segundos depois, meu corpo desabou e mergulhei na escuridão.

4

Acordei não sei quanto tempo depois, nervoso, socando o ar. Estava deitado em um sofá com motivos florais, e minha cabeça explodia. Imediatamente, reconheci a sala cafona do apartamento de Umberto no Edifício Chopin. Por um segundo, me perguntei se havia despertado de um pesadelo. *Não*... Os cheiros, as texturas e as imagens eram muito reais para um delírio. Umberto apareceu, trazendo um copo d'água. Deixou-o sobre uma mesinha ao meu lado e se sentou na poltrona roxa, que parecia ser sua favorita.

"Aquilo tudo... Como vocês podem...?", comecei a dizer, mas as pontadas no cérebro me impediam de pensar direito.

"Calma, garoto, não fica irritado."

"É desumano... Tratar pessoas como se fossem..."

"Bebe sua água", ele disse.

Obedeci como um cordeirinho. Nunca uma água foi tão saborosa.

"Se te serve de consolo, as gaivotas servidas no Jardim Botânico são especiais. Elas não passam por todo aquele procedimento. Afinal, são vocês que as fatiam", ele disse. "Agora vai pra casa e descansa."

"Meus amigos vão me perguntar. Eles também querem entender o que está acontecendo! O cartaz daquela mulher..."

"Isso é problema seu. Conte a verdade ou invente qualquer coisa. Mas seja criativo, se for o caso", ele disse, servindo-se de uma dose de uísque. "Você não precisa aparecer nos jantares desse fim de semana."

"Nunca mais vou participar dos jantares... Depois do que vi..."

"Dante, querido, você está com a cabeça quente", Umberto disse, bebericando o uísque. "Faça como eu mandei: descanse. A chave do carro está ali na mesinha de centro. Depois a gente conversa. Você não pode pular fora. Estamos todos no mesmo barco."

"Não tenho medo de ser preso."

"Esse é o menor dos seus problemas, garoto." Ele ergueu um copo como quem faz um brinde discreto. "Tchauzinho."

Umberto sumiu pelo corredor, deixando-me sozinho na sala. Tive vontade de derrubar um vaso dourado que parecia caro, mas seria apenas uma provocação tola. Peguei a chave do carro e bati a porta. Liguei o celular e várias mensagens de WhatsApp logo pipocaram, além de treze ligações de Miguel não atendidas. Retornei, mas ele não atendeu. Tentei outras duas vezes antes de chegar ao estacionamento do prédio e dar partida no carro.

No caminho, passei bem perto da Décima Segunda Delegacia de Polícia, na rua Hilário de Gouveia, a poucas quadras do nosso apartamento. Tive vontade de parar ali e acabar com tudo. Eu tinha a localização do posto policial e a gravação de áudio como provas. Devia ser suficiente para abrir uma investigação, certo? Mas não podia tomar aquela atitude sozinho. Decidi que contaria aos meus amigos o que tinha visto e que juntos pensaríamos nos próximos passos.

Cheguei em casa pouco antes das dez. Arrasado e sem forças, saí do elevador e girei a chave. Logo que entrei, Cora veio correndo na minha direção, chorosa e descabelada. Derramados no sofá, Leitão e Hugo pareciam febris, também com os olhos molhados. Eu nunca tinha visto Hugo chorando.

"O que tá acontecendo?", perguntei.

Leitão me encarou, cheio de dor.

"A polícia acabou de ligar. Mataram o Miguel."

[Órgãos humanos no mercado negro]

Par de olhos: R$ 2.877,00
Escalpo: R$ 1.145,00
Fígado: R$ 102.277,00
Rim: R$ 494.341,60
Medula óssea: R$ 122.468,00
Artéria coronária: R$ 2.877,37
Pele (polegada): R$ 18,86
Mão e antebraço: R$ 726,50
Coração: R$ 225.600,00
Pulmões: R$ 234.255,00
Litro de sangue: R$ 622,23
Vesícula biliar: R$ 2.300,00
Crânio com dentes: R$ 2.264,19
Intestino delgado: R$ 4.752,84
Baço: R$ 958,50
Ombros: R$ 943,40
Estômago: R$ 958,42

Pingo d'Água

1

A série de atos mecânicos que se sucedem à morte de uma pessoa próxima — reconhecimento, assinaturas, protocolos, telefonemas e retiradas — me entorpeceram de tal modo que, nas primeiras horas do sábado, não tive tempo de sentir dor nem de chorar. Quando tudo ao seu redor começa a ruir, você precisa se manter inabalável, como um farol indicando o caminho adiante no meio da escuridão.

Fui sozinho ao IML fazer a identificação de Miguel. Depois, passei na polícia para prestar depoimento, adiantei a papelada da retirada do corpo e tratei do valor do translado para Pingo d'Água. Por volta do meio-dia, liguei para minha mãe para contar o que havia acontecido. Na minha cabeça, avisar aos amigos e familiares era algo tão óbvio que supus que alguém já o tivesse feito enquanto eu resolvia outras pendências. Mas não. Hilda recebeu a notícia com um silêncio desesperado, logo substituído por uma série de soluços entrecortados por frases práticas.

“Deixa que eu conto pra mãe dele… Meu Deus, como essa desgraça aconteceu?”

Com o máximo de detalhes, busquei resgatar do mar revolto do meu cérebro tudo o que o inspetor responsável pelo caso havia informado na delegacia: por volta das cinco da tarde, Miguel caminhava sozinho pela rua Tonelero quando foi abordado por dois sujeitos em uma moto. Segundo testemunhas, eles pegaram o celular e a pasta que Miguel carregava. Meu amigo não reagiu, mas mesmo assim os assaltantes deram três tiros nele, que morreu na hora, a poucas quadras de casa. O inspetor justificou a dificuldade inicial de identificar o corpo pelo fato da carteira com os documentos ter sido levada pelos assaltantes. Quando removeram o corpo do local do crime, encontraram seu crachá hospitalar no bolso traseiro da calça jeans. Era um típico caso de latrocínio, mais um entre tantos que acontecem diariamente no Rio de Janeiro.

“Vamos fazer de tudo pra pegar os culpados”, o inspetor me dissera, com o cansaço de quem já repetiu essa ladainha muitas vezes.

No próprio sábado, consegui a liberação do corpo no IML e seu translado para Pingo d’Água na manhã seguinte. Em casa, todos continuavam abalados. Leitão havia se transformado em outra pessoa: nunca tinha visto o gordo passar tantas horas sem soltar sua gargalhada sonora, que desanuviava o ambiente. Estávamos secos, vazios, murchos. Cora se manteve por perto, fiel, tomando o cuidado de respeitar nosso espaço. Ela não era tão próxima de Miguel e não tentou forçar a barra nesse sentido. Chorava quieta, abraçada ao namorado, com o olhar perdido. Após o choque inicial, Hugo enxugara as lágrimas e procurara ajudar. Ofereceu-se para acompanhar o translado e organizar nossa ida para Pingo d’Água.

Passei a madrugada em claro. O que Miguel estava fazendo na rua Tonelero? Ele não passava por aquela esquina no caminho para o metrô ou para a academia. Antes do amanhecer, pegamos o táxi para o aeroporto do Galeão. Foram duas horas de voo até Curitiba, mais seis horas de carro alugado rumo ao interior, rodeados por paisagens campestres e casas abandonadas, seguindo o carro funerário que levava o corpo, até finalmente chegar a Pingo. Quando abandonamos a BR-277, tomando a estrada de terra à direita que leva ao centro, o carro funerário seguiu direto para o cemitério. Ainda que faltasse pouco tempo para o velório, preferi passar em casa para mudar de roupa.

Antes do arco de entrada da cidade, onde estava escrito BEM-VINDO A PINGO D'ÁGUA, margeamos a grande estrutura abandonada que um dia havia sido o famoso bordel da cafetina Adélia. Agora, só restavam suas paredes chamuscadas, seu esqueleto enferrujado, os quartos carbonizados onde jovens da cidade se drogavam ou perdiam a virgindade. Leitão olhou para a construção incendiada, as vigas poeirentas erguendo-se como chifres, mas era como se nada daquilo lhe dissesse respeito, e ele manteve a expressão inalterável.

Fazia seis anos que eu não pisava na minha própria cidade. Meus pais me visitavam cerca de duas vezes ao ano no Rio de Janeiro e, nas despedidas, eu prometia ir para Pingo, chegava a marcar a data, mas algo me fazia inventar desculpas em cima da hora para adiar indefinidamente a viagem. Pode parecer bobo, mas eu tinha um medo real de voltar às minhas origens e perceber que ali era mesmo o meu lugar, que eu nunca deveria ter ido embora.

Não precisei de mais de dez minutos rodando pelos poucos quarteirões do centro para confirmar que tudo continuava como antes — era uma cidade estagnada no tempo, como tantas outras. Ao redor da praça principal, estavam a sede da prefeitura, o cartório onde meu pai era tabelião, as mesmas lojas de roupas, os mesmos bares, a videolocadora do seu Ítalo, que alimentara minhas fantasias de infância, e a igrejinha católica de pintura pálida, já sufocada por completo pela suntuosidade da Igreja Universal do Senhor Crucificado a poucos metros dali. De novidade, apenas alguns hotéis e motéis onde se hospedavam os fiéis que chegavam de longe para assistir aos cultos-show da bispa Lygia.

O centro estava movimentado graças ao final de um culto. Quando cheguei em casa, minha mãe nos esperava de vestido preto no portão, com o rosto inchado. Só precisei vê-la por poucos segundos para ser invadido por um alívio triste: aquele não era mais meu lugar. As ruas de terra, as casas com muro baixo e quintal amplo, a obsessão pela vida alheia, as barraquinhas vendendo Bíblias em diversos tamanhos, nada daquilo me pertencia mais. Eu era um estrangeiro, um ser urbano, com certa impaciência para tanta calmaria.

Quando abracei minha mãe em frangalhos e ela chorou no meu ombro, o sentimento de segregação foi completo, mas trouxe um aroma fúnebre. Se aquele não era mais meu mundo, qual seria? Eu havia me tornado uma bichinha bajuladora de ricaços loucos em troca de muito dinheiro na conta e um ego massageado — essa era uma verdade dolorosa demais para aceitar sem um punhado de angústia.

"Você tá diferente", minha mãe disse. Eu não me olhava no espelho desde cedo. Será que ela falava por causa de Miguel? Ou das drogas? Mães têm um sexto sentido infernal para certas coisas. "Vem, você precisa comer."

A casa estava cheia, mas silenciosa. Cumprimentei algumas amigas da minha mãe e apresentei Cora a todos, já que Leitão não o fez — ele sempre foi péssimo no trato social e parecia ainda pior agora. Dona Marina, mãe de Hugo, era muito baixinha e parecia ainda menor. Levantou-se da mesa para me dar um abraço antes mesmo de falar com o filho. Olhava para ele meio assustada, sem saber direito como tratá-lo depois de tantos anos sem se ver. O cumprimento dos dois foi apático, cheio de mágoas recônditas. Talvez ela ainda apanhasse do marido em silêncio. Hugo ficava revoltado com o fato de ela não tomar uma atitude. Somado à distância intelectual e à vaidade desmedida, isso impedia que nutrisse carinho verdadeiro pela mãe. O que ele realmente sentia era vergonha. E raiva.

Comemos bolo de milho e conversamos muito pouco — era como se qualquer palavra soasse profana naquela situação. Até o velório, não vi dona Mirtes. Quando chegamos à salinha colada ao cemitério, ela estava ao lado do caixão, olhos fixos no rosto de Miguel, sem chorar. O que as mães sentem pelos filhos não é só amor, é algo muito mais forte. Ao abraçá-la, entendi que dona Mirtes só não chorava porque mortos não choram, e era assim que ela estava. Ainda respirava, mas estava morta.

A dor que eu sentia não era só emocional, mas também física. Meu peito e meus olhos ardiam, e minhas pernas pareciam destroçadas por uma prensa. Aproximei-me do caixão, deixando a letargia de lado, e chorei, como se tudo que estava guardado finalmente pudesse jorrar sem contenção: chorei pelas pessoas em gaiolas no matadouro em algum lugar do Rio de Janeiro, chorei pelo coitado em busca desesperada pela noiva desaparecida, chorei pelo meu melhor amigo.

Miguel era o sujeito mais confiável, gentil e companheiro que eu conhecia. Certa vez, quando eu estava no quarto período da faculdade, um ex-namorado me avisou que descobrira que havia contraído HIV. Tínhamos feito sexo duas ou três vezes sem camisinha e, desesperado, num misto de vergonha, culpa e arrependimento, pedi ajuda a Miguel. Ele tinha aulas importantes na faculdade, mas fez questão de me acompanhar até o hospital público para realizar um teste. Antes mesmo de sair o resultado, me falou que eu deveria ter sido mais cuidadoso, mas explicou que ser soropositivo não era o fim do mundo. Acabou que eu não havia sido contaminado, mas, se fosse diferente, estava certo de que teria a melhor pessoa possível ao meu lado. Miguel era meu confidente, o irmão que eu nunca tive. Ao perdê-lo, eu perdia também uma parte de mim.

A ideia de fundo do poço é um tanto consoladora. Quando você acha que chegou lá, só pode subir. Acontece que o fundo não existe, sempre pode ser pior. Eu conversava em voz baixa com Leitão em um canto quando Rachel entrou na salinha usando óculos escuros e se aproximou do caixão com um ramo de rosas brancas nas mãos. Ela tocou a testa fria do ex-namorado, deixou as flores sobre suas mãos pálidas entrelaçadas sobre a barriga e pareceu rezar brevemente. Então, virou para a gente, retirando os óculos escuros. Seus olhos estavam vermelhos, tristes, mas também cheios de ódio.

"Vocês não têm vergonha?", ela gritou. "Ele morreu por causa de vocês!"

Eu não podia acreditar. Forjei um ar ofendido, buscando o apoio de minha mãe. Cora se protegeu em Leitão e Hugo pegou Rachel pelo braço com violência.

"Para de falar besteira, garota. Vai embora daqui."

"Vocês mataram o Miguel! Seus merdas traidores! Vocês mataram o Miguel!"

Ela apontava o indicador na nossa direção como se fôssemos leprosos. O corpo magro, que se curvava a cada soluço, tentava se desvencilhar de Hugo e chamar a atenção. Sem demora, as pessoas começaram a comentar, assistindo ao espetáculo gratuito e nos lançando olhares de condenação. Tive vontade de matar Rachel. Bastava ligar para Umberto e dizer que aquela vaca ameaçava nossos jantares e pronto: seria o seu fim. Eu tinha esse poder e, escutando aqueles gritos estridentes, pela primeira vez pensei em usá-lo.

Depois de algum transtorno, Hugo e outros dois sujeitos finalmente conseguiram levar Rachel dali, mas era tarde demais: a confusão seria o assunto da cidade pelas próximas semanas. Continuei quieto, como se nada tivesse acontecido, ansioso para que o tempo passasse mais depressa. Por volta das quatro e meia, o cortejo teve início. Fiz questão de ajudar a carregar o caixão. Enquanto o coveiro jogava a terra, minha mãe fechou os olhos e apertou minhas mãos, sentindo a pele congelada.

Apenas quando a maioria das pessoas já tinha ido embora, me aproximei de dona Mirtes. Eu já havia falado com ela antes, durante o velório, mas a sensação de que permanecia algo pendente, uma pergunta sem resposta ocupando um espaço invisível entre nós, não me abandonava. Dei mais um abraço nela e um beijo em sua testa enrugada, então repeti que era como uma mãe para mim.

"Vou conseguir um fundo pro seu tratamento", prometi, mas dona Mirtes mal escutava. Eu tinha decidido que ia me responsabilizar por aquilo, como uma maneira de tentar compensar a merda toda. As últimas ligações de Miguel antes de morrer tinham sido para mim. *Treze.* O que ele queria me dizer? Por que não havia mandado uma mensagem? Devia ser algo importante, que ele preferia dizer cara a cara.

Voltei para casa e tentei dormir sem remédios, abraçado pela nostalgia da cama da minha adolescência. Por mais que eu fechasse os olhos e buscasse esvaziar a cabeça, não me abandonava a intuição de que a morte do meu amigo não tinha qualquer relação com a violência do Rio de Janeiro, não era um acaso.

A morte de Miguel havia sido encomendada.

2

Na segunda de manhã, minha mãe encheu a mesa da cozinha com tudo o que eu gostava de comer e se sentou com jeito de quem quer puxar conversa. Meu pai já havia saído para abrir o cartório e Leitão dormia no quarto de hóspedes com Cora, de modo que estávamos a sós. Enquanto me servia de Nescau, ela perguntou quanto tempo mais eu ficaria em Pingo. Menti que a passagem de volta para o Rio já estava comprada para o dia seguinte, 31 de maio, terça-feira. Ela reclamou, mas a verdade era que eu não via a hora de ir embora.

"Tenho que trabalhar. Agora sou gerente da livraria."

"Gerente?", ela se surpreendeu. "Não sabia!"

"É... Aconteceu tanta coisa que me esqueci de contar."

"Parabéns, filho." Ela se serviu de um naco de pão, passou os olhos pela mesa, encheu a xícara de café, cruzou e descruzou as pernas. Eu conhecia minha mãe o suficiente para saber que ela estava tentando tomar coragem para chegar aonde queria. "Aquela moça que fez escândalo no enterro... Você conhece?"

"É a Rachel, ex-namorada do Miguel. Por quê?"

"O que ela quis dizer com aquelas coisas, meu filho?"

"Não faço ideia."

"Ela disse que vocês mataram o Miguel..."

"Pergunta pra ela se estiver curiosa", respondi, percebendo tarde demais como a frase soava rude. Tentei corrigir: "A Rachel nunca gostou da gente, era ciumenta ao extremo e ficou com raiva quando Miguel terminou com ela".

"Você sabe por que eles terminaram?"

"Não me meto nos relacionamentos dos meus amigos, mãe."

Fui incisivo o suficiente para que ela não insistisse no assunto.

"E você? Tá namorando algum rapaz?"

"Tô solteiríssimo, mas bem."

"O Jorge parece feliz", ela disse, chamando Leitão pelo primeiro nome, como costumava fazer. Soltou um suspiro, baixando a voz como quem conta um segredo. "Me diz uma coisa...

Nada contra, mas… Você não acha que ele e essa Cora *destoam* um pouco?"

"Destoam?"

"Ah, Dante, você sabe, ele é um rapaz gordo e ela é um mulherão. Parece até meio…"

"A Cora é incrível", eu disse. "É poeta, tem livros publicados e trabalha num restaurante."

"A vida dá voltas mesmo. Eu nunca imaginaria que o Miguel, um menino tão correto, partiria tão cedo, e o Jorge, com todos os problemas, estaria com a vida feita." Ela pousou os cotovelos na mesa, aproximando-se para cochichar. "Ele continua religioso?"

"Continua."

Seu rosto se retesou. Minha mãe não gostava nada da obsessão de Leitão pela bispa Lygia, parecendo ignorar que aquela mulher havia sido inimiga mortal de sua falecida mãe.

"E o trauma? Você acha que ele venceu?"

"Leitão é um cara forte, mãe. Deu o jeito dele de superar."

Eu não podia contar que meu amigo vivia grande parte do tempo em um mundo imaginário, ou que eu guardava na gaveta as cartas que ele escrevia periodicamente para a mãe.

"Essa história toda é tão pesada, Dante. Fico feliz em saber que o Jorge superou", ela disse, com um suspiro. "Espalharam tanta coisa horrorosa sobre a mãe dele naquela época. Fico arrepiada só de lembrar…"

Percebi que ela queria me contar alguma coisa, mas esperava que eu perguntasse.

"Do que você está falando, mãe?"

"Antes do incêndio, eu quero dizer… Poucos meses antes… Receberam uma denúncia e a polícia abriu uma investigação no bordel. Só sei disso tudo porque o investigador era amigo do seu pai." Ela fixou os olhos em mim, bebendo o restante do café de uma só vez. "Muito caminhoneiro parava naquele lugar, é claro. E alguns nunca mais saíam."

"Como assim?"

"Parece que Adélia e as outras prostitutas matavam os caminhoneiros e roubavam a carga pra revender", ela sussurrou. "Alguns caminhoneiros desapareceram mesmo, e a polícia encontrou os caminhões depenados."

"Nunca tinha escutado essa história."

"A cidade inteira só falava disso, mas vocês eram muito pequenos."

"Deve ser mentira... Um grupo de mulheres matando uns caminhoneiros fortes e chucros?"

"Dizem que elas usavam aquelas dentaduras de platina, sabe? Quando iam pra cama com o coitado, mordiam a jugular. Outras guardavam giletes sob a língua, faziam que iam beijar o homem e cortavam o pescoço. Outras ainda colocavam veneno de rato na vagina. Aí, quando o homem ia com a boca lá embaixo... Bem, você sabe... Eles morriam envenenados."

"Se isso tudo é verdade, por que não fecharam o bordel? Por que não prenderam a mãe do Leitão?"

"Ninguém provou nada. Nunca encontraram os corpos dos caminhoneiros desaparecidos."

"Então, como eu falei, não passa de boato..."

"Não sei. Pouco tempo depois, uma prostituta brigou com a mãe do Jorge e espalhou pra cidade inteira que aquilo tudo era mesmo verdade, que Adélia servia a carne dos caminhoneiros nas refeições do bordel. Tudo pra se livrar dos corpos."

Empalideci, e minha mãe segurou minhas mãos.

"Agora você entende por que não era fácil ter o Jorge morando aqui com a gente", ela continuou. "Sempre me deu nervoso olhar pra ele, gordo daquele jeito, e pensar que o pobrezinho tinha comido carne humana por anos, sem saber. Uma criança, imagina. Horrível, né? Horrível."

3

Certa vez, num banheiro público, havia um poema:

"*Porque metade de mim é loucura*
E a outra metade é insônia."

Voltei para o Rio de Janeiro na fissura por qualquer droga que me fizesse esquecer a merda que minha vida tinha se tornado. Sentado na poltrona do avião, enquanto a aeromoça me oferecia biscoitinhos e suco de laranja, tudo o que me vinha à mente era o dia em que Leitão propôs o primeiro jantar de carne humana na internet: *Lembra aquela história da carne de gaivota que você contou pra gente?*, ele havia dito. *Não sei por que, cara, aquilo ficou na minha cabeça.* Agora eu entendia o porquê. E a culpa era minha. *Eu* tinha contado o enigma da carne de gaivota. *Eu* tinha despertado aquele impulso nele.

Em casa, misturei o último MDMA com água e fiquei no celular, flertando com uns quinze caras de aplicativo enquanto uma câibra gostosa me subia pelas pernas e a euforia percorria minhas veias. A vontade de fazer sexo era incontrolável. Combinei de encontrar um casal argentino em viagem pelo Rio no quarto de hotel deles, onde me entupi de Michael Douglas, poppers e outras coisas que nem lembro, mas que pelo menos me deixaram feliz de um jeito que eu não ficava há muito tempo.

Levantei sozinho às quatro da manhã, na minha cama, sem saber como tinha chegado em casa, pilhado demais para voltar a dormir. Eu me lembrava vagamente do casal (um deles era a cara do Ricardo Darín, que eu sempre achei um tiozão gostoso), mas boa parte do sexo era escuridão. A cabeça zunia, a boca estava seca e a barriga roncava de fome. Preparei um sanduíche de atum e tomei uma coca-cola sem gás esquecida na geladeira. Deitei a cabeça no travesseiro e engoli dois comprimidos de Rivotril, torcendo para não existir nenhuma contraindicação em se drogar para ficar na vibe e depois se drogar para dormir feito uma pedra.

Acordei mais tarde, com tapinhas no rosto e a luz do sol do meio-dia entrando pela janela do quarto. Entreabri os olhos, sentindo o forte cheiro de lavanda das mãos que me cutucavam: dedos grossos, peludos, com anéis de prata... Umberto estava na beira da cama, com um sorriso torto no rosto cheio de rugas.

"Que merda é essa?"

"Você tá com uma cara péssima."

Ele vestia um terno risca de giz e uma gravata-borboleta mostarda. Recolheu a mão quando me sentei, protegido pelo cobertor.

"Como você entrou aqui?"

"Hugo me deu a chave", ele respondeu, abrindo ainda mais as cortinas. Meus olhos arderam. "Depois de se entupir de veneno, parece que você esqueceu que dia é hoje... Vou precisar te mandar pra uma clínica de reabilitação?"

"Vai embora, Umberto."

"Quarta-feira! Hora de voltar ao batente, querido."

"Já falei que tô fora. Qual é seu problema, seu filho da puta?"

Umberto girou os olhos, impaciente.

"Não dá pra sair assim, Dante. Desse tipo de negócio, só se sai morto."

Continuei deitado, sentindo uma comichão que me impelia a jogar Umberto pela janela. O velho estava tentando me provocar. Tentei fixar minha vista ainda borrada nele:

"Vocês mataram o Miguel, não é?"

"Vladimir matou."

"Como é?"

Eu não esperava que Umberto confessasse tão fácil. Ele caminhou até a escrivaninha e abriu sua pasta de couro, passando os dedos por alguns papéis que logo guardou de volta.

"Vladimir matou Miguel. Mandou matar, na verdade. Ele era uma ameaça."

O pânico fechou minha garganta. A situação havia saído de controle, Miguel estava morto por causa daquela história, não era mais brincadeira — não era fazia muito tempo, aliás. Apesar da agitação que me corroía, continuei parado.

"Por que vocês fizeram isso?"

"Miguel ia foder nosso esquema, mas Vladimir descobriu antes."

"Me apresenta esse cara."

"Impossível, já falei. Não conheço Vladimir pessoalmente, não tenho acesso a ele."

"Mentira, vocês falaram no telefone na noite da foto do Instagram."

"Só converso com o assistente dele ou com Virgínia, a secretária... Subalternos. Nunca com Vladimir diretamente", Umberto disse. A julgar pelo leve tom de angústia, era verdade. "Como vocês, sou só uma engrenagem dessa máquina enorme, garoto."

"Miguel tava quieto, na dele..."

"Seu amigo ia trair vocês."

"Mentira!"

Sem perder tempo, Umberto levou a mão ao bolso da calça e, com uma expressão de desdém, jogou um celular no meu colo. Era de Miguel.

"Foi ele quem tirou a foto do prato e enviou pro Kássio dizendo que podia divulgar no Instagram. Miguel estava reunindo provas sobre os jantares, Dante. Basta olhar as fotos. A senha é zero-cinco-zero-três."

Uma senha óbvia, a data de aniversário de dona Mirtes. Entrei no celular e, com o batimento cardíaco no máximo, acessei a galeria: havia dezenas de fotos tiradas de ângulos discretos mostrando a fachada da casa no Jardim Botânico, a mesa decorada, Hugo com os assistentes na cozinha e até fotos minhas de smoking, recebendo os convidados.

"Ele imprimiu as fotos e ia entregar pra polícia. Estava tudo na pasta que carregava", Umberto disse, com orgulho incontido. "Tem mais. Vai no último áudio."

Passeei os dedos nervosos pelos aplicativos do celular, apertando o play na gravação mais recente, intitulada CONFISSÃO. Escutei sua voz, seguida da minha:

"Dante, eu sempre fui contra... Desde o início, me opus a esses jantares de carne humana... Vocês me obrigaram!"

"Não fica assim."

"Tô preocupado. Você tá cada dia mais drogado, fora de controle. Por que continua fazendo esses jantares? Não é mais pelo dinheiro, né?"

"O quê?"

"Você gosta!"

"Vai à merda, Miguel!"

"Desculpa, eu... Só tô confuso, sinto que fui forçado por vocês a fazer tudo."

Larguei o celular sobre a cama, os músculos tensionados, mas fracos. *Ele me traiu*, pensei. *Me traiu sem nenhum remorso*. Com a gravação nas mãos da polícia, eu estava ferrado, sem chances de defesa. Encarei Umberto.

"Desculpa te mostrar isso, mas você precisava entender. Tá na hora de seguir em frente, garoto", ele disse, com um sorriso plástico comum aos apresentadores de TV. "Vou te liberar só mais hoje, o.k.? Os próximos dias vão ser agitados. Daqui a duas semanas, a gente comemora o centésimo jantar, no dia 17. Vai ser uma noite única, com todos os convidados daquela primeira noite em Copacabana."

"Até a Cecília?", provoquei.

"*Quase* todos os convidados", ele disse, com um risinho tenso. "Não chamei aquela bêbada, claro. Nem o casalzinho gay que causou problemas. Mas Soninha Klein, Kiki Dourado e o deputado Ataíde já confirmaram presença."

"Me deixa de fora, Umberto. Por favor..."

"Impossível, garoto", ele disse, levantando para pegar a pasta na escrivaninha. "Além disso, preciso que você esteja presente na próxima sexta. Vladimir encomendou um prato diferente. Vamos servir vitelo de gaivota."

Bom-dia, Bela Adormecida

1

Meu consumo de MDMA e cocaína crescia no ritmo dos jantares secretos. Era mais fácil assim. As horas passavam a jato, eu surfava na onda e chegava num estado letárgico, como se a vida fosse um filme em câmera lenta ou um blecaute completo. Passei a maior parte do tempo chapado, transando com caras cujo rosto e nome não recordo e aceitando tudo o que me ofereciam nos inferninhos da Lapa onde me enfiava. Nos momentos de secura, a história contada por Hilda dava voltas na minha cabeça, encontrando conexões surreais com a morte de Miguel, com o viúvo sofrido em busca da noiva e com Leitão fodendo Cora enquanto ela brandia sua motosserra amarelo-ovo no ar.

Na madrugada de quinta, acordei assustado, em pânico, e picotei o cartaz guardado na gaveta de cabeceira. Voltei para a cama, fissurado demais para conseguir dormir, e colei os pedaços sobre uma folha de papel A4, como uma criança fazendo um trabalho de escola. Marcada pelos sulcos dos rasgos, a foto da mulher me desafiava: seu sorriso estampava uma alegria que eu havia ajudado a destruir. Eu conseguia vê-la pendurada por ganchos, mutilada por funcionários eficientes, e tinha vontade de cortar os pulsos.

Cheirei uma carreirinha antes de vestir o smoking e repetir a ladainha de boas-vindas aos convidados de sexta. De prato principal, vitelo desossado recheado com farofa de castanha. Eu estava *mucho loco*, mas não adiantou de nada: é difícil ignorar bebês sendo servidos a um bando de comensais. Agora, com a distância emocional que só o tempo traz, posso dizer que aqueles dias foram essenciais para o que veio depois.

Na manhã de sábado, acordei com a luz do sol batendo no rosto. Eu estava deitado sob uma marquise a duas quadras de casa, com a cabeça encostada na vitrine de uma pizzaria. Meu cérebro era uma pasta, e tudo de que eu me lembrava era de ter participado de uma orgia num apartamento no Flamengo, mesmo não conhecendo ninguém — me convidaram pelo Grindr e eu fui. A sensação de vergonha só não era maior do que o pânico de não ter usado camisinha, mesmo que eu não me lembrasse do sexo em si. A vida é assim: você precisa ter a cara esfregada no esgoto e sentir o cheiro da morte para começar a tentar se redimir.

Enquanto caminhava para casa, maltrapilho e fedido, concluí que não tinha o direito de guardar rancor de Miguel. Tirar fotos e gravar nossa conversa não significava traição. Ele só queria me proteger, proteger *a gente*. O Dante que eu havia me tornado — uma bichinha drogada e surubenta — não tinha nada a ver com o Dante que eu desejava ser. Entrei no chuveiro, massageando as têmporas, que gritavam. Em meio ao trapo humano e à explosão de ideias, uma fagulha de bom senso ganhou força: não dava para continuar alheio, me afundando sem parar e obedecendo a tudo o que Umberto, Vladimir ou quem quer que fosse me mandava fazer. Foda-se o jantar secreto. Foda-se a casa no

Jardim Botânico. Foda-se o dinheiro. Talvez fosse tarde demais, mas eu tinha que tentar: precisava unir forças e conhecer o inimigo. Era o primeiro passo.

Na cozinha, ainda de pijamas, Leitão e Cora comiam torradas com geleia de frutas vermelhas enquanto assistiam a um programa matinal de entrevistas com celebridades. Diante do fogão, Hugo preparava uma omelete com ervas e mal olhou quando passei por ele a caminho da geladeira. Com a morte de Miguel, nossa relação havia deteriorado de vez.

"Bom dia, Bela Adormecida", o gordo disse, me dando um beijo molhado na bochecha. "Você não anda se picando muito? É a maldição da bruxa má."

Limpei a baba com as costas da mão e me servi de um copo de leite. Peguei duas torradas e as devorei, morto de fome. Antes de começar a falar, precisava forrar o estômago.

"Você tá parecendo um indigente", Cora disse.

Não me importei, porque sabia que ela estava certa.

"Precisamos conversar. Todos nós", eu disse, fungando nervosamente. "Estamos metidos numa merda fodida."

Cora e Leitão trocaram olhares. Hugo continuou a cozinhar, inabalável.

"Miguel foi assassinado pelo pessoal do Umberto", eu disse.

"Como é?" Hugo desligou o fogão e se aproximou de nós. Colocou o pano sobre o ombro, num trejeito típico de quem vive na cozinha, e puxou a banqueta para se sentar. "Que porra é essa?"

Apesar do zumbido intenso na cabeça, contei a eles tudo o que sabia, na ordem, de modo calmo e objetivo, para não perder a atenção e garantir que chegaria ao final sem interrupções. Nos olhos dos meus amigos, vi o incômodo e a curiosidade crescerem conforme eu mostrava o cartaz recebido no bar e remontava minha conversa com Umberto, a visita ao posto policial e ao matadouro, as provas que Miguel havia reunido contra nós. Ao final, expliquei sobre Vladimir.

"Para de fumar maconha estragada, cara", Hugo disse, com desprezo. "Você tá noiado."

Seus olhos verdes, fundos, marcados por olheiras que o tornavam ainda mais sexy, me encaravam com piedade. Deixei o celular ao lado do prato da omelete e botei a gravação do posto policial para tocar. Por minutos eternos, inclinados sobre o balcão da cozinha, eles escutaram os tiros, os diálogos absurdos e os gritos de horror que chegavam a fazer o aparelho tremer sobre a mesa. Mesmo revivendo aquele pesadelo, consegui conter o choro. Pouco a pouco, eu me tornava imune ao sofrimento alheio.

O áudio terminava bem no momento em que Umberto desligou meu celular para entrarmos no matadouro. Um silêncio pesado devorava o ar, esgarçando as feridas da nossa culpa. *Nós causamos tudo isso*. Leitão pegou um copo d'água e bebeu tudo de uma só vez.

"Tem que ser mentira."

"Infelizmente, não é", insisti. "Sei que é monstruoso. Louco. Saiu completamente do nosso controle... Temos que nos unir ou não vamos escapar vivos dessa."

"Qual é sua ideia?", Cora perguntou. Sua beleza estonteante e provocativa agora se mostrava tímida e deixava entrever a menininha do interior que ela tinha sido um dia.

"Eles têm uma arma preciosa contra nós: informação", respondi. "Precisamos de armas contra eles também. Miguel tentou fazer isso sozinho e acabou morto. Tomando cuidado, conseguimos encontrar esse Vladimir. É ele que dá as cartas. Umberto só obedece."

"Mas o cara não é inacessível?" O tom de Hugo ainda sustentava certo desprezo. "Como pretende chegar nele?"

"Tenho algumas ideias. Enviei a localização do posto policial pro WhatsApp da Cora."

Cora acessou nossa conversa, subindo a barra com o indicador até chegar à localização. Ela me entregou o celular.

"Tá aqui. Você disse pra eu não me preocupar quando perguntei o que era. Nem dei atenção, porque foi bem quando o Miguel morreu."

"Fica na rodovia pra Ilha Grande", eu disse, olhando o mapa. "Se a gente molhar a mão de algum policial, talvez ele abra o bico."

"Eu faço isso", Cora disse.

"Boa, bebezinha!"

"Comigo todo mundo abre o bico."

Leitão abraçou Cora, e fiquei com medo de que a sufocasse. Quando a soltou, ele nos encarou com seus olhos remelentos.

"Vou caçar esse filho da puta na internet."

"Ele pode ser invisível, mas não pro meu fofoluxo! Pega esse cara!"

"Ótimo", eu disse. Se alguém podia encontrar Vladimir na internet, era Leitão.

"Também vou fazer uma lista dos matadouros da região", ele completou. "Confia em mim, Dante. A gente vai encontrar esse lugar."

Sentado na companhia dos meus amigos, enquanto meu organismo eliminava as drogas restantes e o cheiro das ervas na omelete me inebriava, fui me sentindo vivo outra vez, com uma nova dose de confiança. Ao terminar de comer, Hugo deixou a louça na pia e virou para mim.

"E os jantares?"

"A gente continua. Vamos tentar conseguir mais informações por lá também, puxar assunto com os funcionários da casa. Talvez os garçons ou motoristas saibam de alguma coisa."

"Eles não vão dizer nada. Nunca mencionaram esse Vladimir", Hugo soltou com um suspiro.

"Não custa tentar. Ele pode ter ido a algum jantar na casa do Jardim Botânico. Usando outro nome, claro."

"Tenho todos os e-mails. Posso montar uma lista", Leitão sugeriu.

"Você só me orgulha, fofoluxo!", Cora se animou. "Mas... quando encontrar esse Vladimir, o que é que a gente faz?"

"Denuncia na polícia", Leitão respondeu.

Hugo saltou da banqueta, na típica postura de bad boy que vai arrumar confusão na boate.

"Denunciar na polícia? Nem pensar! Vai todo mundo preso! Inclusive a gente!"

Leitão não se intimidou.

"Você tá surdo ou o quê?" Ele se levantou, enfrentando Hugo com seu corpo largo. Era como uma disputa entre um leão e um elefante. "Esses caras mataram o Miguel. Mataram nosso amigo, porra! Quero mais que tudo se exploda! Vamos foder com esses filhos da puta!"

"Existe outra maneira", interrompi, antes que a briga ganhasse maiores proporções. Eu já havia pensado naquilo, mas não sabia se teria coragem de dizer assim, na lata. "A causa de tudo é o Vladimir. E a gente nem sabe o quanto o cara tem a polícia nas mãos. Pra sair ileso, só tem um jeito..."

Leitão gargalhou, fechando o punho e socando a mesa, como um viking numa cervejaria.

"*Oh, yeah!* Vamos matar o desgraçado!"

2

Continuei a participar dos jantares, sempre aditivado por litros de água com pitadas de cristais de MDMA. Assim, eu me sentia mais leve e disposto, com a cabeça nas nuvens e os pés no chão, e cumpria meu papel de cicerone com a desenvoltura e o carisma de um robô. Com certeza, os convidados notavam que eu estava high, mas a verdade é que eles se preocupavam mais em devorar a sequência de pratos criada por Hugo do que com meu barato.

No jantar de sábado, servimos tartare curado com chips de pele, língua defumada com espuma de pimentão vermelho e fettuccine ao ragu de gaivota. Enquanto os comensais atacavam o prato principal, segui para a área externa da casa, onde os quatro motoristas fumavam recostados nos capôs dos carros de luxo. Pedi um cigarro para criar intimidade.

"Vladimir não vinha hoje? Quem ficou de buscar o velho?"

Acendi o cigarro e esperei a resposta, tentando soar casual. Eles se entreolharam como caipiras sentados diante da pracinha — ou eram ótimos atores ou não faziam a menor ideia do que eu estava falando. Mudei o tom depressa para saber o que eles achavam dos convidados. Empregados em geral adoram falar mal de gente rica, e supus que eles sairiam contando os podres, as fofocas que corriam e as conversas entreouvidas, mas as respostas foram tímidas, monossilábicas, como se eles fossem freiras confrontadas com perguntas sobre sexo. Definitivamente, não gostavam de mim, me achavam *viadinho* demais. Voltei para dentro da casa a tempo de acompanhar os garçons servirem a sobremesa e o licor digestivo. Uma comichão subia pelas minhas pernas, aguçava meus sentidos e me incitava a captar informações no ambiente.

Quando os convidados foram embora, ajudei os garçons a retirar a mesa. Numa conversa rápida, Hugo me disse que também não havia conseguido extrair nada dos assistentes de cozinha, mas dava para ver que ele estava mais focado nos elogios recebidos naquela noite — seu orgulho era um monstro faminto que precisava ser alimentado diariamente. Às duas da manhã, eu estava sozinho na casa. Ainda sob os efeitos mágicos do Michael Douglas, revirei os móveis da sala até as gavetas com fundo falso cheirando a madeira antiga, olhei debaixo das mesas de canto, da mesa de jantar e das cadeiras baixas.

Subi as escadas e abri os armários dos quartos, esquadrinhando cada centímetro numa explosão de sentidos. Tateei os colchões, examinei os potinhos do banheiro, os quadros na parede, as toalhas e a louça na despensa em busca de não sei o quê. Se Vladimir controlava todo o negócio, tinha que haver algum rastro dele por ali.

Para meu desespero, a casa era fria, despersonalizada. Tudo parecia intocado havia meses. Nos quartos, nos corredores e nos banheiros, apenas o necessário. Cecília havia dito que os proprietários eram um casal de idosos franceses — ele, empresário; ela, pintora —, mas me ocorreu que podia ser um blefe. Fiz uma anotação no celular — VERIFICAR PROPRIETÁRIO — e reuni coragem para examinar a casa do caseiro. Desde o dia em que havia recebido o cartaz de Ruth, eu evitava entrar lá.

Saí da casa pela porta da frente, preferindo contornar o perímetro pelo quintal a descer as escadas dos fundos. A noite estava fria, sem estrelas, e um silêncio monástico invadia a rua sem saída. Abri a porta devagar, perscrutando ganchos e ferramentas espalhados pelo quarto. No centro, a motosserra amarelo-ovo de Cora repleta de adesivos concedia certo aspecto infantil ao lugar, como se aquilo fosse um brinquedo deixado para trás. Subi em um banquinho para examinar o armário embutido, mas só havia baldes, soluções com álcool e panos. Estiquei o braço para conferir melhor quando uma mão tocou minha canela. No susto, me desequilibrei e caí, levando os baldes e tudo o mais comigo.

"Desculpa, não quis assustar você", Cora disse, me estendendo a mão. "Hugo falou que você tinha ficado aqui sozinho. Vim fazer companhia."

Ela vestia calça jeans e um blusão cinza daqueles de ficar em casa. De chamativo, apenas sua bolsa com um MK dourado e os cabelos quase da mesma cor. Recuperado do susto, aceitei sua ajuda para levantar.

"Passei o dia no salão fazendo luzes", ela disse, abrindo um sorriso com os lábios carnudos e vermelhos. "Quero arrasar no posto amanhã. Vou seduzir os policiais e descobrir tudo o que a gente precisa."

"Você tá linda", eu disse, porque era o que ela queria ouvir. "Mas toma cuidado, por favor. Lembra aquele inspetor que foi em casa ver o carro? O cara é da turma do Vladimir. Estava no posto policial quando me levaram lá."

Cora engoliu em seco, assustada.

"Por que você não falou isso antes?"

"Por causa do Hugo. Não sei se ele é confiável..."

"Eu nunca achei, você sabe. Sou intuitiva, meu orixá fala comigo."

Ela me pegou pelo braço e subimos as escadas dos fundos, passando pela cozinha antes de chegar à sala. Minha sensibilidade continuava aguçada, mas só então percebi a bagunça que havia feito na casa: mesas fora do lugar, tapetes revirados, gavetas ainda abertas. Sem se importar, Cora remexeu a bolsa até encontrar um cigarro.

"Tem fogo?"

"Não."

"Já venho."

Ela sumiu na direção da cozinha, voltando menos de um minuto depois com o cigarro aceso:

"É uma merda. Fumei mais de um maço hoje."

"Nervosa por causa de amanhã?"

"Um pouco. Às vezes me sinto velha, mas acho que tô muito nova pra morrer."

"Você não precisa fazer isso, Cora. Não quero perder mais ninguém."

"Faço questão", ela disse, sentando ao meu lado no sofá. "Foi muita sacanagem o que fizeram com o Miguel. Ele era um cara legal. Um pouco mala, mas legal."

Pensei que ela fosse deitar a cabeça no meu colo como de costume, mas continuou ali, com as costas eretas, o rosto levemente projetado para cima, o olhar perdido num ponto além da fumaça.

"Trouxe um presente", ela disse, depois de alguns minutos.

Enfiou a mão na bolsa e me entregou um livro fino. Fiquei surpreso ao olhar a capa, feita de ladrilhos imundos, com pichações e rabiscos à caneta. Sobre a imagem, o título: *Certa vez, num banheiro público, havia um poema*. E a autora: Cora C.

"O Leitão fez de surpresa pra mim", ela explicou. "Imprimiu dez exemplares do meu best-seller digital."

Fingi entusiasmo.

"Que legal! Parabéns!"

"Tô pra te dar tem um tempo, mas aconteceu tanta coisa que acabei esquecendo."

"Adorei o presente."

Certa vez, num banheiro público, havia um poema:

"*O vinho pode ser tinto ou branco*
Mas o cu tem que ser rosé."

Que poesia! Continuei a folhear as noventa e seis páginas. A encadernação era caseira; a fonte era Comic Sans, de modo que não se podia levar nada ali a sério. Na primeira página, havia um autógrafo em garranchos:

o meu melhor (((e lindo) e gostoso) e inteligente) amigo Dante,
Minhas poesias sujas
Beijos da C. C.

Na orelha da quarta capa, havia uma foto de Cora deitada

no sofá lá de casa, fumando distraidamente enquanto lia um livro.

"É a única que o Leitão encontrou", ela disse. "Você sabe que odeio foto."

"Tá legal. Bem cult."

Ela concordou, espremendo o cigarro no cinzeiro sobre a mesa:

"Por que a sala tá essa zona?"

"Eu tava procurando alguma pista do Vladimir, mas não encontrei nada."

"Você tem que ficar calmo pra conseguir raciocinar."

"Não consigo parar de pensar no coitado que perdeu a noiva. Fico dia e noite olhando aquele cartaz."

"Para com isso, Dante. O que você quer? Procurar o homem e pedir desculpas?"

"A culpa é nossa."

"Não é, não. O Umberto enganou a gente, inventou aquela história de crematório. A vida continua boa, meu amigo."

Ela foi até a adega e escolheu um Bonnes Mares 2008, um pinot noir francês de três mil reais.

"A gente não pode beber esse."

"Dane-se", ela disse, com um meio sorriso. Abriu o vinho e serviu duas taças. "Bebe, vai te fazer bem. O álcool é o KY existencial."

3

Depois das loucuras dos últimos dias, terminei aquela noite bem-comportado. Eu e Cora matamos a garrafa de vinho, conversando sobre muitas coisas e sobre nada ao mesmo tempo. Já amanhecia quando ela me ajudou a arrumar a sala e pegamos um Uber de volta para casa. Chapei na cama para só acordar ao meio-dia, com uma dor de cabeça infernal e uma depressão que esmagava meu peito, sensação comum ao dia seguinte do MDMA, que parecia cada vez mais potente.

Levantei e preparei um sanduíche. Minha mente ficava revisitando um pesadelo recente em que Umberto falava atrocidades enquanto se desfazia em formas e traços coloridos, como uma pintura de Romero Britto. Então, subitamente, pensei em algo que Umberto tinha me dito no matadouro sobre a Ruth. *Foi ordem do Vladimir. Queima de arquivo*. Ela morreu porque sabia demais.

Vesti uma roupa qualquer e assisti a vídeos bobos no YouTube, ainda cozinhando a ideia. Encarei o cartaz com a imagem desbotada e repleta de sulcos. Se eu queria descobrir mais sobre o chefe dos jantares, aquele era o melhor caminho. Tranquei a porta do quarto e, sentado na beira da cama, liguei para um dos telefones do cartaz. Um homem atendeu ao primeiro toque.

"Oi, recebi o panfleto de uma mulher desaparecida."

"Sim, é minha noiva", ele se apressou em dizer. Sua voz era ofegante. "Meu nome é Arthur. Você viu ela?"

"Não sei, acho que sim."

Escutei um suspiro do outro lado. Talvez eu fosse a primeira pessoa a ligar com alguma informação.

"Como você se chama?"

"Dante", eu disse, sem saber direito por que falava a verdade.

"Podemos nos encontrar?"

A objetividade sedenta com que ele fez a pergunta me retraiu.

"Onde?"

"Você escolhe."

"Tem um café na rua Duvivier, em frente ao Beco das Garrafas."

"Eu conheço", ele disse, ansioso. "Pode ser daqui a uma hora?"

"Combinado."

"Olha, muito obrigado por ligar, viu?"

4

Tomei um banho demorado, ensaiando mentiras enquanto me ensaboava. Sentia o rosto oleoso e espinhas saltando na testa. Mesmo debaixo da água fria, meu corpo suava. Enxuguei-me diante do espelho para confirmar que havia minimizado a aparência de trapo humano. Precisava de algo certeiro para dizer a Arthur, sem perder de vista a razão pela qual havia marcado a conversa: descobrir o que Ruth sabia de tão importante para ter sido assassinada.

Eram apenas dois quarteirões do apartamento até o café. Cheguei com minutos de antecedência e reconheci Arthur assim que atravessei a esquina, passando diante da banca de jornal. Sentado em uma mesinha na calçada, voltado para a rua, o triste viúvo seguia os passantes com os olhos na óbvia expectativa de que algum deles fosse eu. Respirei fundo, fiz o sinal da cruz e me aproximei da mesa.

"Dante?", ele perguntou, levantando para apertar minha mão.

Percebi um forte sotaque sulista quando ele disse a segunda sílaba do meu nome. Arthur abriu um sorriso no rosto anguloso. Estava ainda mais magro do que quando o vi no bar, e sua beleza discreta havia sido substituída por um aspecto cadavérico, desleixado, com a barba disforme cobrindo as bochechas e ressaltando a mandíbula. Ele me encarava como se nunca tivesse me visto antes.

"Peguei seu cartaz na semana retrasada", eu disse, buscando alguma identificação. "No bar Inhangá."

"Ah, você mora por aqui?"

"Divido apartamento com uns amigos. E você?"

"Eu e a Ruth... mudamos tem uns meses. Antes morávamos na Tijuca, mas ela gosta muito da Zona Sul."

Fiquei incomodado em ouvi-lo conjugar os verbos no presente, quando eu sabia que ela estava morta. O garçom se aproximou e pedimos café.

"O que você tem pra me dizer?", ele perguntou, nervoso como um adolescente em sua primeira entrevista de emprego.

"Acho que vi sua mulher no sábado, dia 28", menti.

O viúvo me encarou, digerindo a notícia, então baixou a cabeça sobre a mesa, envolvendo-se nos braços finos para chorar. Ele não fez mais perguntas, não duvidou nem hesitou. Foi como se aquela frase o libertasse. Escutei seus soluços abafados e, se tivéssemos alguma intimidade, eu teria passado a mão em seus cabelos.

Fiquei ali, vendo-o se desmontar na minha frente, alimentado por esperanças convenientemente inventadas. O garçom trouxe as bebidas e, ao vê-lo naquele estado, ficou na dúvida se nos servia ou se devia se afastar para respeitar o momento. Fiz sinal para que se aproximasse e deixasse os cafés sobre a mesa. Minutos depois, Arthur se recompôs, enxugou os olhos e assoou o nariz com guardanapo, me estudando com os olhos vermelhos.

"Desculpa por isso. É que entreguei cartazes todos esses dias e ninguém me ligou. Na polícia, disseram que depois de uma semana é difícil a pessoa aparecer. Pensei no pior, claro. Busquei no IML, nos hospitais... Nada. É como se ela nunca tivesse existido. E agora você vem e diz que... Onde foi que viu a Ruth?"

"Aqui mesmo", eu disse, sem pensar direito. "Neste lugar."

Arthur adoçava seu café, mas largou a colherzinha dentro da

xícara para olhar ao redor. Aquele restaurante-café ganhava nova dimensão para ele: era o último lugar onde sua noiva fora vista. Ele voltou a chorar e tive vontade de sair correndo dali.

"Como foi?", ele perguntou, entre fungadas.

"Venho aqui muitas vezes. Peço um café e fico lendo, mandando e-mails... Vi uma mulher passar pela calçada. Ela me chamou a atenção porque andava apressada. Então percebi que já a tinha visto em algum lugar, mas só depois fiz a conexão com a mulher do cartaz. Mas pensei que seria muita coincidência, por isso, demorei a ligar."

"Mas, no fim das contas, você ligou..."

"Sim."

"Então era ela", ele concluiu, e me dei conta de que Arthur estava tão frágil que qualquer absurdo que eu inventasse seria tomado como verdade absoluta. "No fim de semana, fiquei pensando tanta besteira. Será que ela fugiu de mim? Será que foi sequestrada ou sofreu um acidente e esqueceu o caminho de casa?"

"Sei como é difícil. Acabei de perder um amigo também."

"Ele desapareceu?"

"Foi assassinado."

Nossa identificação era na dor.

"Meus pêsames... Mas acho que não é o caso da Ruth. Já teria aparecido no jornal. Além do mais, você a viu no sábado."

Ele se agarrava àquela informação com todas as suas forças. Cada olhar revelava sua solidão, seu desespero de ter alguém para conversar. Aproveitei a brecha para conduzir a conversa.

"Como vocês se conheceram?"

"A Ruth tinha vinte e dois anos, estava terminando a faculdade de jornalismo, quando descobriu uma doença degenerativa nos olhos. Foi perdendo a visão muito rápido, até ficar cega. Na época, o pai dela descobriu uma pesquisa farmacêutica em desenvolvimento no Rio Grande do Sul. Ainda estava na fase de testes, o tratamento era arriscado, ninguém sabia as consequências. Ele foi contra, mas a Ruth fez questão de se inscrever no programa. Viajou até lá, se submeteu ao procedimento, ia todos os dias ao laboratório para os testes. Eu era estagiário e foi só olhar pra ela que me apaixonei. Pode parecer bobo, mas é verdade. A Ruth é forte, corajosa, curiosa, engraçada. Fazia piada da própria situação, ainda que a gente visse que era duro pra ela."

Fiquei tão mergulhado na história que esqueci por um segundo o que estava fazendo ali. No cartaz, não havia qualquer menção ao fato de Ruth ser cega.

"Meses depois, ela se curou", Arthur disse, como se pudesse ler pensamentos. "Fui a primeira pessoa que ela viu quando voltou a enxergar. Estava inclinado sobre a Ruth, iluminando sua íris, e então ela olhou para mim e sorriu, chorando de felicidade. A gente começou a namorar logo depois. Deixei família, trabalho, tudo pra trás e me mudei pro Rio de Janeiro. Consegui emprego em uma farmacêutica daqui, onde trabalho até hoje, enquanto ela terminava a faculdade."

"O que ela fazia?"

"Ela *trabalha* como jornalista."

Era tarde demais para tentar consertar a gafe. Segui em frente:

"Em que jornal?"

"Nenhum fixo. A Ruth não gosta de ficar presa. Faz freelas por aí, matérias especiais."

"E ela estava envolvida em alguma reportagem específica?"

"Não sei, sempre respeitei o espaço dela. Mas o que isso tem a ver?"

"Talvez a Ruth tenha sumido por uns tempos por causa de alguma matéria investigativa."

"Ela teria me avisado...", Arthur disse, pouco confiante. "Na verdade, eu nunca tinha pensado nisso... Será?"

"Foi só uma ideia."

"Tem sido muito difícil pra mim. Ontem à noite, sozinho no apartamento, cheguei a pensar em tomar pentobarbital. Mata em pouco tempo, de modo indolor", ele disse, com a naturalidade de quem comenta algo que viu na TV. "É complicado se manter vivo quando você perdeu a coisa mais importante da sua vida e tem ao alcance das mãos tudo o que é necessário pra morrer."

"Não faz besteira, cara."

"Não", ele disse, com um sorriso. "Vou continuar buscando a Ruth."

"Tenta olhar as pesquisas dela, os objetos pessoais, o computador. Talvez encontre alguma pista."

"Não sei, não gosto de invadir a intimidade dela assim... Mas acho que dadas as circunstâncias..."

Concordei, percebendo que a conversa se encaminhava para o fim. Eu havia plantado a semente para que Arthur buscasse mais informações, tinha certeza de que Ruth estava escrevendo alguma reportagem que a levara a Vladimir. Eu precisava arranjar uma maneira de manter contato para saber das novidades.

"Muito obrigado por tudo", Arthur disse, em tom de despedida.

Criei coragem e tomei suas mãos.

"Se quiser, podemos continuar em contato. Imagino que você não conheça muita gente no Rio e esteja precisando de companhia, de um ombro amigo pra não ficar pensando besteira."

"Seria ótimo, Dante, obrigado. Você é mesmo um cara do bem. Eu te ligo."

Dei um sorriso amarelo, me sentindo o maior filho da puta do universo.

Sherlock e Watson

1

Arthur me enviou mensagem na manhã seguinte convidando para caminhar na orla. O tempo havia firmado com um sol morno. Como eu precisava espairecer, aceitei. Nós marcamos na Pedra do Leme, onde o encontrei entregando panfletos com a foto da noiva.

"Mandei imprimir três mil desses. Vou continuar distribuindo até conseguir mais informações", ele disse, animado. "Pedi a gravação das câmeras de segurança do café, mas você acredita que eles não têm?"

Por um instante, pensei que ele só falaria daquele assunto sem parar e me arrependi de ter aceitado o convite. Para meu alívio, Arthur logo virou o disco, chegando a temas como a vida no Rio de Janeiro e as Olimpíadas que se aproximavam. Caminhamos por quarenta minutos, até a altura do posto cinco. Arthur era educado, gentil e inteligente, e eu conseguia encontrar nele muitos trejeitos de Miguel — talvez porque, na minha cabeça de administrador, um farmacêutico e um médico cumprissem funções similares.

Passei rapidamente a gostar dele, da maneira pausada como expressava suas ideias, de seu tom de voz conciliador, dos olhos sagazes que capturavam tudo ao redor. Encontrá-lo era como um passeio nostálgico pelos meus melhores dias com Miguel. Sem dúvida, Arthur já havia notado que eu era gay, mas não percebi qualquer recuo ou tratamento diferenciado por causa disso. Apesar da inegável beleza, em nenhum momento senti tesão por ele, apenas respeito e carinho. Era um homem delicado que não se envergonhava de revelar suas fraquezas. Nos despedimos por volta do meio-dia e combinamos outras caminhadas durante a semana.

Em casa, Leitão almoçava uma pizza calabresa gigante assistindo ao Chaves na TV. Ao seu lado no sofá, Cora se bastava com uma salada com frango grelhado e não parecia nada interessada nas brigas de dona Florinda com seu Madruga: mexia repetidamente no celular entre uma garfada e outra. Quando notou minha presença, Leitão desligou a TV, se ajeitou com dificuldade no sofá e fez sinal para que eu me aproximasse:

"Tenho novas infos, bonitão."

"Eu também." Cora nem levantou os olhos do celular. "Onde você estava?"

"Saí pra dar uma volta", eu disse, sem querer contar sobre Arthur. Nosso encontro tinha certo sabor clandestino que eu preferia manter. "Cadê o Hugo?"

"Saiu sem falar nada", Cora respondeu. "Ontem também passou o dia fora."

Desde a morte de Miguel, ele era outra pessoa, agindo cada vez mais estranho e distante. Nos últimos tempos, vinha deixando a barba loira crescer num estilo lenhador, como que para mostrar que agora era o chefe e não tinha que se submeter a restrições impostas por ninguém. Andava com uma postura esnobe e raramente parava para conversar com a gente. Se dependesse dele, faríamos vista grossa e continuaríamos lucrando com os jantares. Eu não estava nada disposto a isso, tampouco Leitão.

"Te mandei por e-mail uma lista das pessoas que já foram aos jantares", ele disse, devorando mais um pedaço de pizza. "São mais de trezentas pessoas, mas consegui eliminar algumas. Pelo menos vinte morreram nos últimos meses. Mais de cinco por cento do total. Considerando a velharia que vai aos jantares, não é de espantar. Parece que é pré-requisito estar com o pé na cova."

Sorri para Leitão. Era realmente raro que alguém muito jovem tivesse cacife para gastar tanto dinheiro em um jantar.

"Quem mais você excluiu?"

"Consegui acesso a alguns perfis no Facebook e a algumas contas bancárias. Eliminei todo mundo que está na miséria e só vive do sobrenome de família."

"Tipo o Umberto."

"Isso", Leitão disse. "Aliás, revirei as contas do velho. Ele repassa boa parte do valor que ganha com os jantares pra uma conta no exterior."

"De quem é?"

"Provavelmente do Vladimir", Leitão disse, dando de ombros. "É nossa melhor chance... Mas é tudo bem protegido. Tô tentando descriptografar os dados."

"E...?"

"Nada ainda. Mas eu disse *ainda*. Existem outros métodos menos... convencionais. Tenho uns contatos na deepweb. Mais dia, menos dia, as respostas chegam."

"Muito bem", eu disse. "Posso pegar um pedaço?", pedi, antes que pudesse terminar de devorar a pizza.

"Pode", ele respondeu de má vontade. Leitão odiava dividir comida.

“Pedi carona e passei de carro na frente do posto policial ontem. Aquele inspetor não tava”, Cora disse. “Fiz amizade com os policiais de lá, tô flertando com um deles.”

Ela me estendeu o celular. Conversava por WhatsApp com Paulão, um sujeito de rosto redondo e porte atarracado, a julgar pela foto de perfil. Eu me lembrava vagamente de tê-lo visto no meio daquela tensão horrorosa. Os dois trocavam mensagens carinhosas e áudios picantes. Sem perceber, o sujeito vinha dando informações sobre o funcionamento do posto policial, mas claro que não mencionara nada sobre o recebimento de propinas ou aquele banho de sangue.

“Você viu algum Antunes por lá?”, perguntei, mordendo a pizza. Estava fria e massuda, mas servia para segurar a fome.

“Sim, mas o cara é linha-dura. Não me deu muita bola.”

“É ele quem controla a matança.”

“Daqui a pouco o Paulão vai estar comendo na minha mão”, ela disse, lambendo a própria palma, como uma gatinha. “Tenho meus métodos.”

Certa vez, num banheiro público, havia um poema:

“*Ter talento não é sorte*

A sorte é que exige talento.”

“E você, Dante?”, Leitão perguntou. “Colocou a gente pra trabalhar e nada?”

“Quero verificar quem é o proprietário da casa do Jardim Botânico. Tenho que passar no RGI.”

“O Vladimir não seria tão burro.”

“Em algum momento esse cara tem que falhar…”

“Fiz uma lista dos matadouros oficiais na área. São seis.”

“Cadê a lista?”

“No seu e-mail também, Bela Adormecida.”

Leitão nunca entregava nada em mãos. Seu mundo funcionava por caminhos virtuais, eu já devia ter me acostumado. Depois de comer a fatia de pizza, me livrei do guardanapo engordurado e lavei as mãos no banheiro de visitas. Abri o arquivo no celular para ver os nomes dos matadouros, com o endereço ao lado.

"Posso ir lá com você", Cora se ofereceu.

Para desespero de Leitão, pedi outra fatia. Comi depressa, engolindo sem mastigar direito, enquanto Cora deixava sua louça na pia e calçava os sapatos. Ela prendeu os cabelos e pôs óculos escuros e um boné laranja, ficando parecida com uma salva-vidas de piscina de clube.

"E aí, vamos?"

2

Como já escurecia quando chegamos à avenida Brasil, visitamos três dos seis endereços da lista e cumprimos a outra metade no dia seguinte. Cora era a parceira perfeita, falava pelos cotovelos, contava longas histórias bobas, cheias de detalhes, mudava toda hora a estação do rádio, cantando aos berros trechos das músicas enquanto batucava no porta-luvas. Todo esse caos sonoro camuflava o perigo.

Para nosso azar, o lugar onde eu tinha ido com Umberto não estava na lista. Eu me lembrava bem do descampado, do portão de ferro sem logotipo, dos corredores iluminados com lâmpadas frias. Com frequência as imagens voltavam a invadir meu sono. O matadouro devia ser ilegal, funcionando sem cadastro regulamentar, o que dificultaria encontrá-lo.

Em casa, pedi ao Leitão que buscasse fábricas de grande porte na região que pudessem servir de fachada para o matadouro. Com os olhos vivos, apesar da maconha que fumava sem parar, o gordo voltou a teclar no computador, abrindo páginas de fundo escuro com sequências infinitas de números e letras. Toda aquela complexidade me dava certa segurança. Pegar Vladimir havia se tornado questão pessoal para ele.

Deitei no sofá para reler minha troca de mensagem com Umberto em busca de algum detalhe novo. Mergulhado nas ideias, levei um susto ao escutar passos abafados na entrada da casa. Era Hugo, vestindo roupa social, sapatos engraxados e meias coloridas.

"Onde você tava?"

"Me deixa em paz", ele respondeu, tomando o corredor.

Puxei-o pelo braço.

"Não adianta ficar fugindo de mim."

"Não tô fugindo. É só que você está muito chato, cara. Fica querendo impor suas vontades. Não tô com saco pra isso..."

"Eles mataram o Miguel. A gente precisa se unir!"

"Uma puta psicopata, um obeso inconsequente e um viadinho drogado... Que merda de união é essa? Vira a página, Dante. O homem pode ter dominado o fogo por instinto, mas o instinto acabou virando paixão", ele disse, fechando o punho e mostrando os nós dos dedos para mim, onde havia uma nova tatuagem: *Be Your Own Hero*. "Nossa espécie é a única que se importa com o sabor da comida. E é por isso que a gente evolui."

"Do que você tá falando?"

"A evolução do homem acompanha a evolução da gastronomia. Não me interessa o que você viu, muito menos o que aconteceu com Miguel... Tudo isso é pequeno demais diante do que a gente está fazendo, não percebe? A carne de gaivota é o futuro da alimentação humana."

Fiquei sem reação. Hugo caminhou até o fim do corredor e entrou no quarto. Antes de bater a porta, virou para mim e disse, pedante:

"É a carne mais saborosa que existe. Quando todos souberem disso, acha que não vão querer experimentar?"

3

Cheguei cedo à casa do Jardim Botânico na quarta-feira. Na cozinha, Hugo selecionava os cortes a ser servidos, mas nós mal nos cumprimentamos. Conforme os garçons e os assistentes de cozinha chegavam, eu puxava conversa, mas eles desviavam de qualquer assunto, como se falar comigo pudesse colocar seu emprego em risco.

Enquanto tomava um banho rápido e vestia o smoking diante do espelho de corpo inteiro, não pude evitar pensar em Arthur. A devoção que ele nutria pela noiva me comovia. Por duas ou três vezes naqueles dias, em horários distintos, eu havia passado na esquina da rua Duvivier com a avenida Nossa Senhora e o vira à distância, sentado a uma das mesinhas externas do restaurante--café, com os cotovelos sobre a mesa, os olhos injetados fixos nos passantes.

Se não ficasse sabendo da morte da noiva, eu tinha certeza de que ele continuaria a frequentar o café todos os dias, esperando o instante em que Ruth atravessaria a rua por coincidência, desculpando-se pelo sumiço repentino e enchendo-lhe de beijos. Aquele havia sido o último lugar onde ela supostamente havia sido vista e, como um cão fiel, ele a esperaria ali pelo resto de sua vida. Mesmo ciente de quão errado era alimentar nossa amizade, continuei a encontrá-lo. No meu íntimo, sabia que não era apenas pelas informações que ele poderia me oferecer. Nossas histórias tinham inevitavelmente se cruzado.

Naquela noite, quando eu já descia as escadas para receber os convidados, meu celular tocou. Atendi, sem reconhecer o número.

"Dante, é Arthur. Você pode me encontrar?", ele perguntou, com a voz tensa.

"O que foi? Aconteceu alguma coisa?"

"Prefiro não falar por telefone."

“Estou ocupado agora. Amanhã de manhã?”

“Às onze no café”, ele disse, desligando sem se despedir.

Depois da conversa, não consegui mais me concentrar. Arthur nunca havia sido tão seco e objetivo. Por que ele tinha ligado de um número desconhecido? Por que não podia falar por telefone? Fiquei relembrando a conversa e suas entonações. Sem dúvida, aquele foi o pior jantar de todos os tempos. Me livrei dos convidados assim que pude, lamentando ter marcado o encontro apenas para a manhã seguinte. Em casa, tomei um banho, vesti um pijama e decidi que não me drogaria — sem cocaína, MDMA, maconha ou Rivotril.

Passei a noite sem dormir.

4

A quinta-feira amanheceu fria, com uma chuva fina atípica para o Rio de Janeiro. *Winter is coming*, pensei, e vesti um suéter listrado que não usava desde a faculdade. Cheguei meia hora antes ao café. Arthur já estava à minha espera. Em cima da mesa, havia um livro de autoajuda sobre como vencer obstáculos. Desde que os jantares tinham começado, eu havia desistido daquele tipo de literatura, que só servia para nos manter controlados, dentro dos limites sociais: não mate ninguém, não se mate.

Dei um abraço em Arthur e pedi um café ao garçom. Ele já bebericava um chocolate quente e comia um croissant. Parecia até alegre.

“Estou de licença no trabalho e tô vindo aqui todos os dias. Chego assim que abre e fico até de noite.”

“Você precisa tocar sua vida, Arthur.”

Eu sabia que não era tão fácil, e ele não queria ouvir minhas frases feitas.

"Você sabe o que significa carne de gaivota?"

A pergunta fez minha espinha gelar. Encarei-o, tentando desvendar quanto exatamente sabia. Estava jogando comigo? Qualquer passo em falso poderia ser fatal. Apertei os dedos contra as palmas das mãos, tentando conter o nervosismo:

"Não faço ideia."

Ele aceitou a resposta. Enquanto mastigava um naco de pão, retirou uma folha de papel dobrada de dentro do livro e estendeu para mim. Ali havia uma lista de itens escritos à mão. Tive a certeza de que encontraria meu nome. Li e reli.

1. *Carne de gaivota*
2. *Jantares secretos. Ilegal* — PAUTA FODA!!!!
3. *Zona Sul?*
4. *Quanto? Quando? Quem? Como?*
5. *Conseguir a grana para o informante* (*cinco mil?*)

"Onde você achou isso?", perguntei.

"Na escrivaninha da Ruth, ontem de noite."

Agora eu entendia a ligação inesperada. Ele devia ter acabado de encontrar o papel e, sem ninguém para contar a novidade nem material suficiente para ir à polícia, ligara para mim do telefone fixo. Um vento frio subia do alto-mar e batia nos prédios da orla, ganhando força nos corredores formados nas ruas perpendiculares como aquela. Vestindo um sobretudo, Arthur parecia um verdadeiro Sherlock. Eu era seu Watson, com a diferença de que, nos livros, Watson é um parceiro fiel e realmente disposto a ajudar. Eu estava mais para professor Moriarty.

"Carne de gaivota é o primeiro item", Arthur disse, enquanto eu passeava os olhos pela lista. "Deve ser importante, mas não sei o que significa."

"Nem eu."

"Parece algum código."

"Essa letra é da Ruth?"

"Sim."

Era uma letra bonita, com "as" e "os" firmes, "tês" e "jotas" pomposos, como os de uma criança num curso de caligrafia. Não parecia de modo algum uma lista escrita às pressas. Olhei para as pessoas na rua, protegidas por seus guarda-chuvas ou correndo sob as marquises e pensei que talvez fosse hora de soltar mais alguma pista, mencionar que eu vira uma notícia sobre jantares com carne humana, mas concluí que era uma ideia idiota: Arthur estranharia quão conveniente era que eu tivesse aquela informação.

"Olhei nossa conta bancária", ele disse. "A Ruth sacou cinco mil reais antes de desaparecer. A gerente contou que ela parecia nervosa e excitada. Acho que você tá certo, Dante. Ela estava investigando alguma coisa e foi encontrar com esse informante."

"Alguma ideia de quem possa ser?"

"Ainda não. Preciso conseguir acesso aos e-mails, mas não tenho a senha do computador dela. Contratei um sujeito lá perto de casa pra fazer isso."

Enquanto soprava o chocolate quente e a fumaça cobria seu rosto, os olhos de Arthur se encheram de lágrimas:

"Acho que ela está morta."

"Ei... Fica calmo", disse, sabendo que era inútil.

Toquei suas mãos, mas ele as recolheu depressa:

"Acho que a Ruth estava escrevendo uma matéria sobre esses jantares secretos, ilegais, de carne de gaivota. Ela começou a investigar, descobriu coisas e foi assassinada."

"Você tá se precipitando."

"Precipitando?", ele bateu a xícara na mesa com tanta força que um casal ao lado olhou para nós. "Só quero entender o que aconteceu com a minha noiva."

Tomei o último gole do café morno e pedi outro. Precisava

me aquecer com urgência. Minha cabeça funcionava a mil por hora, tentando encontrar a frase certa a dizer. Aquela lista era o mais próximo que eu já havia chegado de encontrar Vladimir. Uma mão enluvada tocou meu ombro, me trazendo de volta à realidade. Virei o pescoço por instinto e perdi a respiração ao encontrar Umberto ali, diante da mesa, vestindo casaco e cachecol e protegido por um guarda-chuva vermelho com os dizeres I ♥ NY.

"Dante, querido, que bom encontrar você", ele disse, já debaixo da cobertura do restaurante-café. Abriu um sorriso esgarçado e retirou as luvas. "Que tempo é esse, hein?"

Arthur o encarava com ar confuso. Antes que eu tomasse qualquer iniciativa, o velho continuou:

"Não vai me apresentar seu amigo?" Ele estendeu a mão para Arthur. "Sou Umberto, padrinho do Dante. Você é…?"

"Arthur."

"Muito prazer!" Sem esperar ser convidado, Umberto puxou uma cadeira para sentar à nossa mesa. "Estou atrapalhando alguma coisa? Saí pra ir ao banco, mas resolvi dar uma paradinha pra tomar uma bebida quente nesse frio londrino."

Arthur voltou a beber seu chocolate, visivelmente incomodado. O garçom trouxe meu café e Umberto pediu um cappuccino. Tirou o cachecol e guardou as luvas no bolso do casaco, esfregando as mãos e assoprando-as na tentativa inútil de se aquecer. Eu sabia que aquele encontro não era simples coincidência, mas hoje penso que a expressão provocativa de Umberto retardou minha reação de maneira imperdoável.

"Dante foi lá em casa na terça e me falou de você", ele disse, como quem retoma um assunto interrompido. "É você quem está procurando a esposa, não é?"

"Noiva."

"Sinto muito…"

O garçom trouxe o cappuccino e pensei em pedir a conta.

Era minha única chance de escapar daquela situação absurda. Como ele podia estar tão bem informado? Eu não conseguia conter a repulsa.

"Não me olha com essa cara, Dante! Seu amigo não se importa que você tenha me contado a história dele, não é?"

Arthur demorou alguns segundos para responder:

"Tudo bem."

"Conseguiu descobrir mais alguma coisa?"

"Ainda não", respondi por Arthur. "A gente já estava de saída, na verdade."

Umberto ignorou minha deixa:

"Espero que ela apareça logo... Perdi minha esposa há dois anos e Deus sabe como sofri..." Aquele teatrinho me dava náuseas. Nem muitos cristais de MDMA seriam suficientes para suportá-lo. "Sei que Dante é um bom amigo, mas você pode contar comigo também, viu, rapaz? Conheço bons investigadores particulares que poderiam ajudar."

Era a isca perfeita. Na mesma hora, Arthur encarou Umberto com outros olhos e aceitou de bom grado o cartão que o velho retirou da carteira, idêntico ao que eu havia recebido dele na noite do primeiro jantar, no nosso apartamento. Olhar para aquele cartão chamativo com UMM Company escrito em letras grandes me fez querer acabar com a palhaçada ali mesmo.

"Se puder me indicar um bom investigador seria ótimo. Estou tentando tudo."

"Viu? Deus escreve certo por linhas tortas!", Umberto disse. Arthur aceitaria qualquer migalha que lhe oferecessem. "Vocês já têm planos para o almoço?"

"Não, por quê?"

"Almocem lá em casa, então. É aqui do lado. Peço pra Cícera preparar algo gostoso e já pego logo os contatos dos investigadores na minha agenda. Você não pode perder tempo."

"Infelizmente, não dá", respondi, depressa. "Tenho que trabalhar, *padrinho*."

"Ah, Dante, deixa disso! Não vai fazer essa desfeita comigo e com seu amigo... O Arthur não vai se sentir confortável sozinho comigo. Faz companhia pra gente! São só duas quadras!"

"Eu..."

"Não aceito *não* como resposta! Vai ser um almoço rápido, coisa simples, só pra gente conversar um pouco mais." Umberto deixou uma nota de cem reais sobre a mesa e foi levantando. "Isso deve dar."

5

A chuva havia ficado mais forte. Umberto ofereceu abrigo a Arthur em seu guarda-chuva, e eu segui atrás, pelas marquises. Tentei encontrar uma escapatória antes que chegássemos ao Edifício Chopin, mas não teve jeito. Subimos juntos no elevador sem falar quase nada. Na sala de jantar, a mesa já estava posta para três, ainda que Umberto não tivesse telefonado para casa avisando que almoçaria com mais gente, o que só confirmava que nosso encontro não tinha nada de fortuito. O velho disse para ficarmos à vontade e sumiu pelo corredor, voltando tempos depois com dois nomes anotados num papel, com números de telefone ao lado.

"São homens da minha total confiança", disse, entregando a folha para Arthur. "Vocês me acompanham num vinho?"

Recusei. Arthur aceitou uma taça e brindou com o anfitrião.

"Fico muito feliz de receber vocês aqui, queridos."

Pelo olhar de Arthur, percebi que ele estranhava o jeito expansivo de Umberto, mas começava a simpatizar com o velho. Ele sabia ser agradável e excêntrico na medida certa. Fez piada com a situação política do país e conseguiu até arrancar um sorriso tímido do viúvo. Então a empregada entrou na sala para informar que o almoço estava pronto. Umberto se levantou, batendo palminhas em comemoração. Soltou um esgar de prazer ao chegar à sala de jantar.

"Rosbife de porco... Amo esse prato. Amo!"

Ele tomou seu lugar, passando a língua pelos lábios antes de pegar os talheres. Arthur fez o mesmo, olhando com simpatia para a travessa bem decorada. Fiquei paralisado a poucos centímetros da mesa, apoiando-me no espaldar da cadeira.

"Tá tudo bem, Dante?"

Arthur pousou o guardanapo de pano sobre o colo, enquanto Umberto se levantava para pegar meu braço e me guiar até a cadeira.

"Só estou um pouco indisposto."

"Deve ser fome. Não vai negar esse rosbife que você adora, não é?"

Umberto fez questão de nos servir fatias generosas. Sem demora, Arthur segurou os talheres e levou o primeiro pedaço à boca, mastigando devagar, sentindo os sabores exóticos e deliciosos que eu já conhecia. O velho também mastigava satisfeito, com as bochechas inchadas de carne. Espetei um pedaço pequeno, para ganhar tempo.

"Então?", Umberto disse. "Não é divino?"

Arthur sorriu. Inclinado sobre o prato, mastigou uma nova fatia com evidente satisfação.

"Realmente", disse, de boca cheia. "Uma delícia!"

6

Durante a refeição, um novo Arthur se revelou, mais falante, de bom humor. A boa comida faz isso com as pessoas. Ele ficou encantado com o almoço e com a gentileza de Umberto. Para meu desespero, não parava de repetir que aquela era a melhor refeição que havia feito em muito tempo. Conforme mastigava o rosbife, meu ódio se transformou em outra coisa, uma frieza inédita que me fez pensar que eu deveria jogar tão sujo quanto Umberto.

Já terminávamos o prato principal quando o celular do velho tocou. Ele foi para a antessala para ter privacidade e voltou minutos depois.

"Desculpem, era urgente!", disse, deixando o celular sobre a mesa.

Antes que se sentasse, Arthur perguntou:

"Onde é o banheiro?"

O velho o acompanhou pelo corredor até o lavabo, de modo que fiquei cerca de meio minuto sozinho na mesa de jantar — tempo suficiente para fazer o que fiz. Peguei o celular de Umberto depressa, antes que a tela bloqueasse, acessei as configurações e troquei a senha. O modelo era antigo, de modo que não era necessário digitar a senha anterior para fazê-lo. Desliguei o aparelho e o guardei no bolso.

Meia hora depois, por volta das três da tarde, saímos da casa de Umberto. Eu mal podia conter a comichão de vingança dentro de mim. Arthur voltou ao seu posto no restaurante-café e eu fui para casa. Cora e Leitão jogavam um video game barulhento na TV da sala e me convidaram para entrar na disputa.

"Tô ocupado", eu disse, seguindo para o quarto.

Deitado na cama, acessei o celular do velho. Busquei "Vladimir" entre os contatos: nada. No WhatsApp, muitas trocas recentes de mensagens, especialmente em grupos como "Amigos da direita" e "Clube sex Ipanema", responsável por promover orgias, conforme entendi ao olhar o conteúdo das fotos e vídeos compartilhados. Nos últimos meses, Umberto vinha conversando com Andrea, uma senhora morena, de olhos repuxados e sorriso (literalmente) cirúrgico na foto de perfil. O tom da conversa era de paquera adolescente, com muitos emojis de coração e carinhas apaixonadas. Era estranho invadir assim a intimidade do velho e perceber que, ao menos em alguns aspectos, ele vivia como uma pessoa normal.

Analisei as fotos. A maioria era de viagens e reuniões, ou continha mensagens imbecis, daquelas que recebemos nos grupos de WhatsApp e vão direto para o álbum. Ali também encontrei intimidades desagradáveis — Umberto nu diante do espelho, o corpo troncudo, a pele morena e escamosa queimada por décadas de sol, o membro flácido um tanto enrijecido, um sorriso safado no rosto. Preferi nem imaginar para quem ele enviava aquelas nudes. Liguei o computador e comecei a fazer o download das fotos. Cora entrou no quarto.

"Tá tudo bem com você?"

"Sim."

"Você não tá se drogando, né?"

Ela passou os olhos pela mesa do computador, desconfiada.

"Tá tudo certo. Só preciso terminar uma coisa."

Cora deu de ombros e voltou para a sala. Continuei a trabalhar, sabendo que assim que sentisse falta do celular Umberto desconfiaria de mim. Terminei de baixar as fotos e tive a ideia de olhar as mensagens de texto. Não precisei de muito tempo para descobrir um tesouro: os SMS trocados com Virgínia, secretária de Vladimir. Li tudo depressa, buscando apreender o máximo de informações. Em geral, as mensagens eram curtas e enviadas por ela: "*praça L, 20h*" ou "*Hotel Fasano, amanhã*" ou "*Vladimir não gostou*". Umberto dava respostas simples, sempre submissas: "*o.k.*", "*sim*" ou "*como ele preferir*".

Buscando conversas mais antigas, identifiquei a data em que a foto do Instagram havia sido postada. Os recados de Virgínia não eram nada gentis, e Vladimir chegava a ameaçar a vida da filha de Umberto. Eu nem sabia que o velho era pai, mas agora conseguia entender seu desespero naquela noite. Havia também orientações enviadas por ela na tarde em que Miguel fora assassinado: "*Provas com ele. Ação*". Era o atestado de óbito do meu amigo. Aquilo mexeu bastante comigo.

Selecionei todas as mensagens e encaminhei para o meu celular. Sem pensar muito, digitei um texto para Virgínia: "*Encontro em meia hora no Fasano. URGENTE*". Vesti uma roupa melhor, sem tirar os olhos do aparelho. Tinha que funcionar... A resposta veio em menos de cinco minutos: "*O.k.*". Ela tinha mordido a isca!

Guardei o celular no bolso, coloquei quinhentos reais na carteira e, numa tentativa patética de me sentir protegido, levei meu canivete suíço. Peguei um táxi até o hotel Fasano, chiquérrimo, de frente para a praia de Ipanema. Eu já havia entrado ali uma vez, numa festa em que me senti absolutamente deslocado. Após dois anos, a sensação continuava a mesma — ainda que agora eu tivesse dinheiro suficiente para almoçar no restaurante, com direito a couvert e bom vinho. Preferi me sentar em um dos sofás da recepção movimentada e peguei o jornal do dia para ler, escondendo meu rosto. Fiquei atento aos carros que paravam na entrada: muitas famílias de gringos e alguns executivos chegando para reuniões de negócios.

Olhei o relógio. Cinco minutos além do horário combinado. Para me tranquilizar, pensei que a secretária de alguém como Vladimir devia mesmo se atrasar. Os minutos avançavam devagar. Quando já tinha passado meia hora, voltei a ficar impaciente. Escrevi um texto cobrando sua presença, mas antes de apertar o ENVIAR, recebi uma mensagem de Virgínia: "*Cadê vc?*".

Girei os olhos pelo salão. Uma mulher negra, alta, de corpo musculoso e cabelos compridos havia acabado de entrar. Vestindo um terninho preto e segurando o celular, ela andou pelas mesas, como se procurasse alguém. Não encontrando, voltou a olhar o celular e saiu do hotel. Só podia ser Virgínia. Segui atrás dela. Um Citroën preto de vidros escuros a aguardava na esquina seguinte com a praia, próximo a um restaurante com varanda. Ela entrou no banco traseiro e pude ver que havia outra pessoa além do motorista dentro do carro. Parecia um homem careca. Seria Vladimir? O carro acelerou pela avenida Vieira Souto.

Sem perder tempo, corri para a fila de táxis diante do hotel e pedi que pegasse a orla.

"Pra onde?", o motorista perguntou.

Evitei o clichê "Siga aquele carro" e disse que ditaria o caminho. O Citroën estava a poucos metros de distância, indo na direção do Leblon, até que fez o retorno. Dei zoom para fotografar a placa do veículo com o celular. Entramos na avenida Atlântica e a beleza de Copacabana, com sua extensão magnífica do ângulo do posto seis, se descortinou diante de nós.

Na Figueiredo Magalhães, o Citroën dobrou à esquerda, se distanciando da praia. Ligou o pisca-alerta e parou no lado direito da rua, em frente ao Shopping dos Antiquários, um complexo decadente repleto de sebos, brechós e, claro, antiquários. A mulher desceu do carro, avançando apressada por um dos corredores. Paguei o táxi com duas notas de vinte e saí correndo, sem ligar que o motorista do Citroën pudesse me notar.

Subi a rampa para o segundo piso, passando em frente à Sala de Teatro Tereza Rachel. A maioria das lojas já estava fechada e, com o anoitecer, o lugar ganhava certo tom fantasmagórico. Eu tinha certeza de que Virgínia ia encontrar Vladimir. Ela tomou um corredor deserto, repleto de vitrines expondo quadros antigos, candelabros, manequins e estátuas. Ao final do corredor, havia uma única luz acesa. A negra parou diante da porta, como se esperasse permissão para entrar. A mão de um homem se projetou para fora, cumprimentando-a.

Empunhei meu canivete e avancei pelo corredor, destemido. Já estava a menos de dez metros quando o homem saiu, como se os dois fossem voltar pelo corredor. Num reflexo rápido, consegui me esconder atrás de uma pilastra. Meu coração quase saía pela boca. Mesmo de relance, vi que era Umberto. Escutei seus passos pelo piso frio, calculando que em poucos segundos eles passariam por mim.

Prendi a respiração, torcendo para que não fosse notado, e cheguei a sentir o alívio da vitória. Quando já estava a quase um metro de distância, o velho parou e virou, olhando na minha direção, como se soubesse que eu estava ali o tempo todo. Meu instinto foi correr, mas sua expressão deixava claro que seria inútil qualquer tentativa de fuga. Segurei o canivete, pronto para enfrentá-lo.

"Você está com meu celular", ele disse, estendendo a mão.

Seu olhar transbordava ódio. Tive certeza de que, se dependesse dele, eu seria executado naquele instante. Entreguei o aparelho, abrindo um sorriso largo, cínico, parecido com o que ele me lançara no almoço com Arthur.

"Se tentar mais uma palhaçada dessas, eu te mato", ele disse, e caminhou para a saída, mancando sutilmente. Virgínia não estava mais no corredor. Corri para a porta do shopping na vã esperança de ver o Citroën parado em algum semáforo, mas seu rastro havia se perdido de vez.

7

Já era noite quando entrei em casa. Na mesa da sala, Leitão digitava no laptop e bebia milk-shake enquanto Cora escrevia poesias no caderno, deitada na rede da varanda. Hugo apareceu, com dois livros de culinária debaixo do braço:

"Aconteceu alguma coisa?"

Abri uma garrafa de uísque e me servi uma dose generosa. Não fazia sentido esconder nada deles. Eram meus amigos, afinal. Mesmo que minha relação com Hugo estivesse estremecida, eu sabia que por trás daquela camada impessoal e egoica ainda havia um Hugo frágil, em quem eu podia confiar. Sentei no chão, recostado à parede da janela, e comecei a contar em detalhes minha quinta-feira caótica: o encontro com Arthur, o rosbife no almoço, o furto do celular e a mensagem para Virgínia, a negra misteriosa. Os três me escutaram com atenção, respeitando minhas pausas para beber o uísque ou chupar uma pedra de gelo. Ao final, Leitão levantou, sugando o canudo do copo vazio de milk-shake com um barulho irritante. Jogou o copo na lixeira e soltou um arroto.

"Acho que você foi enganado, Dante", ele disse.

"Como é?"

"Acho que o celular esquecido na mesa, a mulher no Fasano, tudo isso foi um teatrinho...", o gordo continuou. Ele pegou um copo de vidro e encheu de uísque, mas não colocou gelo. "No fim da tarde, uns amigos me ligaram. Estão me ajudando a buscar Vladimir na internet. É quase impossível não deixar nenhum registro hoje."

"E o que eles disseram?"

"Ninguém encontrou nada, nadica de nada, sobre o Vladimir."

"E daí?"

"Ou esse cara se esconde muito bem ou Umberto está enganando a gente", o gordo sorriu, dando um gole no uísque. "É tudo uma mentira, uma invenção do velho excêntrico. Vladimir não existe."

[Carta]

Rio de Janeiro, 9 de junho de 2016

Oi mãe, tudo bem?

Faz tempo que não recebo notícias da senhora. Estou com saudades. Por aqui, as coisas andam estranhas, acabei me atrapalhando e fiquei um tempo sem escrever. Tudo certo com Cora, não se preocupe. Quero casar logo com ela. Estou feliz, porque ela vende muitos livros e faz sucesso na internet.

O que está te preocupando então, meu filho?, a senhora deve ter se perguntado. Sinto falta do Miguel, mas não é só isso. Talvez eu esteja virando vegetariano, não sei. É que eu pensei numa coisa outro dia. Lembra quando eu era criança e brincava com as vacas e com os porcos no quintal enquanto a senhora trabalhava? Lembra que eu tinha uma galinha de estimação chamada Antônia, que eu adorava pelúcias de vaquinha e tinha dois peixes?

Então... Fico tentando lembrar sem sucesso do momento em que me dei conta de que a Antônia era o frango que eu comia no almoço, que a vaquinha de pelúcia era a mesma do bife acebolado, que os porcos do quintal estavam na linguiça que eu adorava nos churrascos. Entende o que quero dizer? É uma mudança e tanto na vida de alguém, e eu deveria lembrar, mas não me vem nada. Isso me perturba, tira meu sono. Quando é que as crianças descobrem que aquilo que a mãe delas coloca no prato é tipo a Peppa Pig? Quando é que percebem que assamos e comemos a Galinha Pintadinha? E como é que elas não ficam indignadas com isso?

Deus te abençoe.

Beijos do Leitão

Pururuca

1

Meus olhos caídos encaravam a garrafa de uísque já no final. Cora levantou para buscar mais gelo e reabasteceu os copos.

"Outra garrafa?", Hugo perguntou.

"Sim, por favor."

Ele caminhou até a despensa e pegou mais uísque. Virou sua dose em uma só golada, como se fosse tequila. Fiz o mesmo, olhando para meus amigos sob a luz amarelada do abajur. Estávamos bêbados, esgotados, moídos. Por um instante, senti falta do tempo em que éramos crianças e saíamos pelas ruas de Pingo d'Água para perturbar a vizinhança, dar susto nos animais ou furtar o dízimo da igreja.

Quando dei por mim, o relógio de pêndulo marcava duas da madrugada. Em um canto da sala, Hugo cochilava encolhido, ainda com o copo na mão, acordando de vez em quando para beber mais um gole. Do outro lado da janela enorme, erguia-se o hotel espelhado, com a maioria dos quartos no escuro. Em uma das janelas do sexto andar, um casal fazia sexo.

Enquanto bebia em silêncio, assisti às sombras variando de posição, braços e pernas erguidos, cabeças mergulhadas, e imaginei seus gritos, seu suor, seus desejos. Sempre tive certo fetiche voyerista. Meia hora depois, o casal sumiu por uma porta — o banheiro, supus — e depois voltou a deitar na cama, dessa vez para dormir. Meu cérebro funcionava como aquele hotel: após micro-orgasmos, as luzes iam se apagando. *Vladimir não existe,* Leitão havia dito. O contato realmente não estava gravado no celular de Umberto. Além disso, após passar no Fasano, Virgínia tinha ido direto encontrar o velho. Eu era mesmo tão burro?

"Umberto está cheio de dívidas", eu disse, depois de horas. "Não faz sentido ele ser o chefe."

Sobre a mesa, Leitão e Cora enrolavam seu décimo cigarro de maconha. Ele olhou para mim com desdém, como se fosse absurdo eu continuar pensando naquilo:

"Ainda não descobri o dono da conta no exterior pra onde vai a maior parte da grana."

"Acha que pode estar no nome dele mesmo?"

"Isso, gênio."

Encarei o gordo com a decepção de uma criança que descobre que Papai Noel não existe. Cora passou a língua na seda, tentando enrolar o fumo. Estava tão zonza que seus dedos escaparam e ela teve que repetir a operação. O olhar semiaberto de Hugo passeava por nós como se sua mente navegasse por mundos mais divertidos.

"O que a gente faz agora?", perguntei.

"Espera", Leitão disse. "Ainda não tenho certeza de nada. É só uma suspeita."

Desistindo de enrolar a maconha, Cora agarrou o namorado e tascou-lhe um beijo de língua, montando em cima dele.

"Tenho três estágios etílicos, fofoluxo", ela disse, lambendo a orelha dele. "Suscetível..." — ela desceu a boca, passando a língua por seu pescoço repleto de dobras — "vulnerável..." — voltou a subir, mordendo seu queixo — "e entregue. Nesse momento, tô no *entregue*."

Com muito álcool na cabeça, meus desejos voyeristas chegavam ao nível máximo. Leitão gargalhou, segurando Cora no colo, e eles sumiram juntos pelo corredor. Não demorou para que os gemidos viessem, indo de graves a agudos. Matei sozinho o restante da terceira garrafa de uísque e, por volta das cinco, fui dormir, deixando Hugo roncando em paz no chão da sala, abraçado ao copo de vidro com gelo derretido.

Certa vez, num banheiro público, havia um poema:

"*Quem ama, come.*"

2

Nem preciso dizer que acordei com uma dor de cabeça monstruosa na sexta-feira. Sobre a cabeceira, meu celular tremelicava, mas no meu cérebro o som parecia como uma bateria de escola de samba dentro do quarto. Atendi sem olhar.

"Tudo bem, meu filho?"

"De ressaca."

Não adiantava mentir. Minha voz entregava tudo.

"Você não devia beber tanto...", Hilda disse, no típico tom repreensivo das mães à distância. "E o trabalho?"

"Tudo certo. Estou de folga hoje."

"Preciso da sua ajuda", ela disse, em um tom grave. "A Mirtes piorou. O tratamento ficou muito caro e ela teve que ir pro hospital público... O câncer voltou a crescer. Ela me contou que você ofereceu ajuda, que mencionou um fundo..."

"Sim." Esfreguei os olhos, tentando pensar rápido. "É uma instituição aqui do Rio. Miguel já estava em contato com eles."

"Mas é muito dinheiro... A nova cirurgia custaria cinquenta mil."

"Vou ver se consigo."

Sem dúvida, ajudar dona Mirtes contaria a meu favor no Juízo Final. Talvez eu conseguisse um cantinho menos calorento no inferno. Assim que desliguei o telefone, corri para o banho. Vesti-me depressa, acessei o computador e transferi cinquenta mil reais para a conta que minha mãe havia passado. Enviei uma mensagem para ela: "*Consegui a grana! =)*", torcendo para que não fizesse muitas perguntas. Mães têm bom faro.

A boa-ação-do-dia me injetou certo ânimo. Acessei minha caixa de entrada, decidido a organizá-la. Havia muitos e-mails de propaganda, mas um em especial me chamou a atenção: a convocação para uma lista de assinaturas no Avaaz já aderida por mais de dois milhões de pessoas. O assunto do e-mail era: "Não à tortura de cães na China". Curioso, abri o texto, que já iniciava com a imagem de um cão enforcado:

Uns são espancados, outros sangram até a morte antes de ser comidos. É assim que são tratados os cachorros no festival de carne canina de Yulin. Milhares de chineses já protestaram contra o evento, mas as autoridades não vão fazer nada a menos que a China sinta que sua reputação esteja sendo prejudicada. É aí que entramos... Com apenas um clique, adicione seu nome à petição abaixo.

Por instinto, cliquei no link e escrevi meu nome. Mais uma boa-ação-do-dia em menos de dez minutos, pela saúde dos cachorrinhos. Fiquei imaginando o chilique que aqueles ativistas dariam se descobrissem o tipo de jantares que fazíamos no Brasil. Quantas assinaturas será que conseguiriam?

A proposta do movimento era enviar a solicitação contra a tortura de cachorros ao presidente chinês, Xi Jinping, ao governador da província de Guangxi, o sr. Chen Wu, e aos membros do Governo Central Chinês. Era engraçado pensar o que esses líderes de olhinhos puxados fariam ao receber uma lista com milhões de nomes que não significavam nada para eles. O ser humano é mesmo muito hipócrita. Sem dúvida, a maioria das pessoas que assinava aquela lista comia carne de porco, vaca e frango. A verdade é que você não precisa comer carne humana para incentivar atos monstruosos, basta curtir um bife e uma linguiça que já está dando sua contribuição para o horror.

3

Quando cheguei à casa do Jardim Botânico, encontrei Cora no quartinho dos fundos. Ela limpava com álcool gel a lâmina de sua motosserra, manchada com sangue seco de semanas antes.

"Fui dispensada", disse, magoada. "Agora, as carnes vão ser entregues já prontas."

"Eu soube."

"Tomara que façam malfeito. Vai ser minha vingança."

"Você vai ficar bem?"

"Acho que sim. Só passei aqui pra ajeitar as coisas, não vou levar nada. Combinei com o fofoluxo de ver algum filme de super-herói no cinema pra me distrair."

"Qual?"

"Não sei, tanto faz. É tudo igual."

Cora beijou minha bochecha e subiu para tomar banho. Na cozinha, Hugo estava concentrado em preparar a *mise-en-place* e não queria conversa. Estava me vestindo para receber os convidados quando recebi uma mensagem de Arthur no WhatsApp:

"Anima de jantar hoje?"

"Algum problema?", escrevi.

A resposta veio no mesmo minuto:

"Nada. Só queria me distrair."

"Tô ferrado hoje e amanhã. Domingo?"

"Ótimo."

Devolvi o celular ao bolso, pensando em como Arthur era um sujeito legal. Minha simpatia por ele não era apenas uma substituição emocional ao vazio deixado por Miguel — a chegada de uma pessoa jamais compensaria a partida de outra. Ao mesmo tempo, nossa convivência começava a ganhar contornos perigosos. Sem dúvida, ele logo começaria a se perguntar qual compromisso inadiável eu tinha todas as noites de quarta, sexta e sábado. Quando isso acontecesse, eu precisaria ter uma boa resposta na ponta da língua.

Naquele fim de semana, quase todos os convidados compareciam ao jantar secreto pela terceira ou quarta vez. Como um clube se fechando em seus segredos, a quantidade de novos membros diminuía a cada encontro. No sábado, um dos presentes era um chef de cozinha renomado que já havia ido algumas vezes aos jantares da Equipe Carne de Gaivota em São Paulo, mas que tinha feito questão de conhecer o *original*, no Rio de Janeiro.

No domingo, Dia dos Namorados, Arthur mandou mensagem sugerindo um café no apartamento dele. Apesar da data sugestiva, eu sabia que o convite não tinha nenhum cunho sexual. Era, sim, um passo adiante na nossa amizade. Até então, só havíamos nos encontrado em lugares públicos. No entanto, ir à casa dele conduziria a um problema óbvio: eu teria que convidá-lo eventualmente para conhecer meu apartamento também.

O prédio de Arthur ficava na rua Siqueira Campos, a poucas quadras da estação de metrô, logo acima de um hortifrúti. Como eram dez da manhã, aproveitei para passar em uma padaria na esquina com a Barata Ribeiro e comprar um bolo de cenoura para levar. A entrada do prédio era uma portinhola branca, discreta, camuflada pelo comércio. O porteiro interfonou para avisar da minha subida. Eram oito apartamentos por andar. Arthur já me esperava na porta, à vontade, de bermuda e chinelos. Sorriu e abriu passagem.

"Tenho novidades", disse.

Entrei pela cozinha, branca, totalmente reformada e funcional, com fogão de quatro bocas, micro-ondas, lava-louça e muitos bibelôs fofos típicos de um casal jovem que compra todas as coisas divertidas que encontra pela frente. Deixei o bolo sobre o balcão. *Feliz Dia dos Namorados*, pensei em dizer, mas talvez ele não achasse engraçado.

"Conseguiu algo com os investigadores do Umberto?", perguntei.

"Seu padrinho?"

"É."

"Falei com um deles, mas não senti muita firmeza", Arthur disse, pegando uma faca na gaveta. Segurou o bolo com a outra mão. "Depois do que descobri, acho que não vou precisar do serviço deles… Vamos pra sala."

O cômodo era simples, pequeno e agradável. Havia alguns pufes coloridos diante de uma televisão de tela plana, além de muitos porta-retratos do casal em momentos de felicidade. Nas paredes, imagens coloridas, como a de uma menina segurando um balão de ar e soprando pela boca uma poesia escrita em formato ondulante: *Amar o perdido deixa confundido este coração*.

"Foi a Ruth que fez. Ela gosta dessas coisas mais artísticas e manuais", ele disse, deixando o bolo sobre uma mesa redonda já posta com sucos e pães. "Quer conhecer o restante ou prefere comer primeiro?"

"Sem pressa."

Seguimos por um corredor pequeno. O apartamento tinha três quartos: a suíte do casal, com a mesma ousadia juvenil da sala e da cozinha; o escritório de Arthur, com computador, muitos livros e três armários de remédios (ele às vezes trabalhava de casa) e o escritório de Ruth, com uma escrivaninha simples, de fórmica escura, com espaço vago para o laptop. Havia menos livros no escritório dela, quase todos de não ficção.

"O rapaz que contratei levou o laptop dela. Ele ainda não conseguiu abrir os e-mails, mas conseguiu acessar a máquina e trouxe ontem esse pendrive com os documentos de Word."

Arthur fez uma pausa. Percebi que estava prestes a escutar algo muito importante.

"Encontrei a matéria que ela estava escrevendo", ele disse. "Era sobre jantares secretos que servem carne humana."

"Como assim?"

"Parece que a Ruth ouviu um boato, foi atrás da informação e descobriu que era real... Estão fazendo jantares canibais aqui, Dante, na Zona Sul do Rio de Janeiro."

"Tem certeza?"

Eu não era bom ator, mas ele pareceu não desconfiar de nada.

"Ela chegou a entrevistar algumas pessoas que foram a esses eventos. Coisa chique, custa caríssimo. Acontecem numa casa isolada, ninguém sabe onde fica. Pelo que entendi, a Ruth conseguiu um contato e estava na lista de espera. Ela queria descobrir há quanto tempo acontece, quem frequenta e, principalmente, quem organiza."

"E descobriu algo?"

"Acho que ela não tinha terminado a pesquisa. Mas tem um nome que aparece algumas vezes…"

Encarei-o, torcendo para que não falasse *Dante*.

"Vladimir."

"Vladimir?"

"Sim, Vladimir", ele repetiu devagar, como se as letras tivessem sabor amargo. "Sabe o que eu acho? Que ela estava investigando esse cara, chegou perto demais e acabou assassinada."

Concordei, em silêncio. Eu deveria consolá-lo, mas Arthur não chorava. Não era mais o sujeito frágil e abalado que eu tinha visto pela primeira vez no bar Inhangá. Seus olhos continham emoção, mas também uma frieza inacessível.

"Vou atrás disso", ele disse. "Vou descobrir quem são esses filhos da puta, Dante. E, quando descobrir, vou torturar e matar um a um."

4

A conversa continuou na mesa do café, mas nenhuma informação relevante surgiu além do que ele já havia me contado. Enquanto eu me fartava de pão integral e bolo, escutei-o repetir a mesma história de maneiras distintas. Vez ou outra, eu o interrompia para dizer qualquer coisa vaga, com meu arsenal de frases feitas: "Vai dar tudo certo" ou "O que é isso? Violência não leva a lugar nenhum". A verdade era que eu estava me borrando de medo. Se Arthur continuasse a procurar, só um de nós dois escaparia vivo. Não era fácil sorrir com aqueles pensamentos rondando minha cabeça.

Na hora da despedida, usando o tom mais casual possível, pedi que ele me enviasse por e-mail o artigo que Ruth escrevia. Arthur aceitou sem hesitar e o fez na minha frente, pelo celular mesmo.

"Estamos juntos nessa", ele disse, antes de fechar a porta.

Já era de tarde. Em quinze minutos, cheguei ao apartamento, que estava vazio e silencioso. Uma preguiça brutal me torturava, de modo que me permiti uma soneca sob as cobertas, com minha *playlist* do Spotify no modo aleatório, e só acordei de madrugada. Mesmo após doze horas de sono, continuava me sentindo esgotado. Bebi um copo de leite e voltei para a cama.

Levantei cedo na segunda, com um objetivo claro em mente: ir ao centro da cidade tentar obter o nome do proprietário da casa no Jardim Botânico e do Citroën. Sentada na banqueta da cozinha, ainda de camisola, Cora comia uma tapioca de queijo minas e se ofereceu para preparar outra para mim. Aceitei, abrindo a geladeira para me servir de suco de laranja. Descalço, senti meus pés gelarem.

"Deu formiga na cama hoje?", perguntei a ela.

"Leitão saiu cedo e perdi o sono."

"Deixa eu entender... Leitão acordou, se arrumou e já saiu de casa? Uau!"

Era algo raro, que merecia alarde, mas Cora continuou séria.

"Foi encontrar aqueles amigos bizarros dele", disse, arrancando com raiva uma fatia do rolo de papel-toalha para pegar minha tapioca. "Parece que conseguiram pistas do Vladimir."

"Isso é ótimo."

"Não gosto quando ele encontra aquele povo esquisito, hackers e tal. Mais tarde, a gente vai almoçar no Leblon, no pé-sujo que ele gosta. Quer ir também?"

"Tenho mil coisas pra fazer, não sei se dá tempo. Qualquer coisa, te ligo, tá?"

Ela concordou em silêncio. Engoli a tapioca depressa, amassei o papel-toalha e dei um beijo nela:

"Preciso ir."

Peguei um Uber Black na porta do prédio. Cerca de uma

hora depois, desci no edifício do Detran, na Presidente Vargas. O trânsito na região estava caótico graças às obras. Às vezes, eu esquecia que era um sortudo por morar na Zona Sul e não precisar mais sair de casa todos os dias. Para compensar os minutos de irritação dentro do carro, Deus moveu suas engrenagens de modo que fui rapidamente atendido. Inventei uma história de que o Citroën com aquela placa havia batido no meu carro e fugido. Abri uma solicitação gratuita. Eles teriam uma resposta em poucos dias.

Segui a pé até o Registro Geral de Imóveis ali perto. Tive que preencher um formulário chato e pagar um boleto para pedir uma certidão de propriedade do imóvel no Jardim Botânico. Antes do meio-dia, estava livre, sem a menor vontade de voltar para casa. Perdi alguns minutos na Livraria da Travessa da avenida Rio Branco. Entre os mais vendidos, logo na entrada, não havia nada que prestasse. Mas vi que o novo filme do Tarantino havia saído em DVD e comprei. Gastos como esse me lembravam do prazer de não ter que contar mais os centavos ou me preocupar com o cheque especial. Apesar de tudo, eu não sentia a menor falta de ser livreiro.

Por volta da uma, senti fome. Já estava tarde para ligar para Cora e resolvi comer um yakisoba rápido em um restaurante chinês que encontrei pelo caminho. O lugar estava cheio e a comida parecia gostosa. Cheguei em casa de barriga cheia antes das duas, com a sensação de que o dia estava sendo excepcionalmente produtivo. Peguei uma taça de vinho e fiz um brinde a mim mesmo diante do espelho. Liguei o laptop sobre a escrivaninha do quarto, torcendo para que o Cabernet Sauvignon preparasse meu psicológico para a leitura do artigo da Ruth sobre os jantares. Eu tinha evitado aquilo até agora, mas era impossível adiar mais.

Passei os olhos pelas primeiras linhas, tentando captar todas as informações ao mesmo tempo. Havia frases soltas, trechos incompletos, parágrafos pouco sólidos. O final do arquivo trazia a transcrição da entrevista com uma pessoa não identificada que dizia ter participado dos jantares. Estava tudo ali: o cicerone (segundo a testemunha, *um jovem bonito e atencioso que fazia os convidados se sentirem à vontade*, o que me deixou lisonjeado), o número de convidados, o valor e o esquema de segurança para esconder a localização. A fonte de Ruth era quente.

O único nome próprio mencionado no texto era Vladimir, por três vezes. Ali dizia que ele havia ampliado o negócio, era cuidadoso e discreto. O mais interessante era que a fonte afirmava ter conhecido um funcionário do matadouro, que garantira que Vladimir pagava bem os empregados, mas nunca comparecera pessoalmente ao local, o que só confirmava a teoria de que Umberto era um mentiroso desgraçado que tinha inventado um personagem.

Compenetrado no artigo, quase caí da cadeira quando a porta se abriu num rompante e Cora entrou chorando. Na verdade, ela não chorava, e sim *surtava*, totalmente fora de si, com a maquiagem borrada e a respiração entrecortada, como quem acaba de apanhar na rua.

Corri na direção dela e envolvi seu corpo magro, que tremia contra meu peito. Cora tentava dizer alguma coisa, mas não conseguia completar as frases, caindo novamente num choro convulsivo. Apesar de assustado, firmei o abraço e acariciei seus cabelos, esperando que se acalmasse. Meus dedos acabaram tocando sua testa, e notei que ela estava sangrando.

"Fala comigo... O que aconteceu?"

"Levaram o Leitão. Eles vão matar meu fofoluxo, Dante!"

Minha pressão baixou na mesma hora. Ergui o queixo dela para que olhasse para mim. Cora tinha dois ferimentos grandes no rosto, um no olho esquerdo e outro na testa — um filete de sangue descia pelo canto do olho, contornava a bochecha e chegava ao pescoço. Sentei-a e corri ao banheiro para pegar gaze e soro fisiológico. Enquanto eu fazia o curativo, ela falava sem parar.

"A gente se encontrou pra almoçar... Na Dias Ferreira... Um carro parou e... Tinha uns caras armados... Colocaram o Leitão no carro... Eu gritei... Eles me bateram com a arma..."

"Levaram o Leitão?"

"Primeiro atiraram na perna dele... Ele disse que não ia entrar no carro e atiraram na perna dele."

"Qual era o carro, Cora?"

"Não lembro..."

Ela me encarou, indefesa. Revelava um lado frágil que eu ainda desconhecia em uma mulher que estripava um corpo humano sem maiores problemas. Peguei meu celular e mostrei a foto do Citroën preto.

"É esse!", ela disse, sem ar.

Sua pele começava a esfriar. Cora desmaiaria a qualquer minuto.

"Você precisa se acalmar... O que o Leitão te contou?"

"Nada... Ele não contou nada... Eu juro!", ela gritou, encurvada, muito vulnerável. "Ele estava animado... Acho que tinha descoberto alguma coisa..."

"Ele te falou isso?"

"Não... A gente tem que ir na polícia, Dante! Não quero perder meu fofoluxo! Não quero! Ele é tudo o que tenho nessa vida!"

"Não podemos ir na polícia. Deixa comigo."

Peguei dois comprimidos de Rivotril na gaveta da escrivaninha e entreguei para ela com minha taça de vinho.

"Bebe."

"Não quero dormir..."

"Vai te fazer bem. Quando você acordar, o Leitão vai estar aqui, cuidando de você."

Ela suspirou e aceitou o sedativo. Baixou os olhos e ficou chorando baixinho. Encolheu-se no colchão, como um animal afugentado. Meu cérebro rodopiava, mas continuei a fazer companhia a ela, enquanto tentava ligar para Umberto. Sem dúvida, o velho desgraçado estava me evitando.

Cora demorou meia hora para dormir. Quando ela finalmente fechou os olhos, chorei. Estava tudo bem guardado nos recantos da minha alma e agora, longe da vista de todos, eu podia me entregar sem medo. Aquele era um jogo de gente grande, e eu me sentia um recém-nascido. Não havia nada que eu pudesse fazer. Não adiantava brigar com Umberto, não adiantava varrer o sangue para debaixo do tapete. Dois amigos mortos — era o fim. Minha melhor chance era fugir para Pingo d'Água.

Tentei ligar para Hugo, que também não atendeu. Minutos depois, escutei o barulho da porta e corri para a sala, tonto, me apoiando nas paredes. Para minha surpresa, Hugo entrava em casa vestindo sua gambuza preta e acompanhado de Umberto, num terno risca de giz.

"Seu filho da puta!", gritei, avançando contra o velho.

Hugo me impediu. Num golpe rápido, prendeu meus braços e pediu que eu ficasse calmo. Tentei me desvencilhar, mas ele era bem mais forte.

"Ele pegou o Leitão", eu disse. "Me solta! Ele pegou o Leitão!"

Umberto desprezava minha revolta. Alargou o sorriso de Miss para dizer:

"Solta... Ele não vai fazer nada."

Como um escravo, Hugo obedeceu e voltou para o lado do velho, recebendo tapinhas camaradas no ombro.

"Você devia fazer como seu amigo", Umberto disse, aproximando-se com as mãos para trás. Se eu o socasse, ele não teria tempo de se defender. "Pare de investigar Vladimir ou vai morrer.

Fico espantado que ainda insista nessa história, pensei que fosse mais esperto."

Eu não ia ceder às provocações dele:

"Você é Vladimir."

"Adoraria que fosse verdade", ele disse, com um gesto vago no ar. "Mas, nesse caso, você já estaria morto, querido. Não entendo por que ainda não eliminaram você. Uma bichinha vulgar que apenas recebe os convidados e poderia ser facilmente substituída por qualquer outra escolhida na fila da The Week. Mas, bem..." Ele passou as mãos na lapela do paletó, limpando uma sujeira imaginária. "Eu apenas obedeço ordens."

"Hugo, eles pegaram o Leitão", eu disse, ignorando o teatrinho de Umberto. Não era possível que meu amigo tivesse mudado tanto.

Ele encarou os próprios pés, os braços musculosos caídos ao lado do corpo, a barba fazendo volume na altura do tórax. Repeti o aviso, ainda que soubesse que ele havia me escutado da primeira vez.

"Leitão precisou ser eliminado", Umberto disse.

"Tive que fazer uma escolha, Dante", Hugo explicou, ainda de cabeça baixa. "Não existe boa comida sem dor."

"Você é um merda, Hugo, um imbecil que não sabe o que é amizade, nunca soube o que é família... Não posso nem olhar na sua cara!"

Ele levantou os olhos vermelhos na minha direção.

"Estou saindo do apartamento. Já até levei minhas roupas."

"Esses filhos da puta mataram o Leitão!"

"Ninguém em Pingo d'Água precisa saber. Ele não tinha parente nem outros amigos. Não vão sentir sua falta."

"*Eu* vou sentir!"

"Isso é muito bonito", Umberto disse, interrompendo a conversa num tom falsamente emocionado. "Mas você também precisa escolher, Dante. Não dá pra continuar fazendo jogo duplo, agindo contra nós. Vladimir quer te dar outra chance antes de tomar uma atitude... *extrema*."

"Que generoso da parte dele", ironizei.

"Muito... Agora retribua a generosidade e mate o tal Arthur."

"Não vou fazer isso."

"Você tem tempo pra pensar. Não precisa trabalhar quarta. Na sexta, esperamos você uniformizado e alegre, com o corpo do Arthur como prova de fidelidade. Vai ser uma noite especial, nosso centésimo jantar secreto!"

Umberto bateu palminhas, sorrindo. Abriu a porta e Hugo o seguiu, sem olhar para trás.

"Cadê o corpo do Leitão?", perguntei, aos trapos.

"Dante, pelo amor de Deus, isso aqui é um negócio! Não dava pra desperdiçar tanta carne. Se quiser rever aquele gordo preguiçoso, apareça no próximo jantar. Teremos Leitão à pururuca."

5

Se eu fosse corajoso, teria tentado impedir que violassem o corpo do meu amigo, mas nem disso era capaz. Passei o dia seguinte na cama, entorpecido com os sedativos, cogitando suicídio pela primeira vez: bastava tomar uma dose um pouco maior de remédios, misturar com cocaína e pronto, seria o fim dos meus problemas. Eu não queria mais morar naquela casa vazia e fria, com uma sala enorme, uma cozinha sem personalidade, os quartos cheirando aos meus amigos e relembrando como eu era responsável pelo inferno em que nossa vida havia se transformado... Era doloroso demais.

Quando Cora acordou, tentei explicar o que havia acontecido, disse que precisávamos nos unir, mas nem eu acreditava mais naquilo: a guerra estava perdida. Nossas únicas opções eram seguir a correnteza ou morrer afogados. Tentei abraçá-la, mas fui rechaçado.

"Você mentiu", ela disse, com o rosto inchado. "Perdi meu fofoluxo."

Cora passou as horas seguintes trancada no quarto do namorado, sem comer nem beber. Recusou meus carinhos, meus abraços e até a comida que deixei na porta. Só voltamos a falar no final da tarde de quarta-feira, quando ela apareceu de surpresa no quarto. Eu estava sob as cobertas, zonzo, suando frio depois de algumas misturas, de modo que mal conseguia me mover. Cora usava um vestidinho preto e segurava uma mala rosa.

"Vou embora", ela disse, virando as costas. "Tchau."

Tentei segurar seu braço, mas minha mão não tinha firmeza suficiente. Ela se desvencilhou.

"O sonho acabou, Dante. Vou usar meu dinheiro, viajar e tentar recomeçar a vida em algum lugar."

"Não vai embora...", murmurei.

"Não gosto de despedidas", ela disse.

Então virou as costas e saiu, sem que eu tivesse forças para ir atrás.

6

O uso de drogas entorpecentes ajuda a enganar um agente essencial da vida: o tempo. Deitado na cama, indo apenas à cozinha para me alimentar e ao banheiro para me livrar do alimento, não senti a semana passar. Quando me dei conta, já era quinta-feira, véspera do jantar a que eu deveria comparecer se quisesse continuar vivo. Algo em mim — um resto de autopreservação — fez com que eu me levantasse da cama e ligasse o computador.

Passei as horas seguintes assistindo a filmes ruins no Netflix, comendo um resto de sorvete que havia na geladeira e cantando músicas da Rihanna e da Lady Gaga enquanto acompanhava os clipes no YouTube. Olhei meu celular, com dez ligações da minha mãe, seis de Arthur, uma de Umberto e centenas de mensagens não lidas no WhatsApp. Eu continuava sem a menor vontade de ter contato com o mundo exterior e deixei o celular de lado. Como que para me desafiar, ele começou a tocar na mesma hora. Era Arthur.

Atendi sem pensar.

"Poxa, Dante, você sumiu..."

"É."

"Tá tudo bem?"

"Não."

"O que foi? Quer que eu vá aí?"

"Não, eu..." Era impossível receber alguém naquele estado. Minhas axilas fediam, minha boca tinha gosto de borracha. "Tem muita gente aqui em casa."

"Então aparece aqui às sete. Fiz uma travessa de lasanha. Te espero."

Antes que eu respondesse, Arthur desligou. *Tudo bem, não é um problema tão grande*, pensei. Obriguei-me a sair do quarto e entrar no chuveiro. Fiquei muito tempo debaixo da água quente, tentando não pensar em nada. Ao final, eu me sentia um homem novo. Vesti-me diante do espelho, ligeiramente alegre porque ia encontrar Arthur e sair do apartamento. Sem meus amigos e sem Cora, havia um ranço de desgraça em cada parede, em cada móvel ali. Enquanto pegava as chaves de casa, tive a ideia de levar comigo uma caixa de Rivotril. Não foi nada calculado, juro. Eu estava convivendo com aqueles remédios fazia tantos dias que não queria ficar longe deles. Eram meus novos melhores amigos.

Arthur me recebeu na porta, com o mesmo carinho de sempre. Percebeu logo que eu estava péssimo e tentou me animar. Me levou até a mesa e colocou a travessa de lasanha no forno, então abriu uma garrafa de vinho e serviu duas taças.

"Que na segunda garrafa você me conte o que está te atormentando", ele disse, propondo um brinde.

Sorri, bebendo um gole. Escutei-o falar por alguns minutos sobre qualquer coisa — não lembro o que era, minha mente parecia gelatina recém-colocada na geladeira. Ele se levantou para conferir a lasanha e me deixou sozinho na sala. Naquele instante, ergui os olhos para a taça dele e me veio a ideia, prontinha. Não sei como surgiu, talvez já estivesse lá antes, perdida no caldeirão de pensamentos. Agi depressa, quase sem pensar: abri duas cápsulas de Rivotril e pus na taça dele.

Minutos depois, Arthur deixou a travessa na mesa e voltou à cozinha para buscar pratos e talheres. Perguntei se precisava de ajuda, mas ele negou. Serviu um retângulo generoso para mim, e aproveitei para fazer um elogio qualquer sobre a aparência do prato.

"Tenho meus talentos culinários", ele disse, em tom brincalhão.

Com garfo e faca em mãos, hesitei. Antes de levar a primeira garfada à boca, olhei para Arthur, um sujeito de trinta e tantos anos, nerd, gente boa, que havia se tornado meu amigo, e concluí que eu era mesmo muito escroto para ter coragem de fazer aquilo com ele. Seu pescoço estava a poucos centímetros de mim, bastava que eu esticasse o braço e passasse a lâmina por sua jugular. Apertei o cabo da faca com firmeza, preparando o golpe.

"Parece que dessa vez acertei", ele disse, terminando de mastigar e pegando sua taça.

Essa frase — simples assim — me desmontou. Larguei a faca sobre a mesa e dei um tapa na taça de vinho antes que ele desse um gole. Ela escapou de suas mãos e se espatifou na mesa, manchando a toalha. Arthur olhou para mim, sem entender.

"Sou um merda", eu disse, começando a chorar contra minha vontade.

"Que nada, cara, não fala assim."

Respirei fundo, encarando-o. Não dava mais para carregar aquele peso.

"Eu não presto, a culpa é minha", eu disse, como quem se joga de um abismo. "Ajudei a matar sua noiva."

7

Arthur ficou congelado. Conforme as palavras saíam da minha boca, ele manteve a expressão seca, fria, com a coluna perfeitamente ereta e os cotovelos sobre a mesa.

"Desculpa, cara, desculpa... Eu sou um merda", eu dizia de vez em quando, antes de retomar a narrativa do modo mais cronológico que conseguia, com aquela sopa de letrinhas confusa em minha cabeça: a dívida do aluguel, o roubo do primeiro corpo do hospital público, o Bukowski amassado... "Desculpa, cara, desculpa... Eu sou um merda". Umberto e seus jantares, a casa no Jardim Botânico, o cartaz de Ruth, a visita ao matadouro, a morte de Miguel, a culpa, o arrependimento, a morte de Leitão. Tudo por causa de Vladimir, o filho da puta maior.

Arthur não reagiu violentamente nem chorou em nenhum momento enquanto eu contava minha história — *nossa* história. Mesmo quando terminei, ele continuou a me encarar imóvel, e senti um vazio imenso, como se seu olhar entorpecido sugasse toda a minha energia vital. O cheiro caseiro que subia da travessa, os porta-retratos onde Ruth sorria e a inércia de Arthur me deram vontade de pular da varanda. Mas ele não morava em um andar tão alto. No máximo, eu ficaria aleijado.

"Não vai dizer nada?", perguntei.

Levar um soco teria sido melhor. A mancha de vinho tinto se espalhava pela toalha, como uma grande poça sangrando nossa amizade. Peguei minha taça, porque precisava de algum líquido para empurrar o nódulo seco que travava a garganta de angústia.

"Não bebe", ele disse.

"O quê?"

"Não bebe. Sua taça também está batizada."

Fiquei alguns segundos sem entender.

"Eu já sabia", ele disse, calmo. "Sabia que você estava envolvido."

Arthur andou até uma gaveta e retirou duas folhas de papel grampeadas e dobradas ao meio. Quando me entregou, vi que a primeira trazia uma troca de e-mails entre Ruth e um sujeito não identificado, que logo entendi ser o informante. No mais recente, recebido dias antes de seu desaparecimento, havia um anexo em jpg chamado "Vladimir". Virei a página e lá estava uma foto de Umberto.

"Vladimir é aquele seu padrinho, Dante", ele disse. "Ruth morreu porque viu essa foto. Estava no e-mail dela, na pasta JANTAR SECRETO. Só ontem consegui acesso."

Então era verdade. Vladimir era Umberto e tinha me feito de idiota durante todo esse tempo. Leitão havia sido assassinado porque confirmara suas suspeitas. Naquele instante, me ocorreu que talvez Miguel também soubesse. Mas como?

Arthur esperava minha resposta.

"Eu não sabia... Juro que não sabia..."

"O cara é seu padrinho e você não sabia?"

"Ele não é meu padrinho merda nenhuma! Umberto dizia trabalhar pro Vladimir. Fui enganado também, o.k.? Ele jurou que nunca tinha visto o Vladimir pessoalmente!"

Arthur me encarou, sombrio, e disse depois de alguns segundos:

"Acredito em você."

"O que você colocou no meu vinho?"

"Uma combinação de drogas que todo mundo chama de soro da verdade. Você ia me contar tudo o que eu te perguntasse. Mas nem precisou... E você? O que colocou no meu vinho?"

"Sedativo."

Ele soltou uma risada triste. Parecia até emocionado.

"Acho que nossa amizade não tem mais volta, né?"

"É", respondi, deixando um longo silêncio cair sobre nós. "Você não vai me matar? Não vai chamar a polícia?"

"Não."

"O que então?"

"Espera um instante."

Arthur sumiu pelo corredor. A chave estava na porta e eu poderia ir embora, mas não fiz isso. Depois de despejar todo o lixo, me sentia mais leve e até confortável naquela casa de classe média, com uma travessa de lasanha esfriando na mesa e a toalha manchada. Eu só queria que a vida me empurrasse para algum lugar. Se fosse preso ou morresse, pelo menos a decisão não seria minha. Arthur voltou e apoiou as mãos sobre a mesa, inclinando o corpo e deixando o rosto a centímetros do meu. Tinha hálito de molho branco.

"Você falou que os jantares acontecem às quartas, sextas e sábados, certo?"

"Certo."

"Então, o próximo jantar é amanhã."

"Sim."

"Você é minha porta de entrada pra esse evento. Pode me colocar lá dentro..."

"Não é tão simples. Existe uma lista. Amanhã vai ser uma noite especial. O centésimo jantar. É impossível."

"Quero que esses filhos da puta sofram, Dante. Quero que eles morram."

Arthur abriu a mão, deixando um frasco sobre a mesa.

"O que é isso?"

"Uma combinação de carbamato com varfarina. Marevan macerado, na verdade. Vamos temperar a comida desses canibais."

Olhei para o frasco: não havia rótulo nem dosador. Era apenas um recipiente caseiro de vidro, cheio até a boca com um pó escuro de uma textura que lembrava sal.

"Mata na hora?", perguntei, erguendo o frasco contra a luz.

Arthur me abriu um sorriso sádico.

"Amanhã você vai ver."

Noite feliz

1

Não voltei ao nosso apartamento. Arthur deixou que eu dormisse na sala e ficou conversando comigo até de madrugada sem tocar no assunto “Ruth”. Na manhã de sexta, ele insistiu que eu o colocasse na mesa de jantar daquela noite. Pela milésima vez, expliquei que era perigoso demais: a lista de convidados estava fechada fazia meses, qualquer alteração em cima da hora seria percebida.

“Você vai ter coragem de envenenar a comida?”, ele perguntou.

Eu não sabia responder. Apesar de tudo, eu não era um assassino, nunca tinha matado ninguém. Não seria tão fácil encher uma panela com veneno. Mesmo os convidados sendo uns filhos da puta, mesmo Umberto sendo o chefe de toda a carnificina... Era possível que minha coragem falhasse na hora decisiva.

“Fico escondido em algum quarto da casa”, Arthur insistiu. “Você distrai o cozinheiro e *eu* coloco o temperinho na comida.”

Acabei aceitando. Como Hugo chegava pouco depois do meio-dia, precisávamos entrar antes para evitar imprevistos. Tomamos café da manhã depressa. Eu me entupi de calmantes na esperança de conseguir controlar a tremedeira e pegamos um Uber. Eu tinha a chave do portão e da porta principal. Às onze, entrei sozinho para confirmar que a casa estava vazia e fiz sinal para Arthur.

"É aqui?", ele disse, observando cada centímetro da sala de jantar.

Não devia ser fácil para ele. Demos duas voltas completas pela casa e concluímos que o melhor esconderijo era o quarto dos fundos, onde Cora costumava fazer a carneação. Ele estava desativado, e os objetos que um dia tinham sido usados para transformar Ruth em nacos de carne acumulavam pó. Com os olhos mareados, Arthur estudou a motosserra e os baldes sujos de sangue, mas não comentou nada. Combinamos que, quando o relógio de pêndulo da sala de jantar batesse as quatro da tarde, eu chamaria Hugo no quarto e Arthur teria cerca de dois minutos para subir pela escada dos fundos, colocar o veneno na panela e voltar ao esconderijo.

"Qual o jantar de hoje?", ele me perguntou, ajeitando-se num vão entre o armário embutido e os forros de plástico. "Tem algum molho?"

"Roti. Feito à base de gordura e ossos."

"É um molho escuro, né?"

"Sim, por quê?"

"Melhor colocar o veneno nele."

"Tem certeza de que não vão estranhar o gosto?"

"Lembra amêndoas", Arthur disse. "Quando perceberem que tem alguma coisa errada, vai ser tarde demais."

2

No início da tarde, Hugo chegou e se surpreendeu ao me encontrar folheando uma revista na sala de estar. Desviou o olhar e foi rápido até a cozinha. Segui atrás dele.

"Vai mesmo me ignorar?"

"Não sei por que você veio."

"Não tive outra opção, você sabe", respondi. "Me passa a lista dos convidados de hoje."

A contragosto, ele pegou uma folha da bancada da cozinha e me entregou.

"Agora me deixa trabalhar", Hugo disse, virando as costas.

No quarto, passei os olhos pelo mapa da mesa. Umberto estaria no jantar. Senti um prazer inconfessável ao imaginar o velho desgraçado sufocando com sua gravata-borboleta colorida após devorar a carne com muito molho. Quase todos os convidados da lista haviam comparecido ao primeiro jantar no nosso apartamento. No lugar do casal-problema Kássio e Gustavo entraram os irmãos Maitê e Mateus Sampaio, uma dupla de cantores sertanejos que arrastava multidões pelo Brasil. Eles já haviam participado de jantares anteriores na casa do Jardim Botânico e eram entusiastas da carne de gaivota. Já no lugar de Cecília Couto entrara Heckel Axull, considerado o melhor advogado tributarista do Rio de Janeiro, santo milagroso dos grandes empresários.

Sem pressa, aproveitei cada segundo que o ponteiro do relógio devorava. Quando faltava exatamente um minuto para as quatro, gritei por Hugo no quarto. Precisei chamar mais duas vezes até escutar seus passos na escada. Me enfiei debaixo das cobertas, me fingindo de doente.

"Estou passando mal", eu disse, quando ele entrou. "Tem algum remédio aí?"

Hugo me encarou de cima a baixo:

"O que você tá sentindo?"

"Azia, enjoo."

"Tenho Eno na cozinha."

Ele fez menção de sair, mas o chamei de volta:

"Ei, espera. Quero conversar com você."

"Não quer que eu pegue o remédio?"

"Quero, mas... A gente não precisa ficar brigado. Acho que exagerei um pouco e... Você me desculpa?"

Logo percebi que havia algo errado. Talvez ele tenha notado meu blefe ou escutado algum barulho lá embaixo. Sem me responder, Hugo bateu a porta e desceu as escadas depressa, como quem foge de um incêndio. Abandonei a cama, torcendo para que tivesse dado tempo de Arthur se esconder.

"Que merda é essa?", escutei Hugo gritar.

Cheguei na cozinha a tempo de encontrá-lo lutando com Arthur no chão, próximo à pia. Eles se socavam, mas Hugo era mais forte. Urrando feito um bicho, ele se posicionou de modo a sufocar Arthur, mantendo-o imobilizado com as pernas. Arthur resfolegava, prestes a desmaiar, mas conseguiu segurar as orelhas de Hugo e começou a torcê-las quase a ponto de arrancar. Sem ceder, Hugo o golpeou na cara, uma, duas, três vezes. Seu rosto se cobriu de sangue em poucos segundos. Precisei entrar na briga antes que fosse tarde demais. Desestabilizei Hugo com um chute pelas costas, o que deu a Arthur a oportunidade de se afastar rastejando e se reerguer, apoiado na bancada.

Hugo se desvencilhou do meu avanço, girando o corpo e me devolvendo uma cotovelada no estômago. Antes que eu reagisse, deu uma rasteira que me derrubou no chão e começou a me chutar. Fechei os olhos, certo de que não conseguiria virar o jogo. Então, de repente, os chutes cessaram. Ainda caído, ofegante, sentindo a barriga arder, vi os olhos de Hugo congelarem, suas pernas perderem sustentação e seus joelhos dobrarem. Ele caiu no chão, agonizando de dor. Mais tarde, soube que Arthur dera nada menos que cinco facadas nas costas de Hugo.

Apesar dos ossos doídos, rastejei até Hugo. Não havia a menor dúvida de que ele estava morto. Fiquei chocado ao notar que não sentia nada ao olhar para meu amigo de infância naquele estado. Um único pensamento mesquinho me passou pela cabeça: *bem-feito*. Fechei seus olhos petrificados como quem arquiva um caso solucionado. Como o sangue se espalhava, Arthur pegou panos de chão e fez sinal para que eu ajudasse a levar o corpo para o quarto dos fundos.

"A gente não pode desistir agora", ele disse.

Em menos de dez minutos, enrolamos o corpo gotejante de Hugo em um lençol e descemos pela escada. Fiz o caminho de volta olhando para o chão, tentando apagar os sinais da luta: enxuguei manchas de sangue no fogão e nos pegadores das gavetas. Lavei a louça na pia enquanto Arthur virava o frasco inteiro na panela borbulhante de molho, mexendo com a colher de pau e baixando um pouco o fogo.

3

"É só fingir que nada aconteceu", Arthur disse, antes de voltar ao quarto dos fundos.

Eu estava uma pilha de nervos. Enxuguei a faca do crime, colocando-a entre as demais, e olhei em volta para confirmar que não restava nenhum vestígio. Guiado por Arthur, sentei no sofá da sala e recostei a cabeça, fechando os olhos e tentando me acalmar. Era impossível.

Comecei a pensar na mentira que contaria aos assistentes de cozinha, mas antes que encontrasse uma resposta eles chegaram. Arthur correu para se esconder no quarto dos fundos e tive poucos segundos para me recompor. De maneira pouco convincente, menti que Hugo havia feito a *mise-en-place* e preparado o molho, mas precisara sair para resolver um problema pessoal. Eles teriam que cozinhar por conta própria naquela noite.

"Vocês conseguem?", perguntei, forçando certo esnobismo.

Eles concordaram, hesitantes. Antes de subir ao quarto, avisei que o molho já estava pronto e mandei que fossem à cozinha terminar os trabalhos. Tomei banho e vesti o smoking. Era uma noite decisiva. Apesar de nervoso, eu não estava com medo. O fim da linha faz isso com a gente. Minutos antes que os convidados chegassem, arrumei os últimos detalhes da mesa — arranjos de flores, guardanapos de pano, velas. Coloquei a *playlist Best Love Songs of All Time* em volume baixo, usei spray de menta na boca e fui atender à campainha.

Na primeira leva de convidados, Kiki Dourado chegou embrulhada em um vestido prata, conversando alegremente com Nilo Carlos Arruda e Gabriel Franco Herméz. Fiz elogios a ela, que adorava ser paparicada, e dei as boas-vindas aos dois homens. Mandei que os garçons servissem o champanhe e apresentei o cardápio da noite: de amuse-bouche, patê de fois gras de gaivota obesa com *pain d'épices* e espuma de pimenta verde; de entrada, rolinhos de berinjela e carne de sol de gaivota com creme de queijo coalho e compota de tâmaras.

"E o principal?"

"O prato principal é surpresa", eu disse, com inconfessável prazer. "Mas posso dizer que o molho está mais delicioso do que nunca. E a carne... É uma iguaria!"

Repeti o mesmo discurso duas, três vezes, conforme uma nova leva de convidados chegava. Zanzei pela sala, atendendo a pedidos, servindo taças e falando amenidades. Por volta das nove, quando todos já estavam na sala de estar, bati palminhas para ganhar sua atenção.

"É uma felicidade receber vocês hoje, nesta seleta oportunidade. Vocês já sabem, mas… Estou aqui para garantir que tenham a melhor noite de suas vidas. Espero que se divirtam. Suponho que tenham muitas perguntas a fazer, a maioria tem da primeira vez."

"Não tem nenhum novato aqui!", Soninha disse, mordiscando a cereja de seu drinque.

Um burburinho faminto foi crescendo entre os convidados, como uma reunião de obesos esperando a abertura de um novo Burguer King. Forcei meu melhor sorriso, dizendo que o jantar seria servido em poucos minutos. Conduzi todos à mesa, dispostos de acordo com as plaquinhas de nome abreviado. Umberto aproveitou para se aproximar e segurou meu braço:

"Gostei de ver você aqui… E Arthur?"

"Fiz o que pediu."

Afastei-me depressa para puxar a cadeira na cabeceira para Ataíde Augustín, ainda mais obeso do que da primeira vez. Nos últimos meses, seu nome havia aparecido em todos os escândalos políticos do país, mas para minha surpresa ele continuava solto e de bom humor, como se vivesse num mar de rosas. Enquanto um dos assistentes de cozinha finalizava os pratos de entrada com folhinhas de manjericão milimetricamente dispostas, pedi que o outro preparasse um suco de morango para levar aos motoristas e aos seguranças da casa.

"Suco de morango?", ele perguntou.

"Vamos ser gentis."

Saí com a bandeja pelos fundos e coloquei sonífero em cada um dos copos antes de chegar à área externa. Servi o suco para todos e voltei para a sala de jantar a tempo de acompanhar os amuse-bouche sendo servidos.

"Para começar, o nosso já tradicional patê e um delicioso pão com especiarias", expliquei, enquanto os garçons reabasteciam as taças com vinho tokaji. "Nosso chef deu seu toque adicionando espuma de pimenta verde. Aproveitem!"

Umberto projetou o corpo, batendo de leve com o garfo na taça. Ele a ergueu no ar, incapaz de conter o entusiasmo:

"Um brinde a esta noite feliz! Que cheguemos aos duzentos, aos trezentos, aos mil jantares!"

As taças tilintaram, num clima de felicidade. Os convidados consumiram o amuse-bouche e a entrada enquanto conversavam e se embebedavam. Em poucos minutos, os pratos estavam vazios e as cloches com o prato principal foram servidas. Um dos garçons ergueu a primeira, revelando a iguaria: seios grelhados ao molho roti com seleção de legumes defumados. Os olhinhos dos comensais brilharam de curiosidade e, sem demora, eles começaram a devorar a comida.

"Está uma delícia", Kiki disse, raspando o molho com vontade.

"A carne marmorizada... é realmente divina", Maitê concordou.

"Um adocicado diferente, né?", Heckel parabenizou.

"Espetacular", Soninha disse. "Tem amêndoa aqui, não?"

Agradeci em nome do chef e me mantive a uma distância segura da mesa, sem tirar os olhos do relógio. Um leve zumbido na cabeça me perturbava, mas não chegava a comprometer a sensação de dever cumprido que preenchia minha alma. Quanto tempo mais demoraria?

Certa vez, num banheiro público, escrevi um poema:

"*O ser humano nasce*
Cresce,
Reproduz-se,
E é servido no jantar."

4

O primeiro sinal de que havia algo errado veio das narinas de Kiki Dourado. Enquanto, na cabeceira, Ataíde falava alto sobre suas intimidades médicas, um filete de sangue escorreu do septo nasal de Kiki e gotejou sobre o prato. De modo apressado, ela limpou o nariz com o guardanapo de pano, olhou para a mancha vermelha e, entre a surpresa e a vergonha, disse:

"Estou sangrando."

Ninguém prestou muita atenção. Ao fundo, tocava "We Are The World". Ataíde contava espalhafatosamente seus dramas e, no centro da mesa, Umberto elogiava o ponto das alcachofras, recebendo a aprovação dos demais convidados. No extremo oposto à Kiki, Mateus e Maitê tinham largado seus talheres e conversavam baixinho, sem dúvida porque um deles começava a passar mal. Pouco a pouco, as vozes foram se calando, embaladas por uma tontura incômoda, uma indisposição inesperada, náuseas e dores de cabeça que não tinham sido convidadas.

"Minha irmã não está se sentindo bem", Mateus disse, enquanto acudia Maitê, que tinha acabado de completar trinta anos em uma festança na Casa Julieta de Serpa. A jovem respirava agitadamente, suando frio. Suas pupilas estavam dilatadas, e ela levou as mãos à barriga, soltando murmúrios ininteligíveis.

"Cólica", Maitê conseguiu dizer.

Ela colocou a língua para fora, como quem tem a boca em chamas. Umberto se levantou, gritando pelos garçons. Mandou que trouxessem água, mas eles não vieram. Mais tarde, quando entrei na cozinha, eles convulsionavam diante do fogão, bem próximo aos corpos mortos dos assistentes, que também haviam provado o molho.

"Dante, pega água! A menina está com cólica!", Umberto gritou.

Ao sentir um baque no peito, o velho se apoiou com dificuldade no espaldar da cadeira. Nessa altura, outro filete de sangue havia escorrido das narinas de Kiki. Ao seu lado, Albertina projetou o corpo para ajudá-la, mas não conseguiu, pois começou a tossir ferozmente, salivando sem controle, arqueando as sobrancelhas. Deixando de lado a etiqueta, virou a garrafa de vinho inteira no gargalo para tentar limpar o gosto estranho que preenchia sua boca.

"Tem bolinhas nas minhas mãos", ela disse.

Para seu azar, naquele momento, toda a atenção estava voltada para Maitê, com os músculos da face contraídos e o peito arfante em busca de ar. Apesar da pequena confusão, Ataíde seguia falando das cólicas de sua ex-mulher e de um ótimo gastro que conhecia em São Paulo. De repente, no meio de uma frase, o deputado apoiou as mãos inchadas na mesa, disse "Acho que não estou legal" e vomitou quase metade do que havia em seu estômago troglodita.

Nesse exato instante, Nilo Carlos e Gabriel Herméz se levantaram para acudir Maitê e foram atingidos pelo jato gosmento que deixou imundos seus ternos Emporio Armani. Maitê caiu da cadeira, convulsionando-se em espasmos no chão, as mãos tortas em forma de garra. Começou a bater os dentes com força, como se estivesse num frio de muitos graus negativos, e acabou arrancando um pedaço da própria língua, que escorreu pelos lábios e foi parar no pescoço pálido.

Assustada, Albertina gritou, mas se manteve em sua cadeira, batendo os punhos fechados na mesa, enquanto o ritmo de sua respiração crescia. Ela babava e lacrimejava sem parar. O vinho não tinha adiantado de nada e sinceramente não sei se seu grito foi motivado pelo vômito que inundava seu vestido ou pelo rosto de Kiki ao seu lado, que rezava um pai-nosso em francês enquanto o sangue começava a vazar de todos os seus orifícios. Mais tarde, pesquisando na internet, descobri que o carbamato age como um incêndio no organismo humano, queimando tudo o que vê pelo caminho, enquanto a varfarina é um anticoagulante eficiente, abrindo as portas para que o fogo se alastre sem resistência.

Um segundo jato veio da boca de Ataíde, com pedacinhos de carne de gaivota e alcachofras mal mastigadas, mas dessa vez ninguém reclamou, porque tinham preocupações maiores, como respirar. Maitê estava morta ao lado da cadeira. Parceiros em tantas licitações fraudulentas e projetos superfaturados, Nilo e Gabriel se debatiam juntos, gorgolejando com a boca escancarada numa expressão de horror, soltando gritos roucos enquanto os pulmões imploravam por um pouco de ar.

Em poucos minutos, a sala de jantar ganhou um cheiro insuportável de esgoto e hospital velho. Não eram só os vômitos de Ataíde. Albertina também deu sua contribuição estomacal à imundície sobre a mesa com um jato que chegou a apagar as velas de alguns castiçais. Do auge de seus setenta e nove anos, ela rastejou apoiada nos móveis, gritando palavrões, enquanto deixava rastros da diarreia que lhe acometia. Mais tarde, os jornais preferiram não mencionar que a viúva do industrial Péricles Terranova, dama sempre presente na lista do livro *Sociedade Brasileira*, morreu assim, defecando enquanto mandava o mundo inteiro tomar no cu.

Em meio ao espetáculo indigesto, me lembro de estranhar como todos falavam ao mesmo tempo em seus minutos finais de vida. Era como uma última necessidade de se expressar, de deixar algum registro. Entre tosses, tremores, gritos sufocados e surtos de asma, escutei muitos palavrões. Soninha Klein era a mais desbocada da mesa. Enquanto se contorcia no chão, a conhecida agitadora cultural colocava para fora ofensas que possivelmente só havia usado antes com suas empregadas domésticas. Mas ela era uma mulher forte: conseguiu se levantar, arrancando seus broches de ouro, suas pulseiras, brincos e o colar, que rolaram pelo tapete. Era como se tudo aquilo a sufocasse.

"Seus filhos da puta escrotos de bosta!", ela gritou. "Meus pulmões estão queimando!"

Ela rasgou as roupas, começando pela blusa preta de gola rulê, revelando a barriga tanquinho e o sutiã rosa-choque que guardava seus belos seios, conseguidos após duas intervenções cirúrgicas estratégicas. "Vão pra casa do caralho, seus comunistas!" Ela tirou a calça jeans, mas, antes de descer a calcinha, tropeçou numa poça indeterminada com forte cheiro de azedo. Pouco a pouco, seu sistema nervoso foi sendo atacado e Soninha se entregou aos delírios. Ao fundo, Bee Gees tocava "How Deep Is Your Love".

Como um balão cheio de água, Ataíde continuava a esvaziar.

"O que" — vômito — "está acontecendo" — vômito — "aqui?"

"Puta que pariu, minha viagem pra Nova York, buceta! Feministas!", Soninha continuava.

Trôpego, Ataíde deu dois passos até a porta da cozinha e disse:

"Umberto" — vômito — "acho que vou" — vômito — "desmaiar."

Ele não desmaiou, mas vomitou outra vez. O pai-nosso de Kiki já se calara havia alguns minutos. Filetes de sangue escorriam de suas narinas, olhos, orelhas e boca como uma fonte no centro de uma pracinha europeia. Kiki morreu com talheres nas mãos, mantendo a impecável postura aprendida nas aulas de etiqueta, décadas antes. Uma dama da sociedade, mesmo com as joias cobertas de vermelho viscoso.

Não sei quanto tempo passou até que notassem minha presença. Cinco, dez minutos talvez. Para mim, uma eternidade. Mais tarde, tentei marcar o tempo pelas músicas e me lembro de ter escutado "Dreamlover", da Mariah Carey, "Love on the Brain", da Rihanna e "Love Story", da Taylor Swift, mas é como se os segundos tivessem se dilatado para oferecer aos convidados mais dor.

Parado na antessala, eu assistia a tudo com enorme satisfação, até que Mateus se afastou do corpo morto da irmã e me encarou, transbordando de ódio. Naquele momento, Umberto estava encolhido no chão feito bebê, a barriga inchada forçando os botões. Ele engasgava com o próprio sangue. Heckel já tinha uma coloração roxa, principalmente nos lábios, nos dedos e nas orelhas — depois, soube que isso se chama cianose —, e rastejava, as veias saltando da testa e dos olhos arregalados sob os óculos de armação grossa.

"Piranha, caralho!", Soninha tentava gritar, com a voz rouca. "Viados! Viados comunistas!"

E Ataíde:

"Quem" — vômito — "fez isso?"

Mateus veio na minha direção, fechou a mão e me desferiu um soco. Caí no chão, pego de surpresa. Levei chutes no rosto enquanto tentava reagir. *Como ele consegue se manter de pé?*, pensei. Só então lembrei que Mateus preferia sua carne sem molho. Ele não estava envenenado. *Merda!*

Segurei sua perna direita e consegui alguma vantagem. Apoiado no cós de sua calça, tentei levantar, mas fui puxado de volta ao chão. Olhei por cima do ombro e Umberto segurava meu pé. Com suas últimas forças, o velho tinha se arrastado até mim e gorgolejava qualquer coisa ininteligível. Sua boca estava cheia de sangue e seus olhos já não pertenciam mais a este mundo.

"Foi" — vômito — "você!"

"Viado traidor escroto!"

Em poucos segundos, Soninha, Heckel e Ataíde avançavam na minha direção, como zumbis cuspindo entranhas. Mesmo sem ar, Umberto continuou a segurar minha perna, de modo que Mateus conseguiu recuperar o controle e socou minha cabeça até que eu tombasse de novo, com a barriga voltada para o chão. Apesar dos chutes e dos socos, flexionei os braços para me levantar, mas era tarde demais. Eles já estavam sobre mim, como urubus se fartando na carniça. Meu smoking empapado de sangue grudava no chão de mármore. Senti mordidas na perna e Soninha cravou sua mandíbula na minha orelha, arrancando uma boa parte do lóbulo. Urrei de dor, sem conseguir me mover. O milésimo jato de vômito de Ataíde veio direto na minha cara. Tinha gosto de lixão. Zonzo, cansei de lutar e me deixei ser devorado por canibais em trajes de gala.

Então, vencendo o som de "Isn't She Lovely", de Stevie Wonder, escutei o ronco do motor. *Isn't she lovely? Vrummmm, vrummmm, vrummmm. Isn't she precious? Vrummmm, vrummmm, vrummmm. Isn't she wonderful? Vrummmm, vrummmm, vrummmm.* Continuei de olhos fechados, certo de que aquele barulho era apenas minha consciência já capenga. Mas ele se aproximou e os golpes pararam. O peso dos convidados não estava mais sobre mim. Sem entender, virei a tempo de assistir a Arthur fatiando Mateus com a motosserra amarela de Cora. Os órgãos do cantor sertanejo saltaram do corpo como nacos de fruta voando de um liquidificador sem tampa.

Vrummmm, vrummmm, vrummmm. Ao ver o estrago que a motosserra fazia, Heckel tentou se afastar, mas seus pés ficaram para trás, sendo rasgados na altura dos tornozelos. Enquanto ele urrava no chão, girando os cotocos no ar, sangue espichava nas paredes, manchando os quadros e a mesa de jantar. Arthur foi terminar o serviço.

"Porra, *merde*, que cagada do caralho!", Soninha esbravejava.

"Por favor" — vômito — "não me mata!"

Só Deus sabe como Ataíde ainda conseguia respirar depois de colocar tudo aquilo para fora. O deputado rolava pelo tapete, apoiando-se nos corpos caídos para tentar escapar. Seu rosto inchado parecia prestes a explodir. Antes que vomitasse de novo, Arthur passou a motosserra por seu pescoço adiposo, rasgando a pele e deixando que explodisse de vez. Ataíde se esvaiu depressa, ao som de "Every Breath You Take", do The Police.

"Ahhhhh, seu puto, escroto!"

Mesmo naquela idade, Soninha teve forças para se aproveitar da distração de Arthur e saltar nua sobre suas costas. Uma heroína. Arthur teve que soltar a motosserra para segurar os braços finos da velha que tentava abocanhar seu pescoço. A motosserra seguiu ligada, tremendo no chão como um animal feroz solto pela sala, talhando membros e rostos, o que dificultou bastante o trabalho dos peritos que depois analisaram o local do crime. Desviei da máquina para que ela não me atingisse e corri para acudir Arthur. Ele nem precisou de mim: deu um golpe de judô em Soninha, girando-a no ar e batendo o corpo dela contra o chão. As costelas da velha estalaram e ela ficou se contorcendo. Com destreza, Arthur voltou a pegar a motosserra e se aproximou. *Vrummmm, vrummmm, vrummmm.*

"Feminista preto babaca gay nojen...", ela ainda gritou antes que a lâmina passasse por sua garganta, abrindo uma nova boca escancarada bem abaixo do queixo. Segundo os jornais, a língua de Soninha foi encontrada presa ao lustre ovalado da mesa de jantar, mas não vi isso na hora. Eu estava ocupado demais olhando para Umberto, que tentava inutilmente se esconder atrás do sofá da sala de estar, resfolegando. Com um sorriso no rosto, Arthur se aproximou, e me dei conta de que aquele farmacêutico apaixonado pela noiva não existia mais. Agora, quem entrara no lugar era um vingador, que fizera questão de deixar o melhor para o final.

Vrummmm, vrummmm, vrummmm. Umberto se mijava, cuspindo sangue e suplicando pela vida. Num movimento rápido, Arthur cortou o pé direito do velho, deliciando-se com os gritos de dor extrema. Sem perder tempo, cortou seu pé esquerdo e suas mãos, bem na altura do Rolex. Às vezes, a lâmina engasgava, mas era impressionante a facilidade com que triturava os ossos na segunda ou terceira tentativa, fazendo lembrar a textura de uma manteiga fora da geladeira. Os urros de Umberto conseguiam sufocar até os de Whitney Houston cantando "I Will Always Love You" no som ambiente ao fundo. Arthur esperou alguns segundos, regozijando-se no desespero de Umberto para fatiar novamente, desta vez na altura dos joelhos e depois dos cotovelos.

O velho jazia no chão da sala como um espantalho, mas Arthur não se importou: ficou de pé em cima dele, ergueu os braços e, soltando um berro gutural, desceu a motosserra ainda ligada, fincando-a no peito de Umberto. Ele teve que se afastar depressa, enquanto a lâmina revolvia o tórax do velho, dividindo seu corpo ao meio. Seus órgãos voavam pela parede e se juntavam aos bifes de carne de gaivota restantes nos pratos de porcelana sobre a mesa. *Vrummmm, vrummmm, vrummmm.* A motosserra perfurou o cadáver por pelo menos mais um minuto antes de desligar sozinha. Olhei para Arthur, ofegante.

"Obrigado", eu disse.

Estávamos imundos de sangue e outras coisas mais. Ele caminhou devagar, observando o resultado: antes em tons terracota, a casa agora era definitivamente vermelha. Além do sangue, havia joias, travessas, pedaços de comida, velas apagadas e vômito espalhados pela toalha de mesa. Arthur se aproximou e pegou um garfo. Revolveu a carne em um dos pratos e se virou para mim. Seus olhos estavam cheios de lágrimas, e não supus que fosse pelas pessoas que tinham acabado de morrer.

"Aquele almoço...", ele disse, apontando para Umberto. "Era carne humana?"

Fiquei de joelhos e abri os braços:

"Pode me matar, Arthur. Agora você não precisa mais de mim."

Ele concordou com um sorriso que não era mais sádico, e sim triste, cheio de angústia. A passos firmes, ele pegou a motosserra num canto e a religou. Fechei os olhos, enquanto o *vrummmm, vrummmm, vrummmm* se aproximava. Preferi não reagir. Arthur tinha esse direito.

"Sua punição vai ser sobreviver", ele disse, bem perto da minha orelha devorada.

Na mesma hora, o jato inundou meu rosto. Não havia nada a ser feito. Abri os olhos e o vi se afogar no sangue em poucos segundos, após ter cortado a própria garganta com a motosserra. Fiquei ali, acariciando sua testa até que ele descansasse em paz. Sinceramente, não sei o que fiz depois, quanto tempo mais fiquei na casa. Mas sei que passei pela porta por volta das duas da madrugada, chegando à área externa e me dando conta da ironia de tudo: o mundo continuava o mesmo. Já era sábado, o ar estava frio, a rua deserta, o céu escuro, sem estrelas. Um cachorro latia em algum lugar distante, perturbando os vizinhos. Desviei dos seguranças e dos motoristas adormecidos e saí a pé pelo portão, com o smoking ensanguentado, chorando e sorrindo, sem me importar com as pessoas nos bares e com os porteiros que me perguntavam se estava tudo bem. Entrei na delegacia mais próxima.

O mundo continuava o mesmo, mas eu havia mudado.

Epílogo

O resultado do júri foi sete a zero — placar pior do que o de Brasil e Alemanha na Copa do Mundo de 2014. Fui condenado a trinta anos no Presídio Ary Franco, em Água Santa. O defensor público — um magricelo antipático, mas talentoso — diz que devo conseguir progressão do regime e talvez até remissão da pena, mas isso não importa. Não tem ninguém me esperando lá fora.

Depois que a notícia dos jantares de carne humana saiu em todos os lugares, nem meus pais vieram me visitar. Através de uma carta muito objetiva, possivelmente redigida por um advogado, soube que tinha sido deserdado e que, quando eles morrerem, os bens da família irão para um primo distante. Todo o dinheiro que ganhei com os jantares foi confiscado pela Justiça e, caso eu saia daqui um dia, tenho certeza de que não vou conseguir me reinserir na sociedade. Não tenho a menor chance.

Durante meses, o caso Carne de Gaivota fez a alegria da imprensa. Sempre havia alguma informação nova, um entrevistado, um detalhe mórbido. Quando a polícia encontrou a lista de todos os convidados ao longo dos anos, o *Fantástico* teve recorde de audiência. Tinha muita gente influente envolvida, e precisaram abafar alguns nomes, mas não todos.

Meu julgamento foi basicamente um programa de televisão, uma novela com ibope elevado: jovem que veio do interior do Paraná com os amigos e ficou rico preparando jantares canibais. Como meus três amigos deram a sorte de morrer, toda a culpa recaía sobre mim. Sou o psicopata, o maníaco, a imagem do Mal que invade os pesadelos dos mais impressionáveis nas noites de chuva. Por isso, prefiro ficar aqui, no hotel do Estado, com comida e roupa lavada.

Os dias na cadeia são preguiçosos, vazios e tristes. A maioria dos presos gosta de mim e me respeita porque sei falar bonito e escrever bem. No início, alguns engraçadinhos até tentaram se meter, provocar brigas e abusar de mim, mas acabaram desistindo: viram fotos suficientes do que a polícia encontrou na casa do Jardim Botânico naquela madrugada. Há muitas imagens extraoficiais feitas pelos policiais que chegaram primeiro ao local do crime e compartilharam em seus grupos de WhatsApp. Quase todas podem ser encontradas na internet, não é difícil de achar.

Outro dia, enquanto comia a gororoba do refeitório, soube que meu apelido aqui é Canibal. Gostei. Passo a maior parte do tempo sozinho, embora haja os curiosos (e corajosos) que tentam puxar assunto perguntando como tudo começou. Reconto o enigma da carne de gaivota, mas eles não parecem acreditar que foi assim, duvidam quando eu digo que isso resume a história toda: o marido que se mata após descobrir que devorou a carne da própria esposa.

Em muitas noites, penso em Arthur. Penso também em Leitão, em Miguel e até em Hugo. Tenho tempo de sobra, para pensar, dormir e até escrever um livro. Todo escritor que reclama de falta de tempo deveria matar alguém e curtir uns anos em cana. Dá para escrever uma obra maior do que a de Agatha Christie. Por isso, resolvi contar minha versão dos fatos. Acho que ela é importante. Além disso, a escrita engana a solidão. Com tanta merda nas livrarias, entre os livros para colorir, as baboseiras religiosas que esses padres escrevem e a modinha dos YouTubers, com alguma dose de sorte talvez meus livros vendam e eu consiga ganhar alguma grana.

Escrevi as primeiras linhas desta história em setembro de 2016, mas avancei rápido. Não tenho muito mais o que fazer na cadeia. Minha rotina é simples: leio jornais ou livros, vejo televisão, faço exercícios no pátio e evito arrumar confusão com os outros presos. É engraçado como a gente cria um novo mundo aqui dentro e o que acontece lá fora se torna uma espécie de realidade paralela. Não interessa quem vai ser o presidente do Brasil, a economia, a violência na cidade, as obras do metrô, a cotação do dólar. Quando você está preso, foda-se tudo. Ou melhor: *quase tudo*.

Não sei em que momento suspeitei que havia algo de errado. Em março de 2017, vi na TV as notícias sobre o atentado contra a bispa Lygia. Enquanto viajavam de ônibus pelo interior do Centro-Oeste em turnê, ela e sua equipe foram cercadas por picapes escuras. Os bandidos desceram e fuzilaram o ônibus, sem deixar ninguém vivo. Na época, o episódio causou comoção nacional, mas eu achei tudo muito divertido. *Onde está seu Deus agora?*, pensei.

No meio daquele ano, tive acesso à internet por um dia, através de um celular contrabandeado. Depois de jogar meu próprio nome no Google e encontrar fotos horrorosas, de uniforme do presídio e com a orelha decepada, digitei "Pingo d'Água". Muitos sites falavam sobre o polêmico desmonte da sede da Universal do Senhor Crucificado após a morte da bispa. As informações eram vagas e desencontradas, mas consegui concluir que os imóveis tinham sido comprados por um grupo estrangeiro. O que uma empresa internacional poderia querer naquele fim de mundo?

Segundo os principais portais de notícias, os empresários tinham decidido demolir tudo para reconstruir o complexo de entretenimento adulto que havia sido planejado na cidade. Muitas críticas vinham sendo feitas, com romarias e peregrinações de fiéis, mas nada detinha o negócio: as obras seguiam a todo vapor e a inauguração do novo bordel estava agendada para março do ano seguinte.

Havia algo de estranho. Ao longo dos meses, imaginei hipóteses e construí teorias que não serviram para nada. A confirmação só veio em dezembro, numa manhã de segunda-feira. Sob um sol escaldante de verão, eu lia George Orwell no pátio do presídio quando um carcereiro me avisou que eu tinha visita. Cheguei a pensar que era minha mãe, arrependida por me abandonar à própria sorte, mas o carcereiro apontou uma mulher loira, cheia de tatuagens, que caminhava na minha direção. Foi preciso que ela chegasse mais perto e tirasse os óculos escuros para eu a reconhecer: Cora. Com olhos azuis, os lábios preenchidos de botox, o nariz mais fino e um dragão cobrindo o braço esquerdo, mas ainda era Cora. Uma boneca montada. Abracei-a, feliz, e ela também sorriu.

"Senti sua falta", eu disse.

Cora concordou, fazendo sinal para que fôssemos para um canto mais discreto do pátio:

"Por favor, não diz a ninguém quem eu sou."

"Claro, claro."

Seu nome havia aparecido em algumas notícias quando o caso estourou, mas como não havia nenhuma foto dela nem retrato falado, aquela linha de investigação acabou morrendo. Cora era invisível para a polícia.

"Pra ser sincera, nem sei se eu deveria ter vindo", ela disse, esfregando as mãos. "Mas achei melhor. Mais dia, menos dia, você ia descobrir."

"Foi você que comprou a igreja em Pingo d'Água, não foi? Com o dinheiro que juntou dos jantares?"

Ela sorriu, com ar de pena.

"Eu e Leitão compramos a Igreja, Dante."

Um choque elétrico sacudiu minha barriga. Eu a encarei, mas Cora desviou o olhar, cruzou as pernas e endireitou a coluna.

"Desculpa, Dante", ela disse. "A gente te deu todas as chances de entrar de vez no negócio, mas você não agarrou nenhuma. Preferiu brigar, tentou destruir o esquema, cismou em descobrir quem era Vladimir. Você não chegou nem perto."

Era patético. Eu não conseguia formular nenhuma frase.

"Eu e Leitão estamos muito bem. Os jantares continuam a todo vapor e ele está animado com a ideia de reinaugurar o bordel. Como qualquer dia você ia descobrir, ele pediu que eu viesse aqui te avisar."

Alguns presos começavam a nos observar. As lágrimas caíam contra minha vontade.

"Por que vocês fizeram isso?"

"Leitão sempre disse que a melhor maneira de escapar de uma responsabilidade é colocar a culpa em alguém maior do que você. Ele tinha prestado um serviço na casa do Umberto e percebeu que o velho era o laranja perfeito. Foi assim que nasceu o Vladimir. O velho nunca desconfiou de nada, falava apenas comigo no telefone, Virgínia. Por isso, o Leitão não queria que ele me conhecesse. Seria o fim do nosso teatro."

"Mas... Eu não entendo... A gente só precisava de um jantar pra conseguir a grana do aluguel!"

"Meu fofoluxo teve uma grande ideia, Dante. Ele não queria que tudo acabasse com apenas um jantar e encontrou em mim a parceira perfeita. Não foi por acaso que flagrei vocês na primeira vez, erguendo a velha na sala; não foi por acaso que a carne dela estragou durante a noite. Eu quebrei o freezer. Era a única maneira de seguir com o negócio."

"Nós éramos amigos, porra! Hugo e Miguel estão mortos, eu estou nesse inferno!"

"Nós tentamos te preservar. Com a visita ao matadouro, pensamos que desistiria. Plantamos a negra que você seguiu pela galeria, uma amiga minha dos tempos de calçada. Forjamos até um informante pra Ruth, aquela jornalista enxerida, só pra te levar a suspeitar do Umberto. Mas você não sossegou e agora está aqui, preso."

"O que me impede de chamar os guardas agora mesmo e contar quem é você?"

"Se fizer isso, sua família corre perigo. Aliás, você mesmo corre perigo aqui dentro. O Leitão não vai gostar nada se algo acontecer comigo. Sou a mulher da vida dele, um presente de aniversário de Deus."

Cora levantou, colocando a mão no meu rosto.

"Espero que você seja feliz. Pode não acreditar, mas eu gosto de você." Ela mexeu em sua bolsa de oncinha e me estendeu um cartão de visitas. "Quando sair daqui, me procura. Consigo um emprego em uma das nossas filiais pra você. Pode contar comigo, Dante."

"Vai se foder, Cora."

Ela começou a se afastar, rebolando a bunda larga sob os olhares dos outros presos. Quando já estava a alguns metros, virou para mim com um sorriso e gritou:

"Ei, Dante… Sabe aquele boquete que te prometi? Se você quiser, continua de pé."

[Cartão de visitas]

1ª EDIÇÃO [2021] 1 reimpressão

ESTA OBRA FOI COMPOSTA PELA SPRESS EM ELECTRA E IMPRESSA EM OFSETE PELA GRÁFICA SANTA MARTA SOBRE PAPEL PÓLEN DA SUZANO S.A. PARA A EDITORA SCHWARCZ EM SETEMBRO DE 2025